#시험대비
#핵심정복

7일 끝
중간고사
기말고사

Chunjae
Makes
Chunjae

▼

개발총괄	김은숙
편집개발	김은송, 김용하, 박준우, 박유미
제작	황성진, 조규영
발행일	2021년 3월 15일 초판 2021년 3월 15일 1쇄
발행인	(주)천재교육
주소	서울시 금천구 가산로9길 54
신고번호	제2001-000018호
고객센터	1577-0902
교재 내용문의	(02)3282-8739

※ 정답 분실 시에는 천재교육 홈페이지에서 내려받으세요.

7일 끝으로 끝내자!

중학 **과학 1-1**

BOOK 1

중 간 고 사 대 비

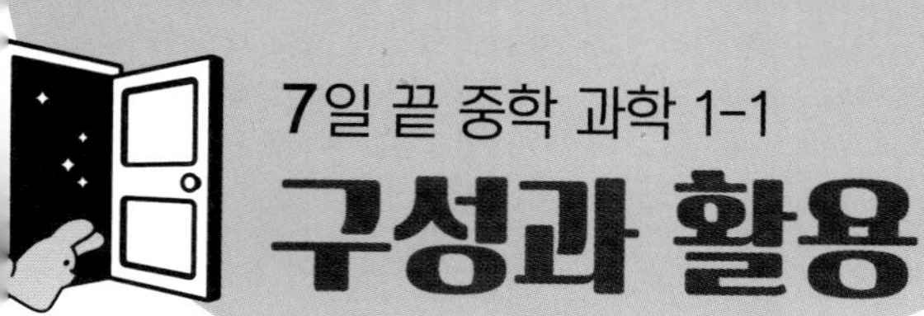

7일 끝 중학 과학 1-1

구성과 활용

시험 공부 시작

생각 열기

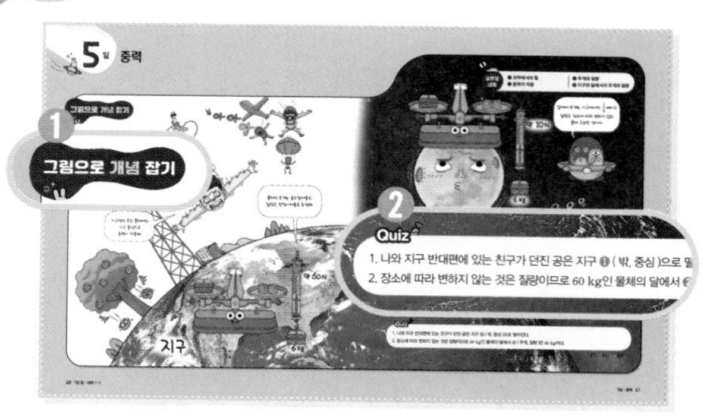

공부할 내용을 그림과 퀴즈로 쉽게 살펴보며 학습을 준비해 보세요.

❶ 그림으로 개념 잡기 학습할 개념을 그림과 만화로 재미있게 알아보세요.

❷ Quiz 공부할 내용을 그림과 관련된 퀴즈 문제로 확인해 보세요.

본격 공부 중

교과서 핵심 정리 + 기초 확인 문제

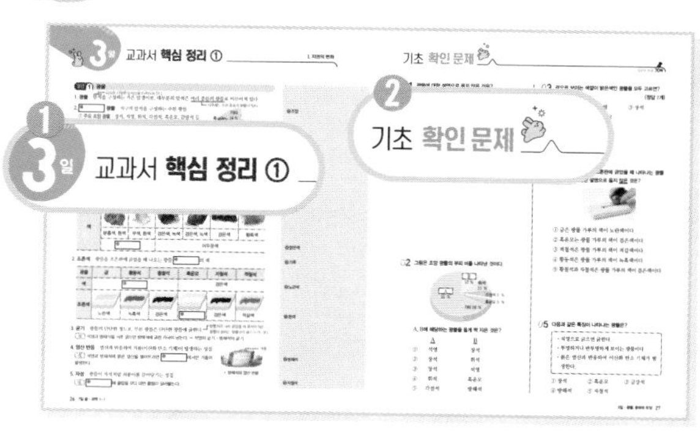

꼭 알아야 할 교과서 핵심 개념을 익히고 기초 확인 문제를 풀며 제대로 이해했는지 확인해 보세요.

❶ 교과서 핵심 정리 빈칸을 채워 보며 교과서 핵심 개념을 다시 한번 체크해 보세요.

❷ 기초 확인 문제 교과서 핵심 정리와 관련된 문제를 풀며 공부한 내용을 확인해 보세요.

내신 기출 베스트

다양한 유형의 문제를 풀어 보며 공부한 내용을 점검해 보세요.

❶ 대표 예제 시험에 자주 나오는 빈출 유형 필수 문제를 풀어 보세요.

❷ 개념 가이드 대표 예제와 관련된 핵심 개념을 익혀 보세요.

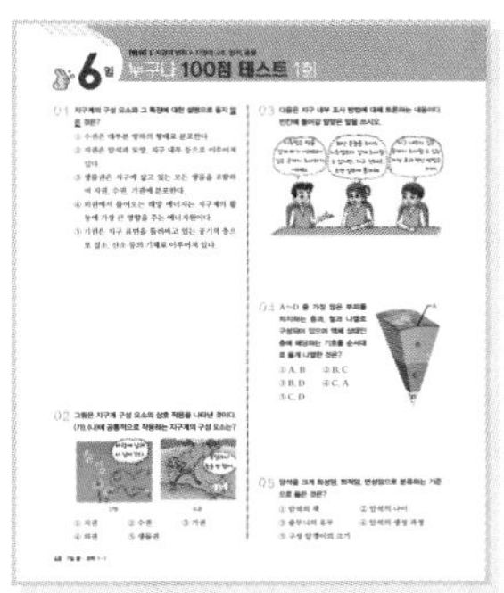

누구나 100점 테스트

5일 동안 공부한 내용을 바탕으로 기초 이해력을 점검해 보세요.

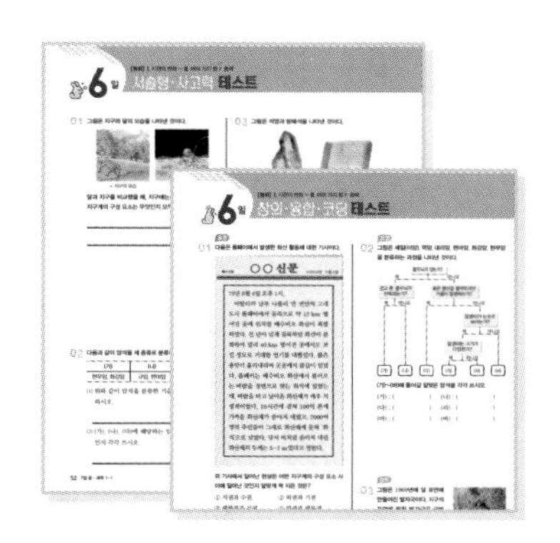

서술형·사고력 테스트
창의·융합·코딩 테스트

서술형·사고력 문제와 창의·융합·코딩 문제를 풀어 보면서 창의력과 문제 해결력을 길러 보세요.

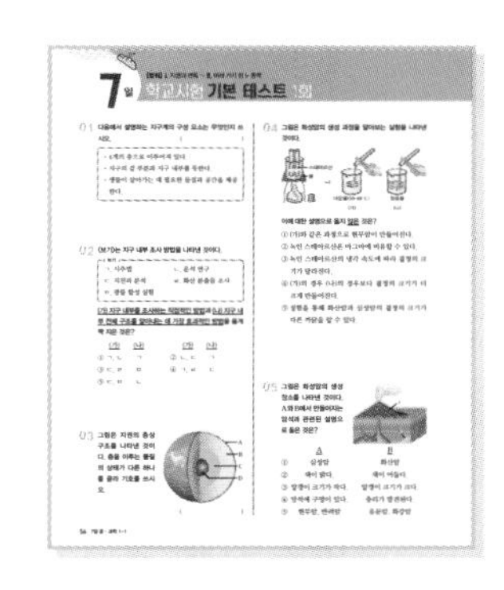

학교시험 기본 테스트

중간·기말고사 예상 문제를 최종으로 풀며 실전에 대비해 보세요.

튼튼이·짬짬이 공부하기

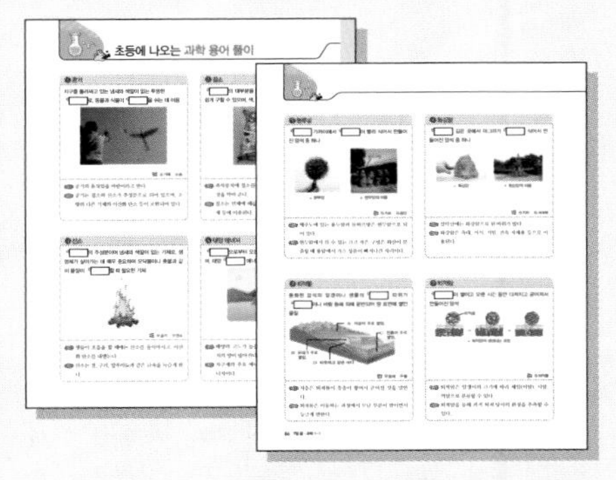

초등학교에서 배운 과학 용어로 선수 학습을 확인할 수 있어요.

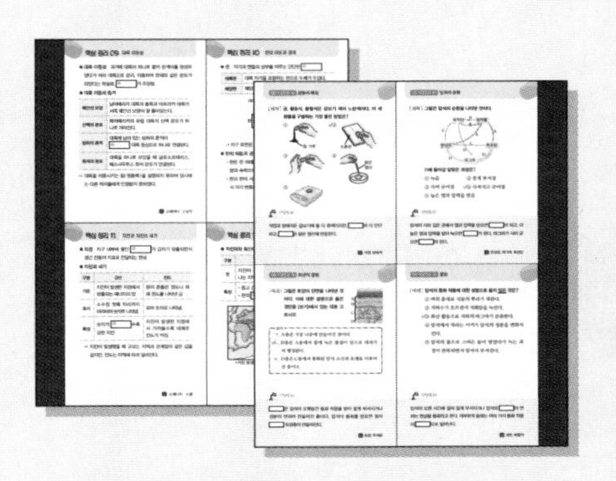

시험 직전이나 튼튼이 암기 카드를 휴대하여 활용해 보세요.

7일 끝 중학 과학 1-1

차례

7일 끝

과학 1-1과 내 교과서 비교하기

학교 시험 범위와 내 교과서의 출판사명을 확인하고 7일 끝 교재 범위를 체크해 공부해요.
예를 들어, 〈천재교과서〉의 과학 교과서를 사용하는 내 학교의 1학기 중간고사 범위가 'Ⅰ. 지권의 변화'(12~57쪽)
라고 하면, 7일 끝 BOOK1 8~39쪽 을 학습하면 돼요!

	대단원	일별 학습 주제	7일 끝 과학 1-1(쪽)	천재교과서(쪽)
BOOK 1	Ⅰ. 지권의 변화	1일 지구계와 지권의 구조	8~15	12~19
		2일 지각의 구성 물질	16~23	22~33
		3일 광물, 풍화, 토양	24~31	34~46
		4일 지각의 변화	32~39	48~57
	Ⅱ. 여러 가지 힘(1)	5일 중력	40~47	66~71
BOOK 2	Ⅱ. 여러 가지 힘(2)	1일 탄성력	8~15	73~78
		2일 마찰력과 부력	16~23	80~89
	Ⅲ. 생물 다양성	3일 생물의 다양성	24~31	98~104
		4일 생물의 분류	32~39	106~115
		5일 생물 다양성 보전	40~47	118~127

비상교육(쪽)	미래엔(쪽)	동아출판(쪽)	YBM(쪽)
12~20	14~21	13~19	14~18
24~27	22~29	20~28	22~27
28~37	30~40	29~35	28~35
44~54	42~51	39~46	36~49
64~69	62~71	57~61	62~68
70~76	72~75	62~68	70~73
78~88	76~89	70~80	75~82
96~99	98~103	91~95	96~100
100~108	104~115	96~104	104~111
110~120	116~125	106~114	113~121

1일 지구계와 지권의 구조

공부할 내용

❶ 지구계의 구성 요소
❷ 지구계의 상호 작용
❸ 지구 내부 조사 방법
❹ 지권의 층상 구조

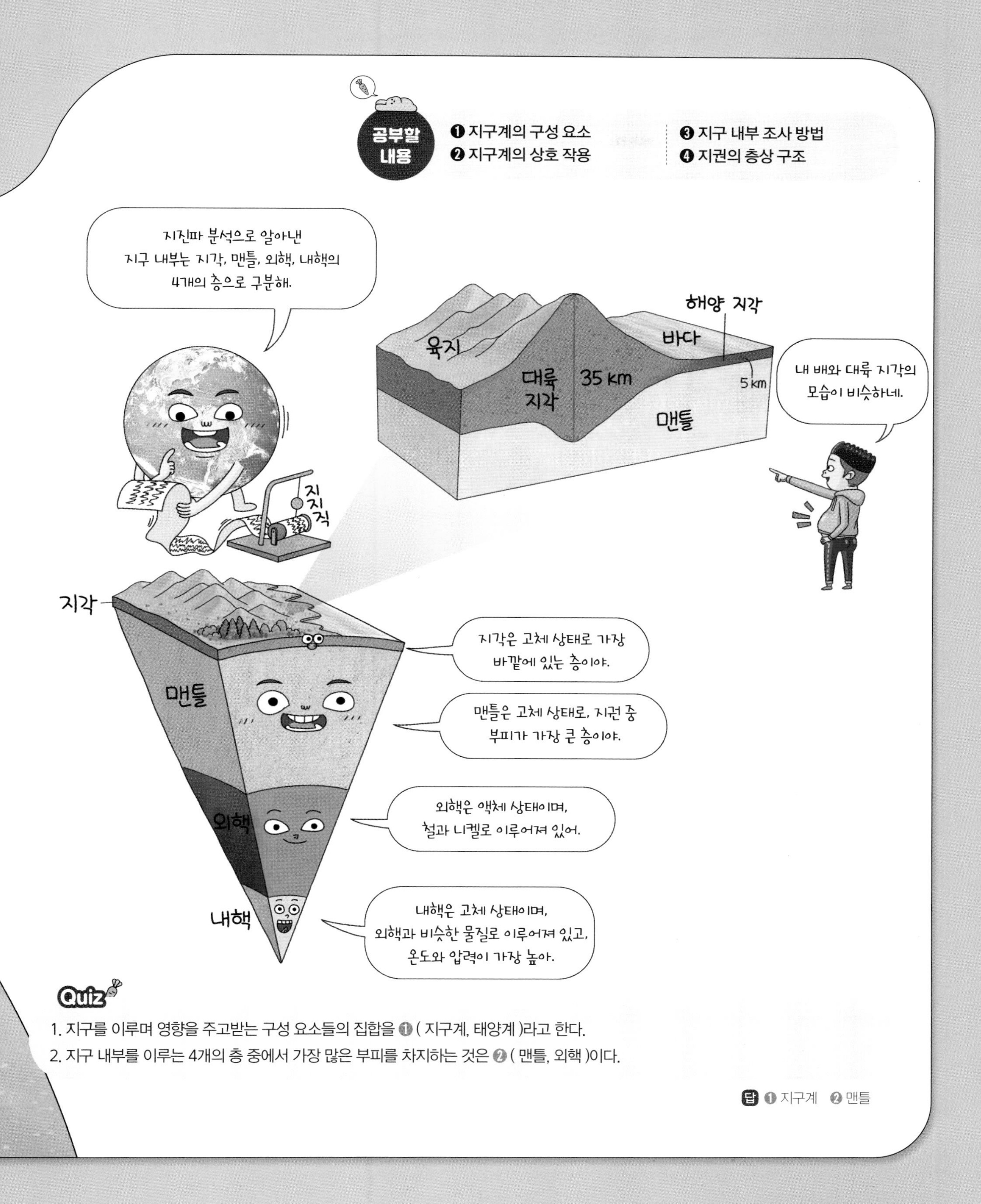

Quiz

1. 지구를 이루며 영향을 주고받는 구성 요소들의 집합을 ❶ (지구계, 태양계)라고 한다.
2. 지구 내부를 이루는 4개의 층 중에서 가장 많은 부피를 차지하는 것은 ❷ (맨틀, 외핵)이다.

답 ❶ 지구계 ❷ 맨틀

교과서 **핵심 정리 ①**

개념 1 지구계의 구성 요소

1. **지구계 또는 지구 시스템** 지구 환경을 구성하는 육지, ❶ [ ], 대기, 생물, 우주 공간
   - 계를 구성하는 각 요소는 서로 영향을 주고받는다.

2. **지구계의 구성 요소**

구성 요소	특징
지권	• 토양과 암석으로 이루어진 지구 표면과 지구 내부 영역 (지구 표면: 암석, 흙, 산 등으로 구성) • 생명체에게 서식처 제공 • 수권이나 기권보다 큰 부피를 차지
수권	• 해수, ❷ [ ], 지하수, 강과 호수 등과 같이 물이 존재하는 영역으로, 눈과 얼음도 포함된다. • ❸ [ ]가 수권의 대부분을 차지하고, 그 다음은 빙하이다.
기권	• 지구 표면을 둘러싸고 있는 ❹ [ ]의 층 — 기권 또는 대기권이라고 한다. • 주로 질소(약 78 %)와 산소(약 21 %)로 이루어져 있다.
생물권	• 사람을 비롯하여 지구에 사는 모든 생명체 — 예 사람, 동물, 식물 등 • 지권, 수권, 기권에 걸쳐 널리 분포한다.
외권	• 기권 바깥의 우주 공간 — 예 태양, 달, 별, 은하 등 • 지구계의 주요 에너지원은 외권에서 오는 ❺ [ ] 에너지이다.

개념 2 지구계의 상호 작용

지구계를 구성하는 요소들은 서로 영향을 주고받으며 지구에서는 다양한 자연 현상이 일어난다.

지권과 기권
지권에서 분출된 화산재가 대기로 날아가 햇빛을 가려 지구의 기온이 내려간다.

기권과 생물권
바람이 불면 씨앗이 널리 퍼진다.

수권과 지권
파도가 해안 지형을 깎아 동굴을 만든다.

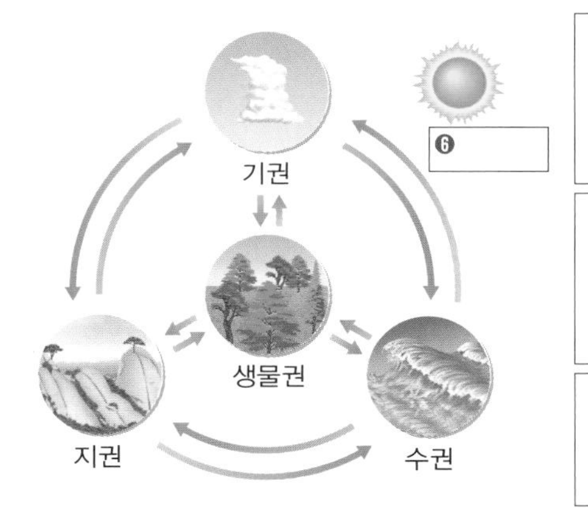

외권과 기권
우주에 있던 물질이 지구 대기로 끌려 들어와 대기와 부딪치며 탄다.

수권과 기권
물이 증발하여 구름이 만들어지고, 구름에서 비나 눈이 내린다.

생물권과 수권
생물이 생활하는 데 물이 필요하다.

예 **생물권과 ❼ [ ]의 상호 작용** : 생물이 죽은 후 땅에 묻혀 석탄이나 석유와 같은 화석 연료가 된다.

---

❶ 바다
❷ 빙하
❸ 해수
❹ 공기
❺ 태양
❻ 외권
❼ 지권

기초 확인 문제

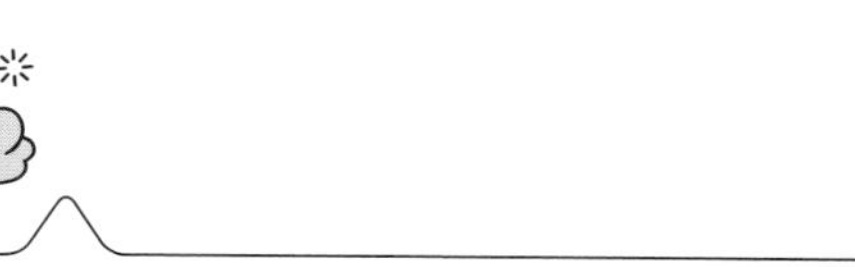

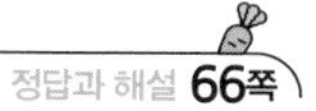

정답과 해설 66쪽

01 계에 대해 옳게 설명한 것을 〈보기〉에서 모두 고른 것은?

보기
ㄱ. 하나의 요소로 이루어져 있다.
ㄴ. 계를 구성하는 요소들은 서로 영향을 주고받는다.
ㄷ. 구성 요소 중 어느 하나의 균형이 깨져도 전체 계의 균형은 변하지 않는다.
ㄹ. 지구와 우주 공간도 하나의 계를 이루고 있다.

① ㄱ ② ㄴ ③ ㄱ, ㄷ
④ ㄴ, ㄹ ⑤ ㄱ, ㄴ, ㄷ

02 각 설명에 해당하는 지구계의 구성 요소를 각각 쓰시오.

(1) 지구상의 물이 존재하는 영역 (   )
(2) 기권 바깥의 우주 공간 (   )
(3) 지구 표면을 둘러싸고 있는 공기의 층 (   )
(4) 지권, 수권, 기권에 널리 분포하는 사람을 비롯한 모든 생명체 (   )

03 다음 설명과 관계 깊은 지구계의 구성 요소는 무엇인지 쓰시오.

- 생명체가 살아가는 데 필요한 공간과 여러 가지 물질을 제공한다.
- 수권이나 기권보다 큰 부피를 차지한다.
- 토양과 암석으로 이루어진 지구 표면과 지구 내부 영역이다.

(   )

04 지구계의 구성 요소 중 같은 권역에 속하는 것으로만 옳게 짝 지은 것은?

① 달, 태양, 산소, 비
② 아르곤, 질소, 새, 비
③ 호수, 지하수, 눈, 석유
④ 토양, 바위, 식물, 암석
⑤ 개, 물고기, 은행나무, 사람

05 그림은 지구계 각 권의 상호 작용의 예를 나타낸 것이다.

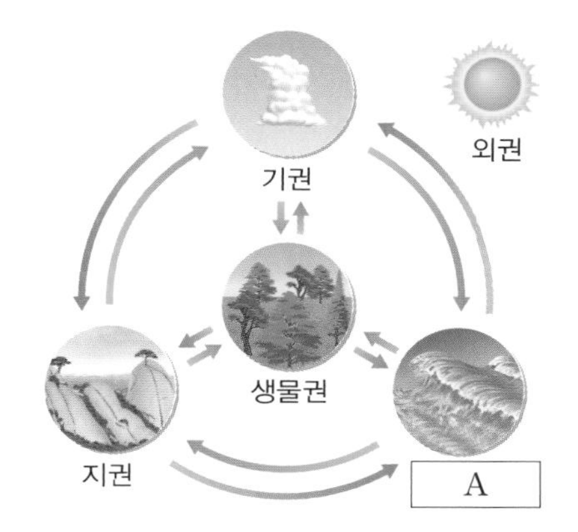

A와 상호 작용하는 예로 옳은 것을 〈보기〉에서 모두 고르시오.

보기
ㄱ. 바람이 불면 씨앗이 멀리 퍼진다.
ㄴ. 생물이 활동하는 데 물이 필요하다.
ㄷ. 물이 증발하여 구름이 만들어지고, 구름에서 비나 눈이 내린다.
ㄹ. 지권에서 분출된 화산재가 대기로 날아가 햇빛을 가려 지구의 기온이 내려간다.

(   )

교과서 핵심 정리 ②

개념 3 지구 내부 조사 방법

직접적인 방법	시추법	직접 ❶ ____ 을 파서 지구 내부를 조사하는 방법
	화산 분출물 조사	화산이 분출할 때 나오는 지구 내부 ❷ ____ 을 조사하는 방법
간접적인 방법	지진파 분석	❸ ____ 를 연구하여 지구 내부를 조사하는 방법
	운석 연구	지구 내부 물질과 비슷한 물질로 구성된 운석을 연구
	광물 합성 실험	지구 내부와 비슷한 조건을 만들어 광물을 합성

직접적인 방법 — 조사할 수 있는 깊이가 지구 깊이에 비해 매우 얕다.

예 지구 내부의 깊은 곳까지 조사하는 데 가장 효과적인 방법은 지진파 분석이다.

지진파 분석 — 지진파는 지구 내부를 통과하여 전달되기 때문에 다른 방법에 비해 더 깊은 곳까지 조사할 수 있다.

❶ 땅
❷ 물질
❸ 지진파

개념 4 지권의 층상 구조

1. 지권의 층상 구조 지구 내부는 지진파의 ❹ ____ 가 급격히 변하는 지점을 기준으로 지표면에서부터 지각, 맨틀, 외핵, 내핵으로 구분한다.

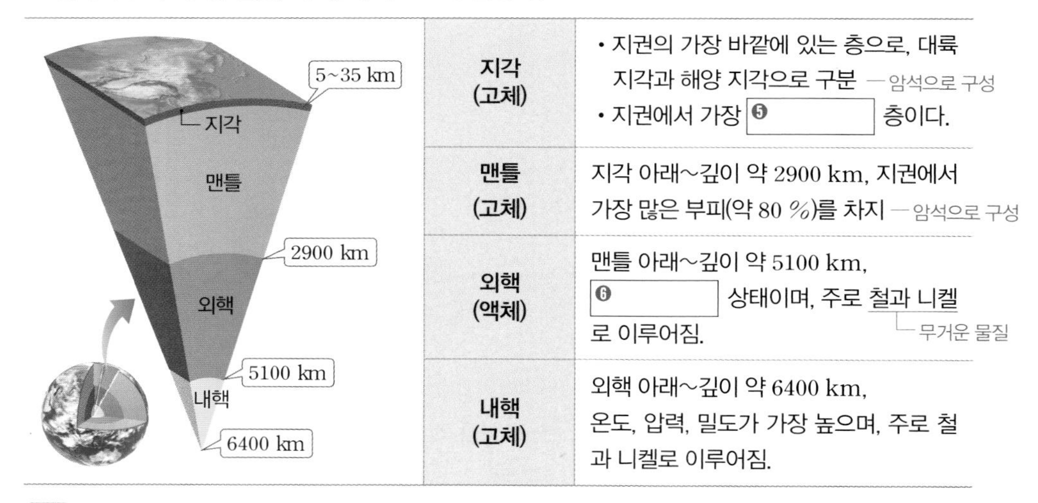

지각 (고체)	• 지권의 가장 바깥에 있는 층으로, 대륙 지각과 해양 지각으로 구분 — 암석으로 구성 • 지권에서 가장 ❺ ____ 층이다.
맨틀 (고체)	지각 아래~깊이 약 2900 km, 지권에서 가장 많은 부피(약 80 %)를 차지 — 암석으로 구성
외핵 (액체)	맨틀 아래~깊이 약 5100 km, ❻ ____ 상태이며, 주로 철과 니켈(무거운 물질)로 이루어짐.
내핵 (고체)	외핵 아래~깊이 약 6400 km, 온도, 압력, 밀도가 가장 높으며, 주로 철과 니켈로 이루어짐.

예 지구 내부 층 중에서 외핵만 액체 상태이다.

❹ 빠르기
❺ 얇은
❻ 액체

2. 지각의 구조

대륙 지각		해양 지각
• 평균 두께 : 약 35 km • 구성 물질 : 화강암질 암석으로 ❼ ____ • 모호면 깊이 : 깊다.		• 평균 두께 : 약 5 km • 구성 물질 : 현무암질 암석으로 무겁다. • 모호면 깊이 : ❽ ____

모호면 — 지각과 맨틀의 경계면으로 지진파의 빠르기가 갑자기 빨라진다.

맨틀 — 해양 지각보다 밀도가 큰 물질로 이루어져 있다.

❼ 가볍다.
❽ 얕다.

기초 확인 문제

정답과 해설 66쪽

06 지구 내부 구조를 깊은 곳까지 조사하는 방법으로 가장 효과적인 것은?

① 지진파를 분석한다.
② 화산 분출물을 조사한다.
③ 운석의 성분을 분석한다.
④ 직접 땅을 파서 안으로 들어가 본다.
⑤ 깊이가 가장 깊은 광산의 암석을 채취하여 분석한다.

07 그림은 지권의 층상 구조를 나타낸 것이다.

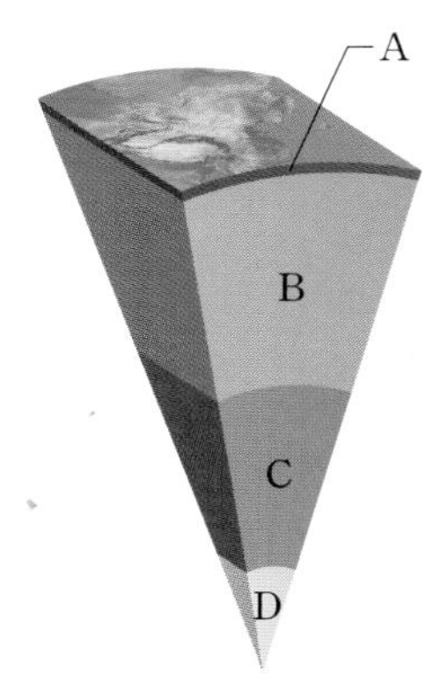

다음 설명에 해당하는 층을 위 그림에서 찾아 각각 기호를 쓰시오.

(1) 가장 많은 부피를 차지한다. ( )
(2) 액체 상태이다. ( )
(3) 지권의 가장 바깥에 위치한다. ( )
(4) 외핵 아래부터 지구 중심까지의 부분이다. ( )

08 지구 내부 각 층의 특징에 대한 설명으로 옳은 것을 〈보기〉에서 모두 고른 것은?

보기
ㄱ. 대륙 지각이 해양 지각보다 두껍다.
ㄴ. 외핵은 깊이 약 2900 km에서 5100 km까지이다.
ㄷ. 외핵과 내핵은 주로 철과 니켈로 이루어져 있다.
ㄹ. 내핵은 온도가 높으므로 액체 상태이다.

① ㄱ ② ㄴ ③ ㄱ, ㄷ
④ ㄴ, ㄹ ⑤ ㄱ, ㄴ, ㄷ

09 그림은 지각의 구조를 나타낸 것이다.

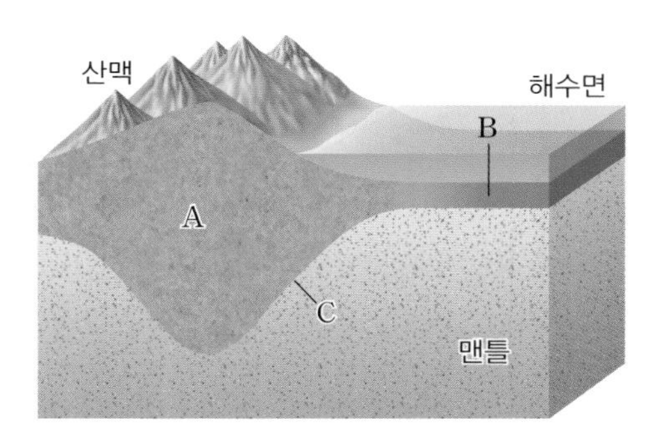

(1) A, B를 각각 무엇이라고 하는지 쓰시오.
A : ( ) B : ( )
(2) 지진파의 빠르기가 갑자기 빨라지는 경계면인 C를 무엇이라고 하는지 쓰시오.
( )

1일 내신 기출 베스트

대표 예제 1 지구계

지구계에 대한 설명으로 옳은 것을 〈보기〉에서 모두 고르시오.

보기
ㄱ. 지구계를 이루는 요소는 서로 영향을 주고받지 않으며 독립적으로 존재한다.
ㄴ. 지구계의 구성 요소에 의해 지구에서는 다양한 자연 현상이 일어난다.
ㄷ. 우리가 사는 지구만이 하나의 계를 이루고 있는데, 이를 지구계라고 한다.
ㄹ. 지권은 지구의 표면과 지구의 내부를 포함한다.

( )

개념 가이드

우리가 사는 지구와 ☐ 공간이 하나의 계를 이루고 있는데, 이를 지구계라고 한다.

답 우주

대표 예제 2 지구계의 구성 요소

지구계를 이루는 구성 요소에 대한 설명으로 옳지 않은 것을 모두 고르면? (정답 2개)

① 외권 – 기권 바깥의 우주 공간
② 기권 – 지구 표면을 둘러싸고 있는 대기
③ 수권 – 지구에 존재하는 액체 상태의 모든 물
④ 생물권 – 사람을 제외한 지구에 살고 있는 모든 생물
⑤ 지권 – 토양과 암석으로 이루어진 지구 표면과 지구 내부 영역

개념 가이드

수권은 해수, ☐, 지하수, 강과 호수뿐만 아니라 눈과 얼음 등도 포함한다.

답 빙하

대표 예제 3 지구계의 구성 요소

지구계의 각 권에 대한 설명으로 옳은 것은?

① 외권은 지구계에 영향을 주지 않는다.
② 수권은 지권이나 기권보다 큰 부피를 차지한다.
③ 기권은 지구 대기뿐만 아니라 우주 공간도 포함한다.
④ 지권은 생명체가 살아가는 데 필요한 공간을 제공한다.
⑤ 생물권은 지권, 수권, 기권, 외권에 걸쳐 널리 분포한다.

개념 가이드

☐은 기권 바깥의 우주 공간을 말하며, ☐은 지구의 표면과 내부를 포함하여 눈으로 보이는 것보다 부피가 크다.

답 외권, 지권

대표 예제 4 지구계 내에서의 상호 작용

그림은 지구계 내에서의 상호 작용을 나타낸 것이다. 아래 현상과 관계있는 것을 골라 기호를 쓰시오.

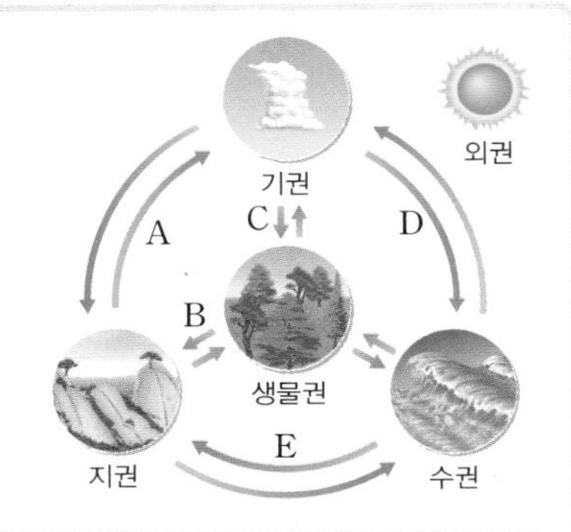

화산재가 대기로 날아가 햇빛을 가려 지구의 기온이 내려간다.

( )

개념 가이드

화산재는 화산에서 나온 화산 분출물이다. 화산이 속한 권역은 ☐이다.

답 지권

대표 예제 5 지구의 내부 조사 방법

〈보기〉는 지구 내부 조사 방법을 나타낸 것이다.

보기
ㄱ. 시추법
ㄴ. 운석 연구
ㄷ. 지진파 분석
ㄹ. 화산 분출물 조사
ㅁ. 광물 합성 실험

(1) 지구 내부 조사 방법 중 직접적인 방법을 〈보기〉에서 모두 고르시오.

( )

(2) 지구 내부를 깊은 곳까지 조사하는 데 가장 효과적인 방법을 〈보기〉에서 고르시오.

( )

개념 가이드

지구 내부를 조사하는 데 가장 효과적인 방법은 ☐ 속도를 연구하는 것이다.

답 지진파

대표 예제 6 지구 내부의 층상 구조

그림은 지구 내부의 층상 구조를 나타낸 것이다. A~D에 대한 설명으로 옳지 <u>않은</u> 것은?

A
B
C
D

① A는 대륙과 해양에서 두께가 다르다.
② 가장 많은 부피를 차지하는 층은 B이다.
③ A와 B의 경계면을 모호면이라고 한다.
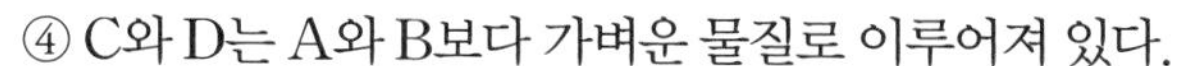
④ C와 D는 A와 B보다 가벼운 물질로 이루어져 있다.
⑤ D는 온도가 가장 높고, 고체 상태이다.

개념 가이드

C와 D는 주로 ☐과 ☐ 등의 무거운 성분으로 이루어져 있다.

답 철, 니켈

대표 예제 7 지권의 구성 물질

그림은 지권의 층상 구조를 나타낸 것이다.

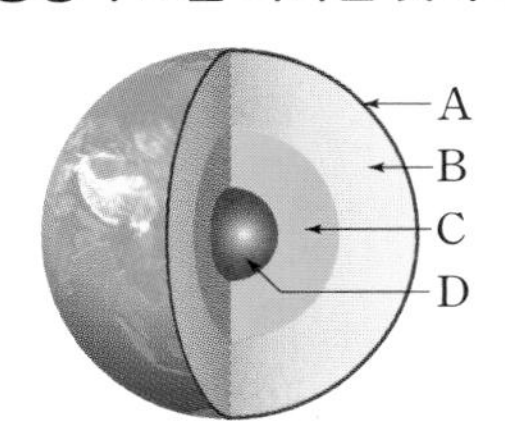

A~D에 대한 설명으로 옳지 <u>않은</u> 것을 〈보기〉에서 모두 고르시오.

보기
ㄱ. A와 B는 암석 등으로 이루어져 있다.
ㄴ. C와 D는 고체이고, A와 B는 액체이다.
ㄷ. C와 D는 주로 철과 니켈로 구성되어 있다.

( )

개념 가이드

외핵은 ☐ 상태이고, 내핵은 고체 상태이다.

답 액체

대표 예제 8 지각의 구조

그림은 지각의 구조를 나타낸 것이다.

이에 대한 설명으로 옳은 것을 〈보기〉에서 모두 고르시오.

보기
ㄱ. A는 해양 지각, B는 대륙 지각이다.
ㄴ. A는 B보다 무거운 암석으로 되어 있다.
ㄷ. C는 A나 B보다 밀도가 큰 물질로 이루어져 있다.

( )

개념 가이드

대륙 지각은 ☐ 암석(밀도 약 2.7 g/cm^3), 해양 지각은 ☐ 암석(밀도 약 3.0 g/cm^3), 맨틀은 감람암질 암석(밀도 약 3.3 g/cm^3)으로 이루어져 있다.

답 화강암질, 현무암질

2일 지각의 구성 물질

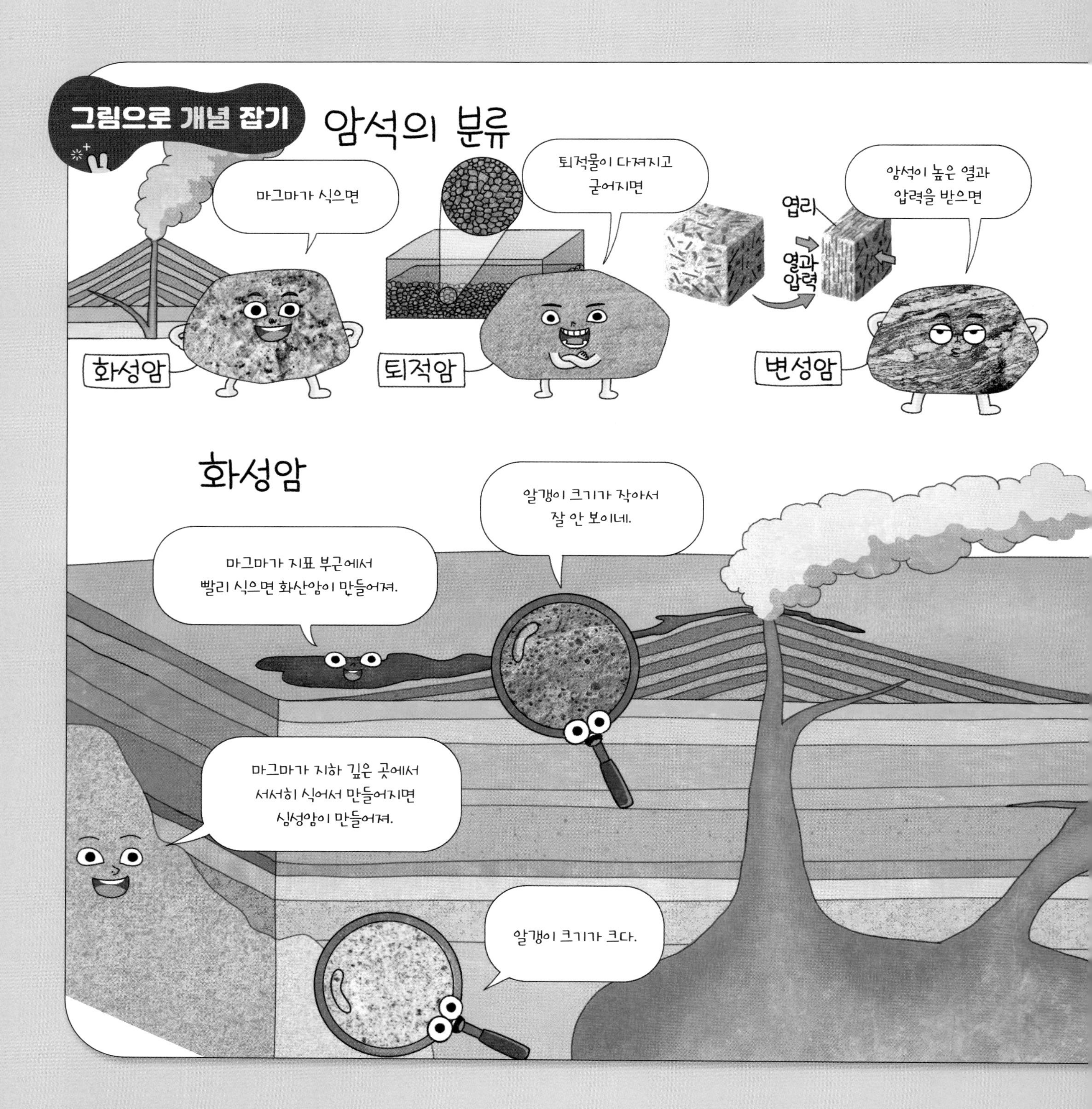

그림으로 개념 잡기
암석의 분류
마그마가 식으면
퇴적물이 다져지고
굳어지면
암석이 높은 열과
압력을 받으면
엽리
열과
압력
화성암
퇴적암
변성암
화성암
알갱이 크기가 작아서
잘 안 보이네.
마그마가 지표 부근에서
빨리 식으면 화산암이 만들어져.
마그마가 지하 깊은 곳에서
서서히 식어서 만들어지면
심성암이 만들어져.
알갱이 크기가 크다.

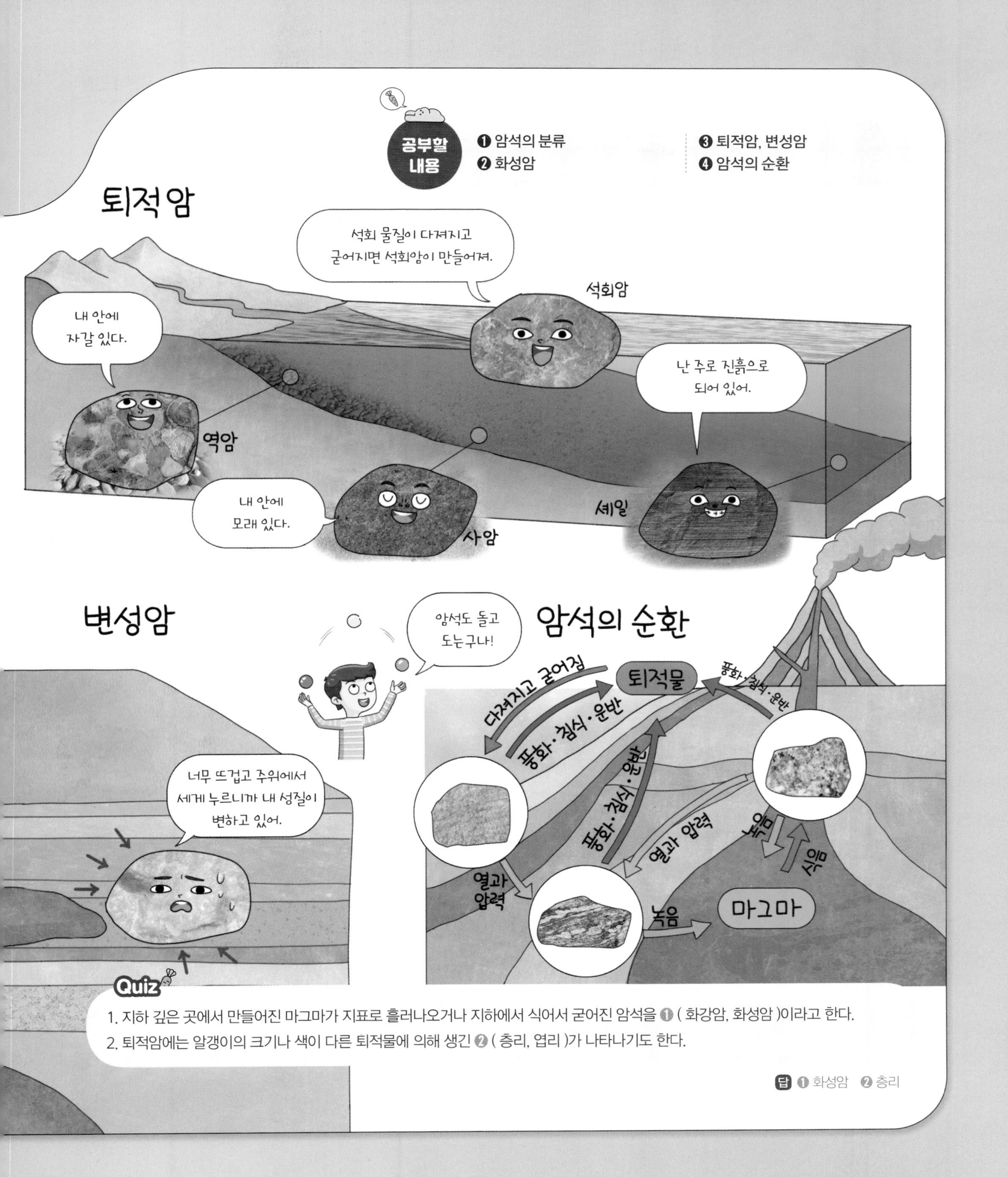

Quiz

1. 지하 깊은 곳에서 만들어진 마그마가 지표로 흘러나오거나 지하에서 식어서 굳어진 암석을 ❶ (화강암, 화성암)이라고 한다.
2. 퇴적암에는 알갱이의 크기나 색이 다른 퇴적물에 의해 생긴 ❷ (층리, 엽리)가 나타나기도 한다.

답 ❶ 화성암 ❷ 층리

2일 교과서 **핵심 정리 ①**

개념 1 암석의 분류

지각은 다양한 암석으로 이루어져 있다.

- **암석의 분류** 암석의 생성 과정을 기준으로 세 가지로 분류

화성암	❶ [ ]가 지표로 흘러나오거나 지하에서 식어서 굳어진 암석
퇴적암	❷ [ ]이 쌓인 후 다져지고 굳어져서 만들어진 암석
변성암	높은 열과 ❸ [ ]을 받아 성질이 변하여 만들어진 암석

예 암석은 우리 주변에서 여러 가지 용도로 이용된다. 화성암 중 현무암을 이용하여 돌하르방을 만들거나 변성암 중 편마암을 이용하여 정원석을 만들기도 한다.

개념 2 화성암

1. 화성암 마그마가 냉각되는 ❹ [ ]에 따라 구분하고, 마그마가 식는 속도에 따라 알갱이(광물)의 ❺ [ ]가 달라진다.

화산암 마그마가 지표에서 ❻ [ ] 식어서 (→ 결정이 작다.) 만들어진 화성암

예 현무암, 유문암 등

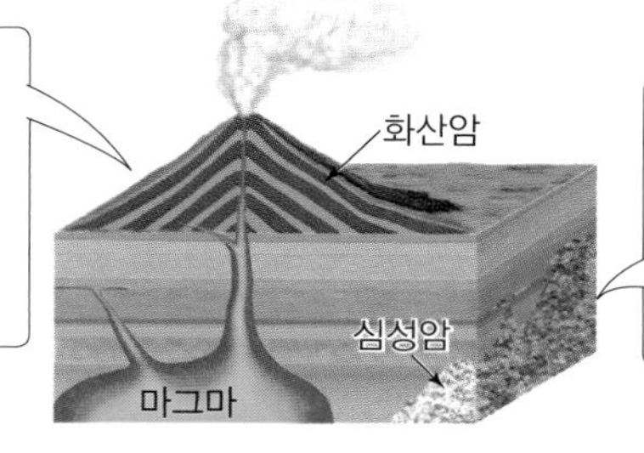

심성암 마그마가 지하 깊은 곳에서 서서히 식어서(→ 결정이 크다.) 만들어진 화성암

예 반려암, 화강암 등

2. 화성암의 종류 암석을 구성하는 알갱이(광물)의 크기와 암석의 색에 따라 구분하며, 암석의 색은 암석이 포함하고 있는 알갱이의 색에 따라 달라진다.

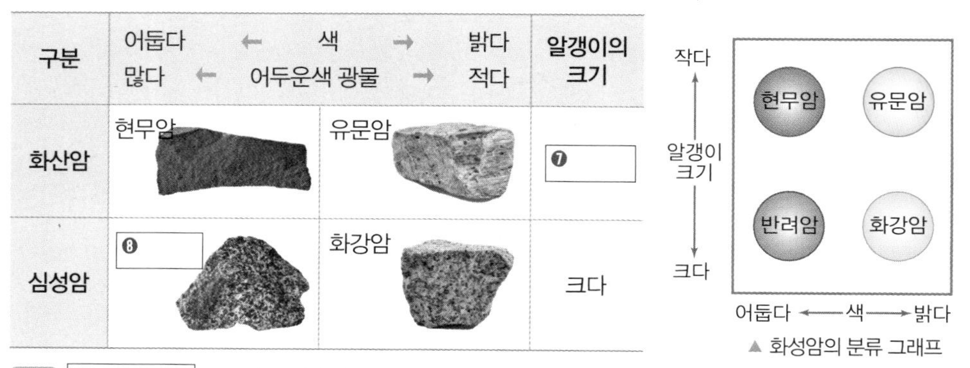

구분	어둡다 ← 색 → 밝다 많다 ← 어두운색 광물 → 적다		알갱이의 크기
화산암	현무암	유문암	❼ [ ]
심성암	❽ [ ]	화강암	크다

▲ 화성암의 분류 그래프

예 ❾ [ ]은 결정 크기가 작고 색이 어둡다.

예 ❿ [ ]은 결정 크기가 크고 색이 밝다.

❶ 마그마
❷ 퇴적물
❸ 압력
❹ 위치
❺ 크기
❻ 빨리
❼ 작다
❽ 반려암
❾ 현무암
❿ 화강암

기초 확인 문제

정답과 해설 68쪽

01 다음은 여러 가지 암석에 대한 설명이다. 화성암에 대한 설명에는 '화', 퇴적암에 대한 설명에는 '퇴', 변성암에 대한 설명에는 '변'을 쓰시오.

(1) 퇴적물이 쌓인 후 다져지고 굳어져서 만들어진 암석이다. ( )

(2) 암석이 높은 열과 압력을 받아 성질이 변하여 만들어진 것이다. ( )

(3) 마그마가 지표로 흘러나오거나 지하에서 식어서 굳어진 암석이다. ( )

02 암석의 종류를 화성암, 퇴적암, 변성암으로 분류하는 기준으로 옳은 것은?

① 암석의 나이
② 구성 광물의 색
③ 암석의 생성 과정
④ 구성 알갱이의 종류
⑤ 구성 알갱이의 크기

03 다음에서 설명하는 암석으로 옳은 것은?

- 마그마가 지표에서 빨리 식어서 만들어진 암석이다.
- 어두운색 광물이 적게 포함되어 있어 암석의 색이 밝다.

① 역암
② 화강암
③ 현무암
④ 유문암
⑤ 반려암

04 그림은 화성암이 생성되는 장소를 나타낸 것이다.

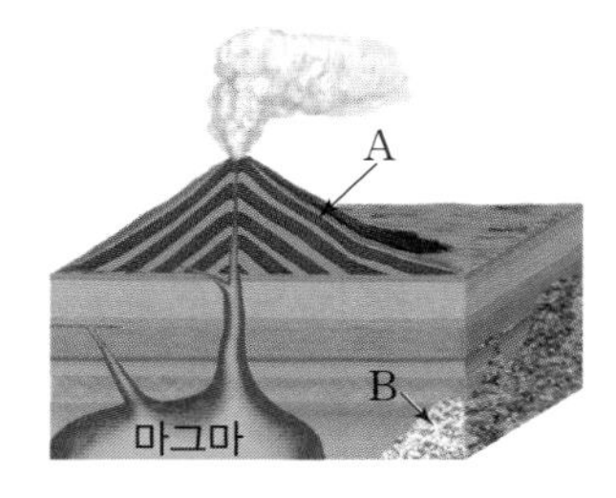

각 장소에서 생성된 암석에 대한 설명으로 옳은 것은?

① A에서 생성되는 암석은 심성암이라고 한다.
② B에서 생성되는 암석은 화산암이라고 한다.
③ A에서 생성된 화성암은 알갱이 크기가 작다.
④ B에서는 마그마가 빨리 식어서 암석이 만들어진다.
⑤ 마그마가 식는 속도가 빠를수록 암석의 색이 어두워진다.

05 표는 현무암, 유문암, 반려암, 화강암을 특징에 따라 A~D로 분류한 것이다.

알갱이의 크기 \ 암석의 색	어둡다	밝다
크다	A	B
작다	C	D

이에 대한 설명으로 옳지 않은 것은?

① A는 반려암이고, C는 현무암이다.
② B는 유문암이고, D는 화강암이다.
③ A와 B는 심성암이고, C와 D는 화산암이다.
④ C는 B보다 어두운색 광물이 많이 포함되어 있다.
⑤ C와 D는 마그마가 지표에서 빨리 식어서 생성된 암석이다.

2일 교과서 핵심 정리 ②

개념 3 퇴적암

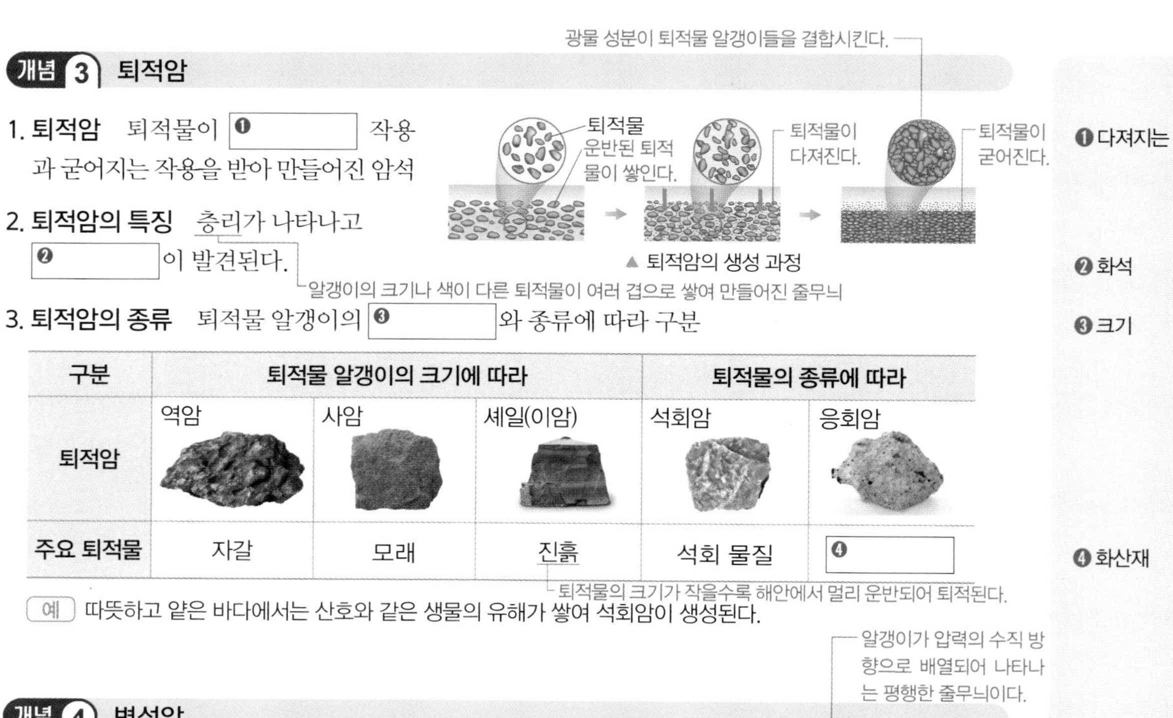

▲ 퇴적암의 생성 과정

1. **퇴적암** 퇴적물이 ❶ [　　] 작용과 굳어지는 작용을 받아 만들어진 암석
2. **퇴적암의 특징** 층리가 나타나고 ❷ [　　]이 발견된다.
   - 층리: 알갱이의 크기나 색이 다른 퇴적물이 여러 겹으로 쌓여 만들어진 줄무늬
3. **퇴적암의 종류** 퇴적물 알갱이의 ❸ [　　]와 종류에 따라 구분

구분	퇴적물 알갱이의 크기에 따라			퇴적물의 종류에 따라	
퇴적암	역암	사암	셰일(이암)	석회암	응회암
주요 퇴적물	자갈	모래	진흙	석회 물질	❹ [　　]

- 진흙: 퇴적물의 크기가 작을수록 해안에서 멀리 운반되어 퇴적된다.

예 따뜻하고 얕은 바다에서는 산호와 같은 생물의 유해가 쌓여 석회암이 생성된다.

개념 4 변성암

1. **변성암** 기존의 암석이 높은 열과 압력을 받아 성질이 변한 암석
2. **변성암의 특징** 큰 광물 결정과, 압력의 수직 방향으로 평행하게 생긴 줄무늬 모양의 ❺ [　　]를 볼 수 있다.
   - 엽리: 알갱이가 압력의 수직 방향으로 배열되어 나타나는 평행한 줄무늬이다.

▲ 변성암의 생성 과정

3. **변성암의 종류** 원래 암석의 종류와 변성 정도에 따라 구분

원래 암석	화강암	석회암	사암	셰일(이암)	
변성암	편마암	❻ [　　]	규암	편암 →	❼ [　　]

개념 5 암석의 순환

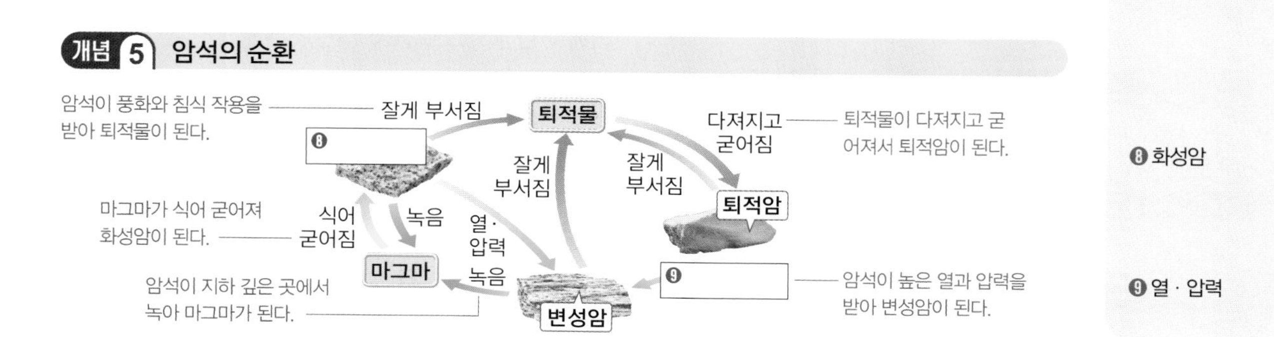

❶ 다져지는
❷ 화석
❸ 크기
❹ 화산재
❺ 엽리
❻ 대리암
❼ 편마암
❽ 화성암
❾ 열·압력

기초 확인 문제

06 다음은 어떤 암석의 생성 과정을 나타낸 것이다.

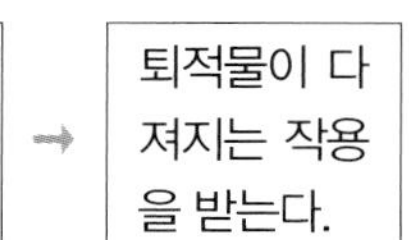

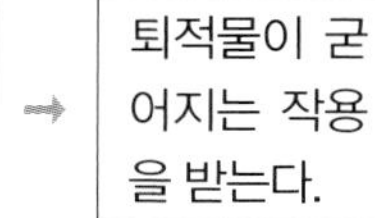

퇴적물이 호수나 바다 등에 쌓인다.	→	퇴적물이 다져지는 작용을 받는다.	→	퇴적물이 굳어지는 작용을 받는다.

이 암석에서만 볼 수 있는 것을 모두 고르면? (정답 2개)

① 층리 ② 엽리 ③ 구멍
④ 화석 ⑤ 큰 광물 결정

07 표는 퇴적암을 알갱이의 크기에 따라 구분한 것이다.

구분	역암	사암	셰일(이암)
퇴적암			
주요 퇴적물	㉠ ( )	㉡ ( )	㉢ ( )

빈칸에 알맞은 주요 퇴적물의 이름을 쓰시오.

08 다음은 변성암의 특징에 대한 설명이다. (   )에 들어갈 알맞은 말을 고르시오.

> 암석이 지하 깊은 곳에서 높은 열과 압력을 받으면 변성을 일으킨 압력의 (수평, 수직) 방향으로 엽리가 나타나기도 한다.

09 원래의 암석과 변성 작용을 받아 만들어진 변성암을 옳게 짝 지은 것은?

① 셰일 → 규암
② 편암 → 셰일
③ 사암 → 대리암
④ 석회암 → 편마암
⑤ 화강암 → 편마암

10 그림은 암석이 주변 환경 변화에 따라 순환하는 과정을 나타낸 것이다.

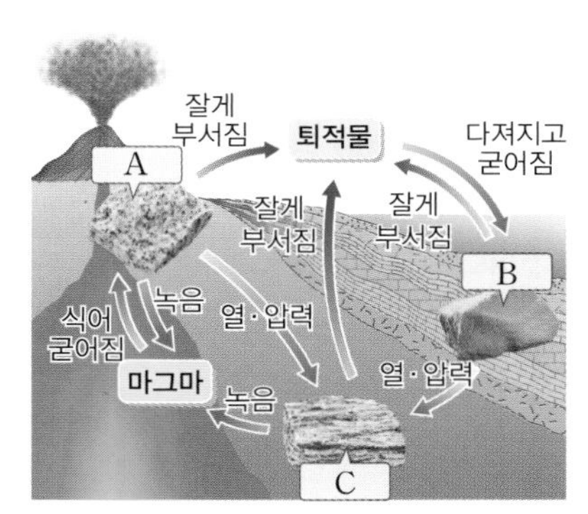

A~C에 해당하는 암석의 종류를 옳게 짝 지은 것은?

	A	B	C
①	변성암	화성암	퇴적암
②	퇴적암	변성암	화성암
③	화성암	퇴적암	변성암
④	퇴적암	화성암	변성암
⑤	변성암	퇴적암	화성암

내신 기출 베스트

대표 예제 1 암석의 분류

다음은 암석을 세 종류로 분류한 것이다.

A	편마암, 대리암, 규암
B	역암, 사암, 석회암
C	화강암, 현무암, 유문암

이처럼 분류한 기준으로 옳은 것은?

① 암석의 크기
② 암석의 색깔
③ 암석의 생성 과정
④ 암석이 발견된 곳
⑤ 암석을 구성하는 알갱이의 종류

개념 가이드

편마암, 대리암, 규암은 변성암, 역암, 사암, 석회암은 [ ], 화강암, 현무암, 유문암은 화성암이다.

답 퇴적암

대표 예제 2 화성암

그림은 화성암이 생성되는 장소를 나타낸 것이다.
A, B에서 생성되는 암석의 특징을 옳게 비교한 것은?

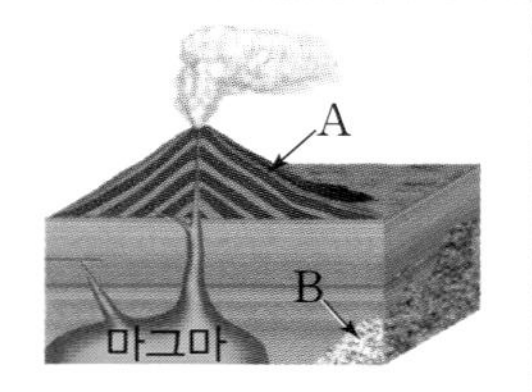

	A	B
①	심성암이다.	화산암이다.
②	마그마가 서서히 식어 만들어진다.	마그마가 빨리 식어 만들어진다.
③	결정의 크기가 작다.	결정의 크기가 크다.
④	화석을 볼 수 있다.	층리를 볼 수 있다.
⑤	암석의 색깔이 어둡다.	암석의 색깔이 밝다.

개념 가이드

화성암은 마그마가 냉각되는 [ ]에 따라 구분하고, 마그마가 냉각되는 속도에 따라 알갱이 [ ]가 달라진다.

답 위치, 크기

대표 예제 3 화성암의 분류

그림은 화성암을 색과 알갱이의 크기에 따라 A~D로 분류한 것이다.
A~D에 해당하는 암석을 〈보기〉에서 각각 골라 쓰시오.

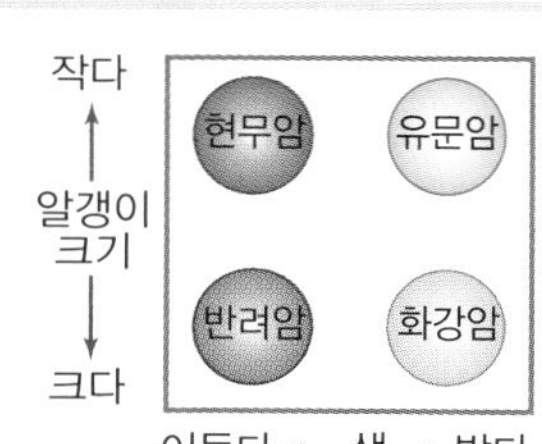

보기

화강암, 현무암, 반려암, 유문암

( )

개념 가이드

화산암에는 현무암, [ ] 등이 있고, 심성암에는 [ ], 화강암 등이 있다.

답 유문암, 반려암

대표 예제 4 퇴적암의 생성 과정

〈보기〉는 퇴적암의 생성 과정을 순서 없이 나열한 것이다.

보기

(가) 위층이 아래층을 눌러 퇴적물이 다져진다.
(나) 퇴적물이 점점 굳어져서 암석이 된다.
(다) 퇴적물이 운반되어 강, 바다 등에 두껍게 쌓인다.
(라) 물에 녹아 있던 광물 성분이 퇴적물 알갱이들을 결합시킨다.

(가)~(라)를 순서대로 옳게 나열하시오.

( )

개념 가이드

퇴적암은 퇴적물이 다져지는 작용과 굳어지는 작용을 받아 만들어진 암석으로, [ ]가 나타나고 화석이 발견되기도 한다.

답 층리

대표 예제 5 퇴적암의 종류

표는 주요 퇴적물과 퇴적암을 나타낸 것이다. A~D에 들어갈 퇴적암을 옳게 짝 지은 것은?

주요 퇴적물	퇴적암	주요 퇴적물	퇴적암
진흙	A	자갈	B
모래	C	화산재	D

	A	B	C	D
①	셰일(이암)	사암	응회암	역암
②	셰일(이암)	역암	사암	응회암
③	응회암	사암	셰일(이암)	역암
④	응회암	역암	사암	셰일(이암)
⑤	사암	셰일(이암)	역암	응회암

개념 가이드

역암에서 역(礫)은 조약돌을, 사암에서 사(沙)는 모래를, 이암에서 이(泥)는 ☐을, 응회암에서 응회(凝灰)는 엉겨 굳어진 재를 뜻한다.

답 진흙

대표 예제 6 변성암의 종류

표는 변성 작용을 받기 전 원래의 암석과 변성암을 나타낸 것이다. A, B에 들어갈 알맞은 암석을 옳게 짝 지은 것은?

원래의 암석		변성암 (낮다 ← 변성 정도 → 높다)		
퇴적암	A	→ 편암	→	편마암
	석회암	→ B		

	A	B
①	역암	셰일
②	셰일	대리암
③	규암	대리암
④	대리암	규암
⑤	셰일	반려암

개념 가이드

셰일이 변성되어 편암→편마암이 되고, 석회암이 변성되어 ☐이 된다.

답 대리암

대표 예제 7 변성암의 특징

그림은 어떤 암석에 줄무늬가 생기는 원리를 나타낸 것이다. 이에 대한 설명으로 옳은 것은?

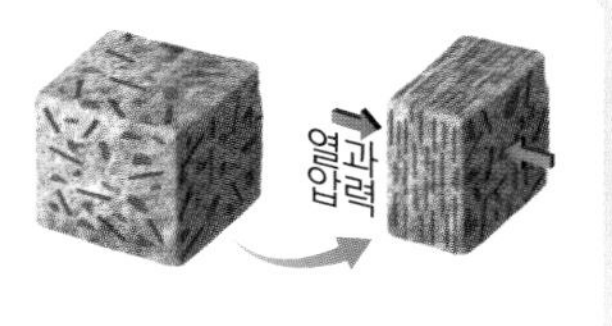

① 층리가 만들어지는 과정이다.
② 퇴적암에서 볼 수 있는 줄무늬 구조이다.
③ 암석이 높은 열과 압력을 받아 만들어진다.
④ 압력의 수평 방향으로 줄무늬가 만들어진다.
⑤ 주로 규암, 대리암에서 볼 수 있는 구조이다.

개념 가이드

변성암은 변성 과정에서 광물이 녹았다가 다시 굳어지면서 결정 크기가 커지며 압력 방향에 수직으로 ☐가 생기기도 한다.

답 엽리

대표 예제 8 암석의 순환

그림은 암석의 순환을 나타낸 것이다. 이에 대한 설명으로 옳은 것만을 〈보기〉에서 있는 대로 고르시오.

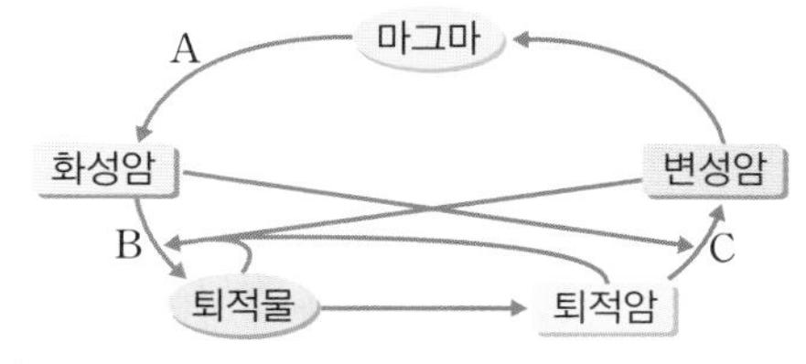

보기
ㄱ. A와 C 과정에 높은 열과 압력이 필요하다.
ㄴ. B 과정에서 물, 공기, 생물 등이 관여한다.
ㄷ. A → B → C 순서대로만 암석이 순환한다.

( )

개념 가이드

암석이 풍화, 침식되어 잘게 부서져 ☐이 된다. 풍화 작용의 주요 원인에는 물, 공기, 생물 등이 있다.

답 퇴적물

3일 광물, 풍화와 토양

그림으로 개념 잡기
광물
암석을 구성하는 작은 알갱이를 광물이라고 해.
암석을 이루는 주된 광물을 조암광물이라고 해.
흑운모
석영
화강암
장석
암석 안에 다양한 광물이 있네.
내가 가장 많은 부피를 차지하는 광물이야.
광물의 특징
색
우린 밝은색!
흑운모
각섬석
우린 어두운색!
장석
석영
굳기
난 괜히 비싼 게 아니야.
긁을 수가 없어.
멀쩡
지지직
금강석
석영
방해석
자성
쇠붙이는 다 붙어라.
착
자철석
염산 반응
너 혼자 거품 목욕하냐?
기체가 발생해 거품이 나는 거야.
묽은 염산
스포이트
석영
방해석
누가 진짜 금일까?
조흔색
지이익
금
황동석
황철석

공부할 내용

❶ 광물
❷ 광물의 특성
❸ 풍화
❹ 토양의 생성

풍화

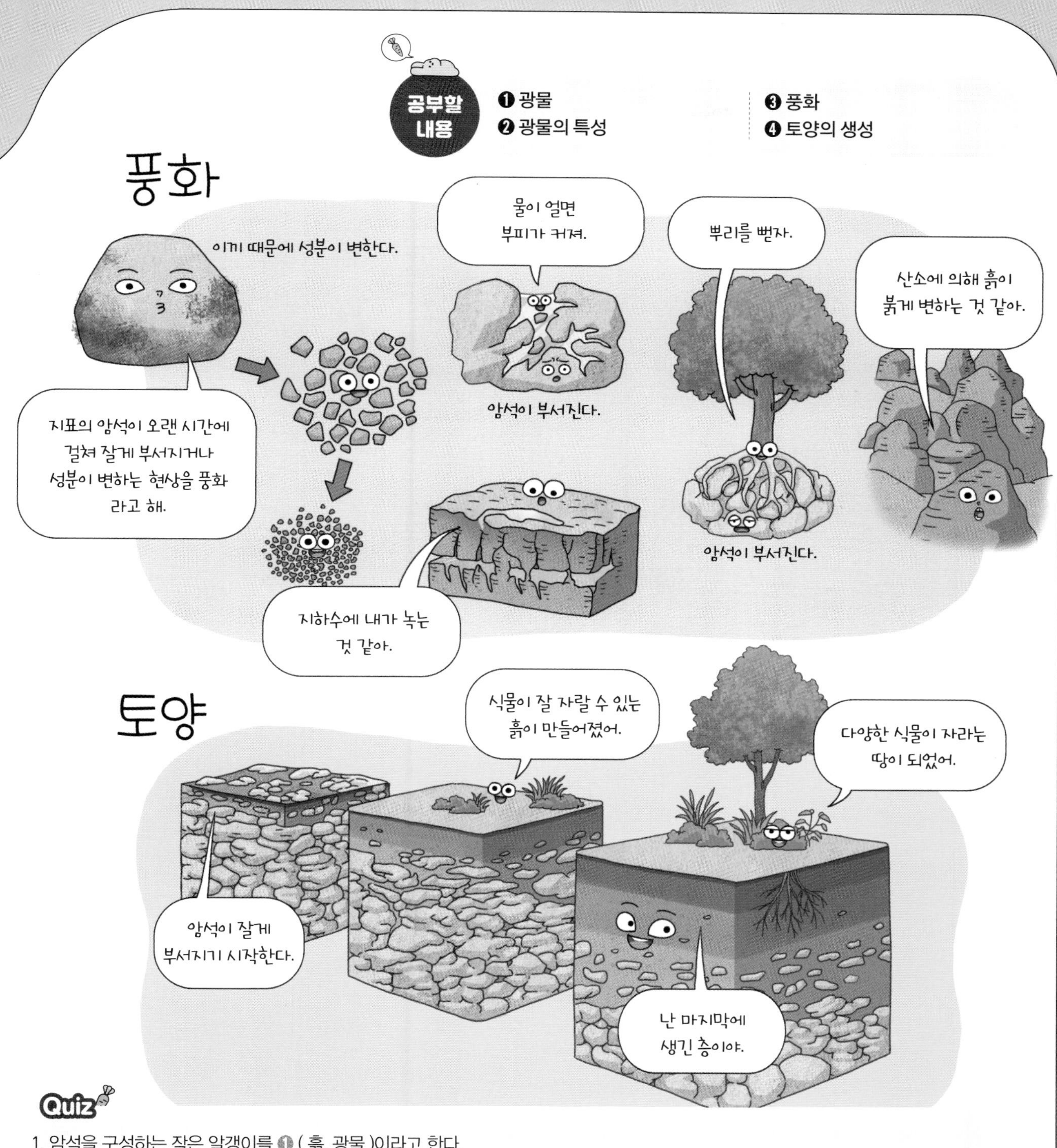

Quiz

1. 암석을 구성하는 작은 알갱이를 ❶ (흙, 광물)이라고 한다.
2. 지표의 암석이 오랜 시간에 걸쳐 잘게 부서지는 현상을 ❷ (풍화, 침식)(이)라고 한다.

답 ❶ 광물 ❷ 풍화

3일 교과서 핵심 정리 ①

개념 1 광물

1. **광물** 암석을 구성하는 작은 알갱이로, 대부분의 암석은 여러 종류의 광물로 이루어져 있다.
   - 지각은 다양한 암석으로 이루어져 있다.
   - 지구에는 수천 종류의 광물이 있다.

2. **조암 광물** 지구의 ❶ ( ) 을 구성하는 주된 광물
   ① 주요 조암 광물 : 장석, 석영, 휘석, 각섬석, 흑운모, 감람석 등
   ② 주요 조암 광물의 부피 비 비교 : ❷ ( ) > 석영 > 휘석 > 각섬석 > 흑운모 > 기타

   예 화강암은 주로 장석, 석영, 흑운모로 이루어져 있다.
   예 석회암은 방해석이라는 한 가지 광물로 이루어져 있다.

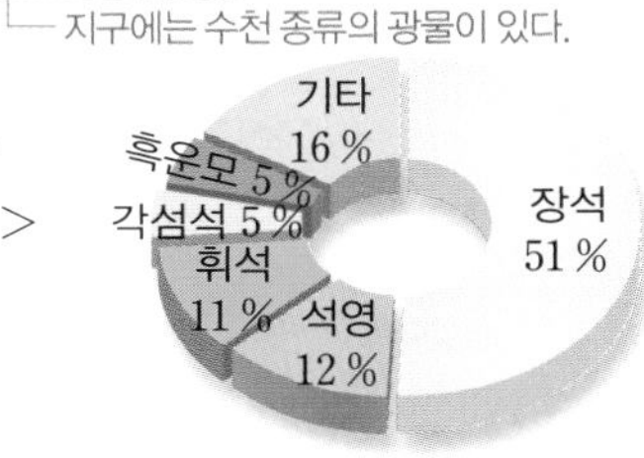

▲ 지각을 이루는 조암 광물의 부피 비

개념 2 광물의 특성

1. **색** 겉으로 보이는 색깔

조암 광물	장석	석영	휘석	각섬석	흑운모	감람석
색	분홍색, 흰색	무색, 흰색	검은색, 녹색	검은색, 녹색	❸ ( )	황록색
	❹ ( )		어두운색			

2. **조흔색** 광물을 조흔판에 긁었을 때 나오는 광물 ❺ ( ) 의 색

광물	금	황동석	황철석	흑운모	자철석	적철석
색	❻ ( )			검은색		
조흔색	노란색	녹흑색	검은색	❼ ( )	검은색	적갈색

3. **굳기** 광물의 단단한 정도로, 무른 광물은 단단한 광물에 긁힌다.
   - 광물끼리 서로 긁었을 때 긁히지 않는 광물이 긁히는 광물보다 굳기가 더 크다.

   예 석영과 방해석을 서로 긁으면 방해석에 긁힌 자국이 남는다. → 석영의 굳기 > 방해석의 굳기

4. **염산 반응** 염산과 반응하여 거품(이산화 탄소 기체)이 발생하는 성질
   예 석영과 방해석에 묽은 염산을 떨어뜨리면 ❽ ( ) 에서만 거품이 발생한다.

   거품
   ▲ 방해석의 염산 반응

5. **자성** 광물이 자석처럼 쇠붙이를 끌어당기는 성질
   예 ❾ ( ) 에 클립을 갖다 대면 클립이 달라붙는다.

❶ 암석
❷ 장석
❸ 검은색
❹ 밝은색
❺ 가루
❻ 노란색
❼ 흰색
❽ 방해석
❾ 자철석

기초 확인 문제

정답과 해설 70쪽

01 광물에 대한 설명으로 옳지 않은 것은?

① 암석은 광물로 이루어져 있다.
② 암석을 이루는 주된 광물을 조암 광물이라고 한다.
③ 화강암은 주로 휘석, 감섬석, 흑운모, 감람석으로 이루어져 있다.
④ 광물을 조흔판에 긁었을 때 나타나는 광물 가루의 색을 조흔색이라고 한다.
⑤ 광물을 구별하는 데 이용하는 특성으로는 색, 조흔색, 굳기, 염산 반응, 자성 등이 있다.

02 그림은 조암 광물의 부피 비를 나타낸 것이다.

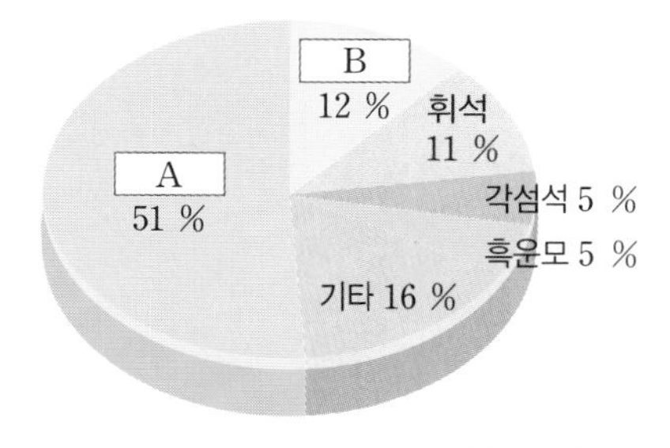

A, B에 해당하는 광물을 옳게 짝 지은 것은?

	A	B
①	석영	장석
②	장석	휘석
③	장석	석영
④	휘석	흑운모
⑤	각섬석	방해석

03 겉으로 보이는 색깔이 밝은색인 광물을 모두 고르면? (정답 2개)

① 휘석 ② 석영 ③ 장석
④ 감람석 ⑤ 흑운모

04 그림과 같이 광물을 조흔판에 긁었을 때 나타나는 광물 가루의 색에 대한 설명으로 옳지 않은 것은?

① 금은 광물 가루의 색이 노란색이다.
② 흑운모는 광물 가루의 색이 검은색이다.
③ 적철석은 광물 가루의 색이 적갈색이다.
④ 황동석은 광물 가루의 색이 녹흑색이다.
⑤ 황철석과 자철석은 광물 가루의 색이 검은색이다.

05 다음과 같은 특징이 나타나는 광물은?

- 석영으로 긁으면 긁힌다.
- 투명하거나 반투명하게 보이는 광물이다.
- 묽은 염산과 반응하여 이산화 탄소 기체가 발생한다.

① 장석 ② 흑운모 ③ 금강석
④ 방해석 ⑤ 자철석

3일 교과서 핵심 정리 ②

개념 3 풍화

1. **풍화** 암석이 오랜 시간에 걸쳐 잘게 부서지거나 암석의 ❶ [ ]이 변하는 현상 ─ 이때 일어나는 과정을 풍화 작용이라고 한다.

2. **풍화 작용의 원인** 물, ❷ [ ], 생물 등이 주요 원인

구분	풍화의 원인		풍화 작용
암석이 잘게 부서지는 풍화	물이 어는 작용		암석의 틈으로 스며든 물이 얼면서 ❸ [ ]가 ❹ [ ]지면 암석이 작은 조각으로 부서진다.
	식물 뿌리의 작용		암석의 틈에서 자라는 식물 뿌리가 성장하며 암석의 틈을 벌려 암석이 부서진다.
암석의 성분이 변하는 풍화	지하수의 용해 작용		❺ [ ]가 녹아 있는 지하수가 석회암을 녹여 석회 동굴이 만들어진다. (산성 물질)
	이끼의 작용		암석 표면에 있는 이끼가 배출하는 성분이 암석을 녹인다.

산소의 작용 : 암석의 철 성분이 산소와 반응하여 붉게 변한다.

3. **풍화에 영향을 주는 조건** 기온, 강수량, 암석의 표면적 등
   - 암석이 잘게 부서질수록 주변의 물이나 공기와 접촉할 수 있는 표면적이 증가하기 때문에 풍화가 잘 일어난다.

❶ 성분
❷ 공기
❸ 부피
❹ 커
❺ 이산화 탄소

개념 4 토양의 생성

1. **토양** 암석이 오랫동안 ❻ [ ]를 받아 잘게 부서지고 성분이 변하여 만들어진 흙 ─ 이 흙에서 식물이 잘 자랄 수 있다.

2. **토양의 생성 과정**

암석이 풍화되어 잘게 부서지기 시작한다. → 식물이 잘 자랄 수 있는 ❼ [ ]이 만들어진다. → 다양한 식물이 자라면서 토양이 ❽ [ ]

예 성숙한 토양은 4개의 층을 이룬다. ─ 물에 녹은 물질과 진흙 등이 아래로 내려와 쌓인다.

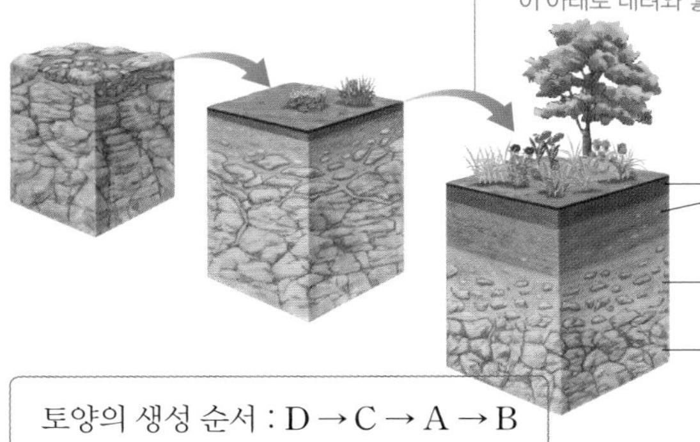

A	생명 활동이 가장 활발한 층
B	지표 부근의 토양에서 물에 녹은 물질이 아래로 내려와 만들어진 층
C	암석 조각과 모래로 이루어진 층
D	풍화 작용을 거의 받지 않은 암석층

토양의 생성 순서 : D → C → A → B

❻ 풍화
❼ 토양(흙)
❽ 두꺼워진다.

정답과 해설 70쪽

06 풍화에 대한 설명으로 옳은 것을 모두 고르면? (정답 2개)

① 암석이 풍화 작용에 의해 토양이 된다.
② 대부분의 풍화는 한 가지 풍화 작용에 의해 일어난다.
③ 풍화를 일으키는 주요 원인에는 물, 공기, 생물 등이 있다.
④ 오랜 시간에 걸쳐 암석의 성분이 변하는 현상은 풍화가 아니다.
⑤ 지표의 암석이 오랜 시간에 걸쳐 잘게 부서지는 현상만을 풍화라고 한다.

07 암석을 풍화시키는 원인으로 옳지 않은 것은?

①

▲ 이끼의 작용

②
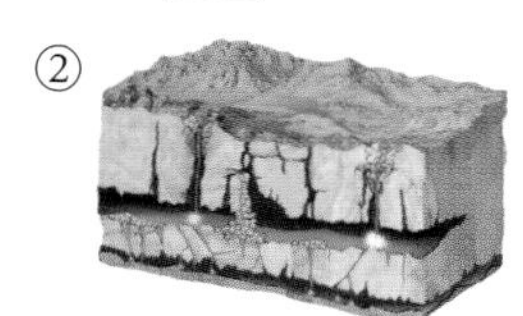
▲ 지하수의 용해 작용

③

▲ 용암이 식음

④
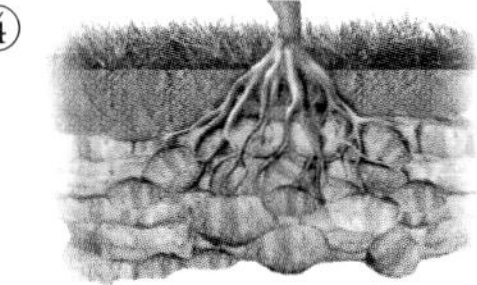
▲ 식물의 뿌리

⑤

▲ 물이 어는 작용

08 그림은 한 변의 길이가 2 cm인 암석 조각 한 개와 이 암석 조각을 8개로 나눈 암석 조각의 모습이다.

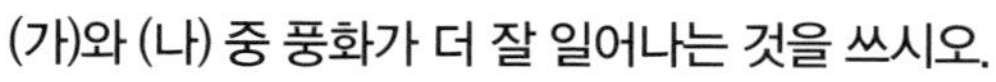

(가)와 (나) 중 풍화가 더 잘 일어나는 것을 쓰시오.

( )

09 풍화와 관련된 다음 설명의 빈칸에 들어갈 알맞은 말을 쓰시오.

> 풍화는 주로 ㉠( ), 공기, 생물 등에 의해 일어나며, 풍화를 일으키는 모든 작용을 풍화 작용이라고 한다. 암석이 오랜 시간 동안 풍화 작용을 받으면 식물이 자라고 동물이 생활할 수 있는 ㉡( )이 생성된다.

10 그림은 성숙한 토양의 단면을 나타낸 것이다. 이에 대한 설명으로 옳지 않은 것은?

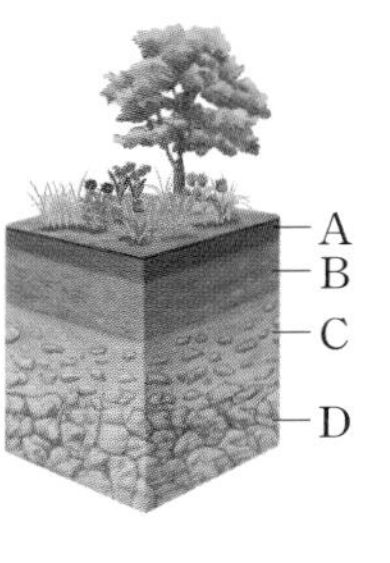

① A층은 생명 활동이 가장 활발한 층이다.
② B층은 가장 나중에 생겼다.
③ B층은 A층에서 물에 녹은 물질이 아래로 내려가서 형성된다.
④ C층은 암석 조각과 모래로 이루어진 층이다.
⑤ D층은 풍화 작용을 가장 많이 받은 층이다.

3일 내신 기출 베스트

대표 예제 1 광물

광물과 관련된 설명으로 옳지 않은 것은?

① 지구에는 수천 종류의 광물이 있다.
② 광물은 암석을 구성하는 작은 알갱이이다.
③ 모든 암석은 두 종류 이상의 광물로 이루어졌다.
④ 지구의 암석을 구성하는 주된 광물을 조암 광물이라고 한다.
⑤ 조암 광물 중에서 가장 큰 부피 비를 차지하는 것은 장석이다.

개념 가이드

암석은 한 가지 광물로 이루어진 것도 있지만, 대부분 여러 종류의 광물로 이루어져 있다. 석회암은 [   ]이라는 한 가지 광물로 이루어져 있다.

답 방해석

대표 예제 2 광물의 특성

다음은 광물을 구별하는 여러 가지 방법을 나타낸 것이다.

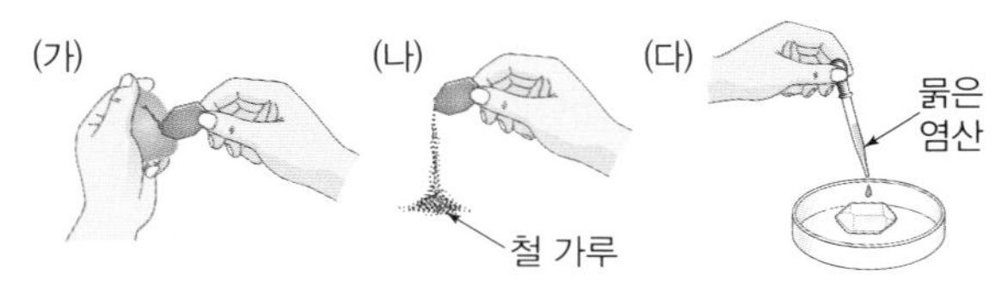

㉠ 석영과 방해석, ㉡ 자철석과 적철석을 구별하는 방법을 위 그림에서 모두 고르시오.

㉠ (   ) ㉡ (   )

개념 가이드

석영은 방해석보다 굳기가 크고, 방해석은 염산과 반응하여 거품이 발생한다. 자철석은 [   ]이 있어 철로 된 물체를 끌어당긴다.

답 자성

대표 예제 3 광물의 특성

금, 황동석, 황철석을 구별하는 방법으로 옳은 것은?

① 클립을 갖다 대어 본다.
② 질량을 측정하여 비교한다.
③ 겉으로 보이는 암석의 색깔을 관찰한다.
④ 조흔판에 긁었을 때 생기는 광물 가루의 색을 비교한다.
⑤ 묽은 염산을 떨어뜨렸을 때 거품이 발생하는지 관찰한다.

개념 가이드

금, 황동석, 황철석은 겉으로 보이는 암석의 색깔이 노란색으로 같지만, [   ]은 금이 노란색, 황동석이 녹흑색, 황철석이 검은색으로 각각 다르다.

답 조흔색

대표 예제 4 광물의 특성

<보기>의 A~C에 해당하는 광물을 바르게 짝 지은 것은?

보기
- A를 클립에 가까이 가져가니 클립을 끌어당겼다.
- B에 묽은 염산을 떨어뜨렸더니 거품이 발생했다.
- B와 C를 서로 긁었더니 B가 긁혔다.

	A	B	C
①	적철석	흑운모	석영
②	적철석	방해석	흑운모
③	자철석	방해석	활석
④	자철석	방해석	석영
⑤	자철석	흑운모	석영

개념 가이드

두 광물을 서로 긁었을 때 [   ] 광물은 단단한 광물에 긁힌다. 즉 두 광물을 서로 긁었을 때 암석의 굳기는 긁히지 않는 광물 > 긁히는 광물이다.

답 무른

대표 예제 5 풍화 작용

풍화와 관련된 설명으로 옳지 <u>않은</u> 것은?

① 풍화의 원인에는 물, 공기, 생물 등이 있다.
② 식물의 뿌리가 자라면서 암석을 부서지게 한다.
③ 암석의 틈에 스며든 물이 증발하면서 암석의 틈을 넓힌다.
④ 땅속의 암석이 지표로 드러나면서 암석의 겉 부분이 얇게 떨어져 나간다.
⑤ 이산화 탄소가 녹아 있는 지하수가 석회암을 녹여 석회 동굴이 만들어진다.

개념 가이드
암석은 물이 어는 작용, 압력의 감소, 식물 뿌리의 작용에 의해 잘게 부서지고, 지하수, 산소, 이끼의 작용에 의해 암석의 [   ]이 변한다. 답 성분

대표 예제 6 풍화가 잘 일어나는 조건

그림은 물이 얼면서 일어나는 풍화 작용을 나타낸 것이다. 이에 대한 설명으로 옳은 것을 〈보기〉에서 모두 고른 것은?

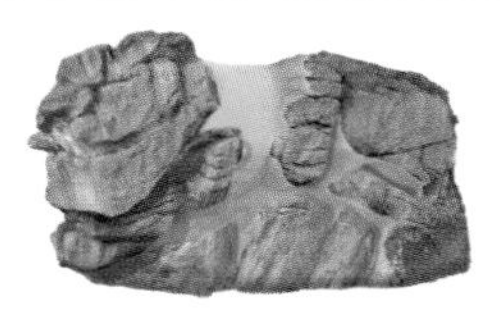

보기
ㄱ. 기온이 낮은 지역에서 잘 일어난다.
ㄴ. 풍화 작용에 의해 암석의 성분이 변한다.
ㄷ. 물이 얼 때 부피가 커지기 때문에 일어난다.
ㄹ. 암석이 받는 압력이 약해져서 일어난다.

① ㄱ, ㄴ ② ㄴ, ㄷ ③ ㄱ, ㄷ
④ ㄱ, ㄴ, ㄹ ⑤ ㄴ, ㄷ, ㄹ

개념 가이드
기온은 풍화 작용에 영향을 미친다. 예를 들어 기온이 [   ] 지역에서는 물이 얼 때 부피가 증가하면서 풍화가 잘 일어난다. 답 낮은

대표 예제 7 토양의 단면

그림은 토양의 단면을 나타낸 것이다. 이에 대한 설명으로 옳지 <u>않은</u> 것은?

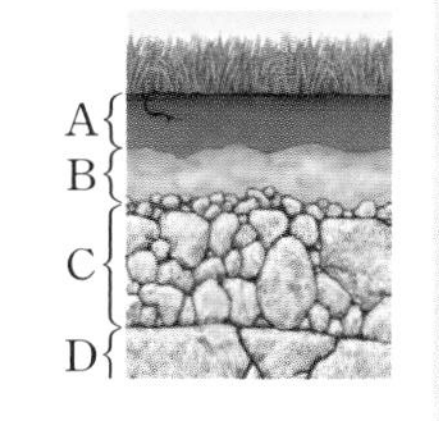

① A에는 동식물이 썩어서 만들어진 물질이 포함되어 있다.
② B에서 대부분의 생물이 살아가기에 적당하다.
③ B는 물에 녹은 물질과 진흙 등으로 이루어졌다.
④ C는 풍화된 돌조각과 모래로 이루어져 있다.
⑤ D는 풍화 작용을 거의 받지 않은 암석으로 이루어져 있다.

개념 가이드
A~D 중 식물이 자랄 수 있고 생명 활동이 가장 활발한 층은 [   ]이다. 다양한 식물이 자라면서 토양은 두꺼워진다. 답 A

대표 예제 8 토양의 생성 과정

그림은 성숙한 토양의 단면을 나타낸 것이다. A~D 중 먼저 생성된 층부터 순서대로 옳게 나열한 것은?

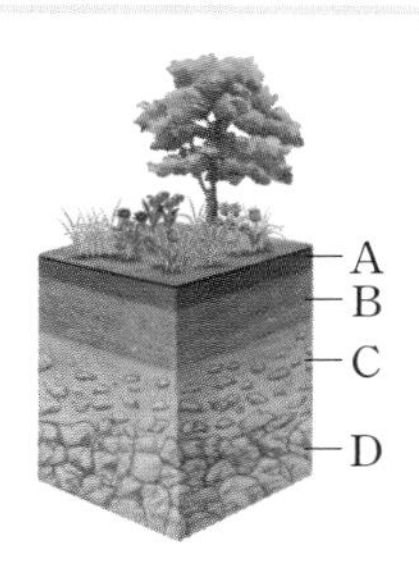

① A − B − C − D
② B − C − D − A
③ D − A − B − C

④ D − C − A − B

⑤ D − C − B − A

개념 가이드
D의 암석이 풍화되어 만들어진 C가 더 잘게 부서져서 [   ]이 자랄 수 있는 A(토양)가 만들어진다. 이후 지표 부근의 토양에서 물에 녹은 물질이 아래로 내려와 B가 생성된다. 답 식물

4일 지각의 변화

그림으로 개념 잡기

공부할 내용

❶ 움직이는 대륙
❷ 판의 이동과 경계
❸ 지진과 지진의 세기
❹ 지진대와 화산대

판의 경계에서 지진이나 화산 활동 같은 지각 변동이 일어납니다.

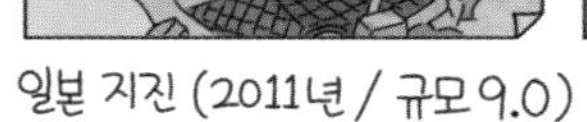
일본 지진 (2011년 / 규모 9.0)

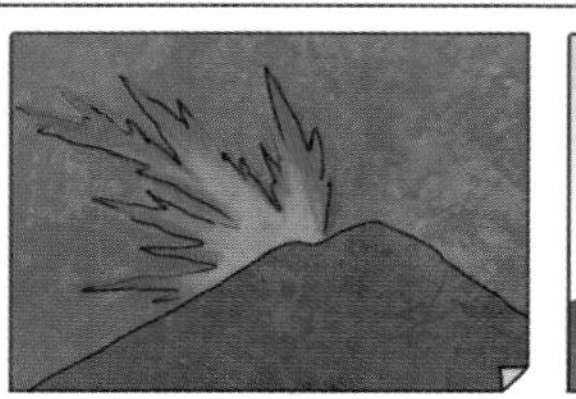
인도네시아 크라카타우 화산 활동 (2009년)

콜롬비아 네바도델루이스 화산 활동 (2015년)

칠레 지진 (2014년 / 규모 8.2)

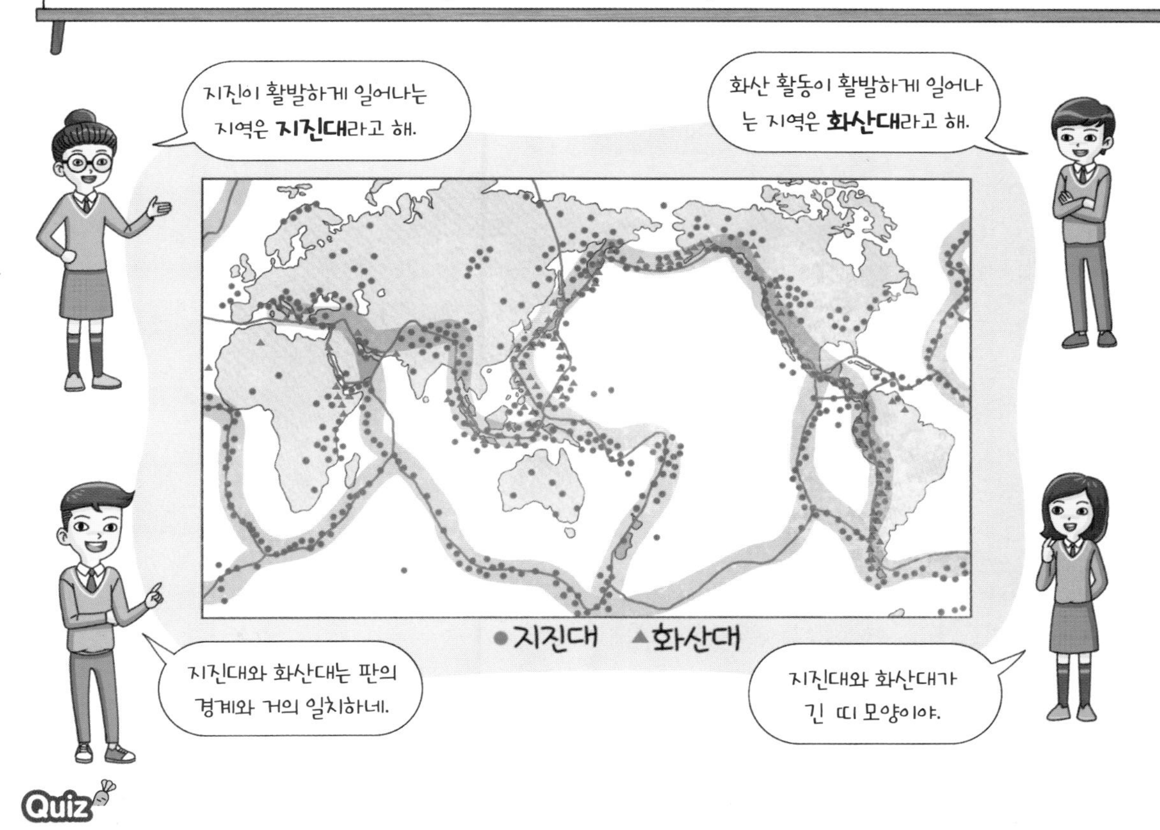

Quiz

1. 과거에 하나로 붙어 있던 대륙이 분리되고 이동하여 현재와 같은 모습이 되었다는 학설은 ❶ (대륙 이동설, 맨틀 대류설)이다.
2. 전 세계에서 지진이 자주 발생하는 띠 모양의 지역을 ❷ (지진대, 화산대)라고 한다.

답 ❶ 대륙 이동설 ❷ 지진대

교과서 핵심 정리 ①

개념 1 움직이는 대륙

1. 대륙 이동설 과거에 대륙이 하나로 붙어 ❶ (   )를 형성하였다가 여러 대륙으로 분리, 이동하여 현재와 같은 분포가 되었다는 학설로, 베게너가 주장함.
(❶ 약 3억 년 전에 모든 대륙이 하나로 붙어 있던 거대한 초대륙)

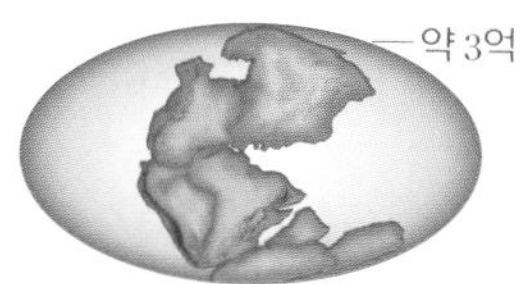

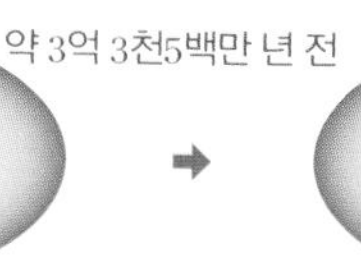

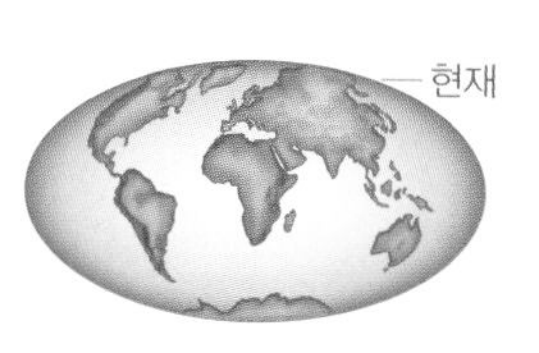

2. 대륙 이동의 증거 해안선 모양, 산맥의 분포, 빙하의 흔적, 화석의 분포

해안선 모양

남아메리카 대륙의 동쪽과 아프리카 대륙의 서쪽의 ❷ (   ) 모양이 잘 들어맞는다.

산맥의 분포

북아메리카와 유럽 대륙의 산맥 분포가 하나로 이어진다.

빙하의 흔적

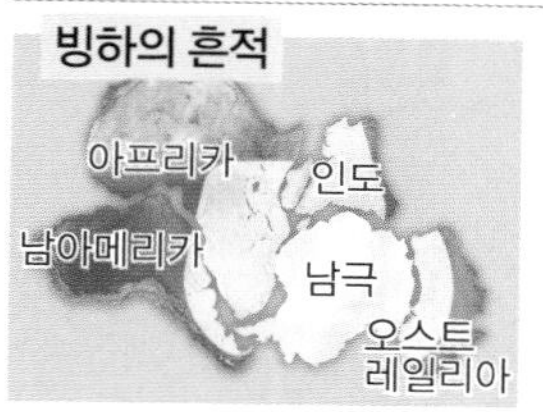

대륙에 남아 있는 ❸ (   )의 흔적이 남극 대륙 중심으로 하나로 연결된다.

화석의 분포

글로소프테리스, 메소사우루스 ❹ (   ) 분포가 연결된다.

3. 대륙 이동의 원동력 베게너는 대륙을 이동시키는 힘을 설명하지 못하여 당시에는 과학자들에게 대륙 이동설을 인정받지 못함. ─ 이후에 맨틀 대류에 의한 판의 이동으로 대륙 이동을 설명함.

개념 2 판의 이동과 경계 ─ 지구 표면은 10여 개의 크고 작은 판으로 이루어짐.

1. 판 지각과 ❺ (   )의 상부를 이루는 단단한 암석층

구분	대륙판	해양판
정의	대륙 지각을 포함하는 판	해양 지각을 포함하는 판
두께	약 100 km	약 ❻ ( ) km

예) 우리나라는 유라시아판에 속하며, 유라시아판은 대륙판이다.

대륙 지각 / 해양 지각 / 깊이(km) / 판 / 대륙판 / 해양판 / 100 / 맨틀

▲ 판의 구조

2. 판의 이동 판은 판 아래 ❼ (   )의 움직임에 따라 서로 다른 방향과 속력으로 이동한다.
(판의 이동 속력 : 1년에 수 cm)

3. 판의 경계 판과 판이 서로 멀어지거나 부딪치거나 어긋나는 경계에서 ❽ (   )이 일어난다.

예) 판의 경계에서 일어나는 대표적인 지각 변동은 지진과 화산 활동이다.

❶ 판게아
❷ 해안선
❸ 빙하
❹ 화석
❺ 맨틀
❻ 70
❼ 맨틀
❽ 지각 변동

기초 확인 문제

정답과 해설 72쪽

01 다음 글의 빈칸에 알맞은 말을 쓰시오.

> 베게너는 ㉠(　　　) 이동설에서 과거에는 지구상의 모든 대륙이 하나로 붙어 ㉡(　　　)라는 거대한 대륙을 형성하였고, 과거 어느 시기에 여러 대륙으로 분리되기 시작하여 현재와 같은 모습이 되었다고 주장하였다.

02 베게너가 제시한 대륙 이동설의 증거로 옳은 것을 〈보기〉에서 모두 고르시오.

보기

ㄱ. 남아메리카 대륙의 동쪽과 아프리카 대륙의 서쪽 해안선이 서로 잘 들어맞는다.

ㄴ. 지진이 일어나는 지역과 화산 활동이 일어나는 지역이 대체로 일치한다.

ㄷ. 북아메리카와 유럽 대륙의 산맥은 대륙을 하나로 모았을 때 잘 연결된다.

(　　　　　　　)

03 그림은 대륙의 이동 모습을 순서 없이 나타낸 것이다.

(가)

(나)

(다)

(가)~(다)를 오래된 것부터 순서대로 옳게 나열한 것은?

① (가) → (나) → (다)　② (나) → (다) → (가)
③ (다) → (가) → (나)　④ (나) → (가) → (다)
⑤ (다) → (나) → (가)

04 그림은 판의 구조를 나타낸 것이다.

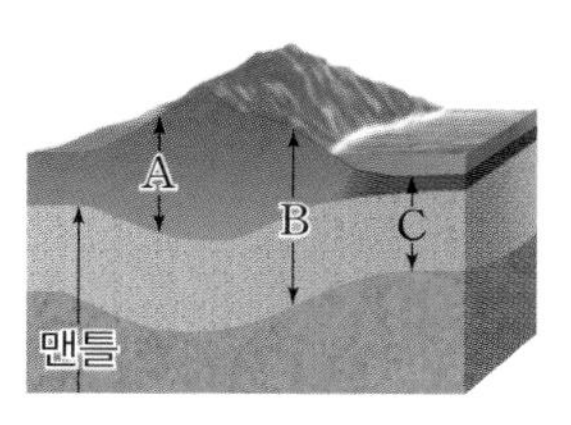

A~C는 각각 무엇에 해당하는지 쓰시오.

A : (　　　　　　　)
B : (　　　　　　　)
C : (　　　　　　　)

05 그림은 전 세계 판의 경계와 이동 방향을 나타낸 것이다.

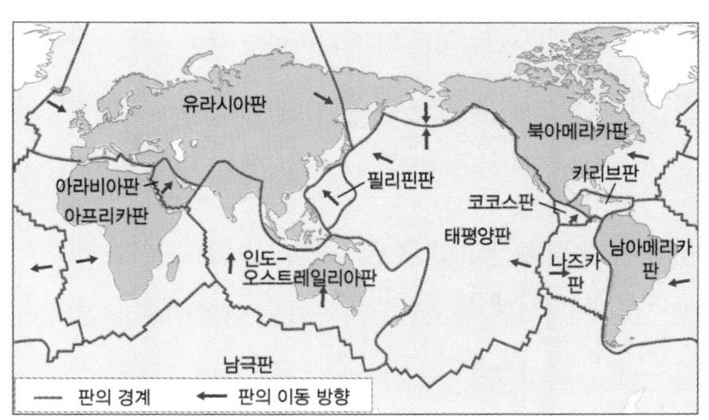

이에 대한 설명으로 옳은 것을 모두 고르면? (정답 2개)

① 판은 모두 같은 방향과 속력으로 이동한다.
② 판 아래 맨틀의 움직임에 따라 판이 이동한다.
③ 판의 경계는 대륙과 해양의 경계와 모두 일치한다.
④ 판의 경계에서 판은 서로 멀어지거나 부딪치거나 어긋난다.
⑤ 주로 판의 경계보다는 판의 안쪽에서 지각 변동이 일어난다.

4일 교과서 핵심 정리 ②

개념 3 지진과 지진의 세기

지진이 발생한 지구 내부의 지점을 진원이라 하고, 진원 바로 위의 지표면 지점을 진앙이라고 한다.

1. **지진** 지구 내부에 쌓인 에너지가 갑자기 방출되면서 생긴 ❶ ______ 이 지표로 전달되는 현상

2. **지진의 세기**

구분	내용
규모	지진이 발생한 지점에서 방출되는 ❷ ______ 의 양(숫자가 클수록 강한 지진) 예 2015년 네팔에서 발생한 규모 7.8의 지진은 2016년 경주 부근에서 발생한 규모 5.8의 지진보다 훨씬 강한 지진이다. → 여러 지진의 지진 세기를 비교할 때 규모를 사용
진도	지진이 일어났을 때 어떤 지역에서 땅이 흔들린 정도나 피해 정도를 나타낸 값 — 로마 숫자로 나타낸다. 예 일반적으로 지진이 발생한 지점에서 가까울수록 진도가 ❸ ______.

→ 지진이 발생했을 때 규모는 지역과 관계없이 같은 값을 갖지만, ❹ ______ 는 지역에 따라 달라진다.

개념 4 지진대와 화산대

1. **지진과 화산 활동에 의한 피해** 지진은 건물과 도로 붕괴, 지진 해일, 화재 등의 피해를, 화산 분출은 화산재, 용암 분출 등에 의한 피해를 일으킬 수 있다.

2. **지진대와 화산대**

구분	내용
지진대	지진이 활발하게 일어나는 지역
화산대	❺ ______ 활동이 활발하게 일어나는 지역

3. **지진대와 화산대의 분포** 좁고 긴 띠 모양의 형태로 나타나며, 판의 ❻ ______ 와 거의 일치한다.

4. **지진과 화산 활동이 가장 활발한 지역** 전 세계에서 지진과 화산 활동이 가장 활발한 지역은 태평양의 가장자리인데, 이를 ❼ ______ 지진대, 환태평양 화산대라고 한다.
예 전 세계에서 발생하는 지진과 화산 활동의 70 % 이상이 환태평양 지진대와 환태평양 화산대(불의 고리)에서 발생한다.

5. **우리나라 주변의 지진과 화산 활동** 우리나라와 일본은 모두 유라시아판에 속하지만 일본은 유라시아판, 태평양판, 필리핀판이 만나는 판의 ❽ ______ 에 가까이 있기 때문에 우리나라보다 지진과 화산 활동이 자주 일어난다.

우리나라 주변의 지진과 화산의 분포 ▶

❶ 진동
❷ 에너지
❸ 커진다
❹ 진도
❺ 화산
❻ 경계
❼ 환태평양
❽ 경계

정답과 해설 72쪽

06 다음에서 설명하는 것은 무엇인지 쓰시오.

- 지진이 일어났을 때 어떤 지역에서 땅이 흔들린 정도나 피해 정도를 나타낸 값이다.
- 일반적으로 지진이 발생한 지점으로부터의 거리, 건물의 상태 등에 따라 이 값이 달라진다.

(　　　　　　　　)

07 지진의 규모에 대한 설명으로 옳지 않은 것은?

① 지진의 세기를 나타낸다.
② 지진의 규모는 Ⅲ, Ⅳ, Ⅴ와 같은 로마 숫자로 나타낸다.
③ 규모 7.8의 지진은 규모 5.8의 지진보다 강한 지진이다.
④ 지진이 발생한 지점에서 방출되는 에너지의 양을 나타낸 것이다.
⑤ 한 장소에서 지진이 발생했을 때 규모는 지역과 관계없이 같은 값을 갖는다.

08 다음 글에서 빈칸에 알맞은 말을 각각 쓰시오.

지진이 활발하게 일어나는 지역을 ㉠(　　　　), 화산 활동이 활발하게 일어나는 지역을 ㉡(　　　　)라고 한다. ㉠과 ㉡은 대체로 판의 경계와 일치한다.

09 그림은 전 세계 지진 발생 지역과 화산 활동 지역, 판의 경계를 나타낸 것이다.

• 지진　▲ 화산　— 판의 경계　← 판의 이동 방향

이에 대한 설명으로 옳지 않은 것은?

① 지진대와 화산대는 대체로 일치한다.
② 지진과 화산 활동은 언제나 동시에 일어난다.
③ 태평양 가장자리에서 지진과 화산 활동이 가장 활발하다.
④ 지진 발생 지역과 화산 활동 지역은 띠 모양으로 나타난다.
⑤ 지진 발생 지역과 화산 활동 지역은 판의 경계와 거의 일치한다.

10 그림은 우리나라 주변의 판을 나타낸 것이다.

A판의 이름을 쓰시오.

(　　　　　　　　)

4일 내신 기출 베스트

대표 예제 1 대륙 이동설

대륙 이동설에 대한 설명으로 옳지 않은 것은?

① 베게너가 주장한 학설이다.
② 당시의 과학자들에게 인정받지 못한 학설이다.
③ 과거에 대륙들은 하나로 모여 있었다고 주장한 학설이다.
④ 대륙이 이동하는 원동력에 대해 명확하게 설명한 학설이다.
⑤ 대륙이 이동하여 현재와 같은 분포를 이루었다고 주장한 학설이다.

개념 가이드
베게너가 주장한 대륙 이동설이 당시에는 인정받지 못한 까닭은 베게너가 거대한 대륙을 이동시키는 [ ]을 명확하게 설명하지 못했기 때문이었다. 답 원동력

대표 예제 2 대륙 이동설의 증거

다음은 베게너가 제시한 대륙 이동의 증거를 설명한 것이다.

> 베게너는 멀리 떨어져서 있는 대륙들의 (　　　) 등이 일치하거나 서로 잘 연결된다는 것을 증거로 제시하여 대륙 이동설을 주장하였다.

빈칸에 들어갈 말로 옳지 않은 것은?

① 빙하의 흔적　② 해안선 모양
③ 산맥의 분포　④ 화석의 분포
⑤ 지진대와 화산대

개념 가이드
베게너 이후 여러 과학자의 노력과 과학 기술의 발달로 오늘날에는 대륙을 포함한 지구의 겉 부분인 [ ]이 이동하면서 천천히 움직이고 있다는 사실을 알게 되었다. 답 판

대표 예제 3 판의 구조

그림은 판의 구조를 나타낸 것이다. 이에 대한 설명으로 옳은 것을 〈보기〉에서 모두 고른 것은?

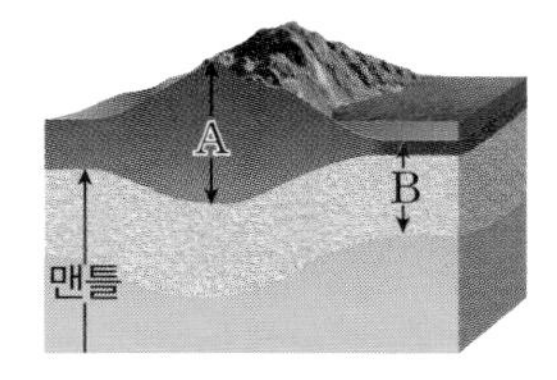

보기
ㄱ. A는 대륙판이다.
ㄴ. B는 해양판이다.
ㄷ. 대륙판은 해양판보다 두께가 얇다.
ㄹ. 판은 지각과 맨틀의 상부를 포함하는 암석층이다.

① ㄱ, ㄴ　② ㄱ, ㄷ　③ ㄱ, ㄹ
④ ㄴ, ㄷ　⑤ ㄴ, ㄹ

개념 가이드
대륙 지각을 포함하는 판을 [ ]판, 해양 지각을 포함하는 판을 [ ]판이라고 한다. 답 대륙, 해양

대표 예제 4 판의 이동과 경계

그림은 우리나라 주변의 판을 나타낸 것이다. 이에 대한 설명으로 옳은 것을 모두 고르면? (정답 2개)

① 판의 이동 방향이 모두 같다.
② 판은 하루에 수 km 정도 이동한다.
③ 지구 표면은 하나의 판으로 되어 있다.
④ 판 아래 맨틀의 움직임에 따라 판이 이동한다.
⑤ 판과 판의 경계에서 여러 가지 지각 변동이 일어난다.

개념 가이드
판은 [ ] 대류에 의해 이동하며, 판과 판이 서로 멀어지거나 부딪치거나 어긋나는 경계에서 [ ]이 일어난다. 답 맨틀, 지각 변동

대표 예제 5 지진

그림은 지진 발생 모습에 대해 나타낸 것이다. 이에 대한 설명으로 옳지 않은 것은?

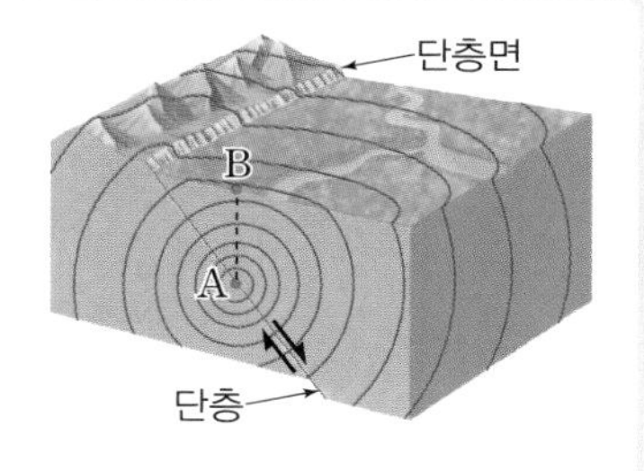

① A를 진원, B를 진앙이라고 한다.
② 진동이 지표로 전달되는 현상이다.
③ 많은 인명과 재산 피해를 일으킬 수 있다.
④ A에서 멀어질수록 지진의 규모가 작아진다.
⑤ 지구 내부 에너지의 급격한 변화로 생기는 현상이다.

개념 가이드

일반적으로 지진이 발생한 지점에 가까울수록 지진에 의한 피해가 ☐지며 진도가 ☐지는 경향이 있다.

답 커, 커

대표 예제 6 지진의 세기

지진의 세기와 관련된 설명으로 옳은 것을 〈보기〉에서 모두 고른 것은?

보기
ㄱ. 진도는 지진이 발생할 때 방출된 에너지의 양을 기준으로 나타낸다.
ㄴ. 규모는 지진 발생 지점으로부터의 거리에 관계없이 일정하다.
ㄷ. 지진이 발생한 지점에서 가까운 곳일수록 진도가 커지는 경향이 있다.

① ㄱ ② ㄴ ③ ㄷ
④ ㄱ, ㄷ ⑤ ㄴ, ㄷ

개념 가이드

어떤 지점에서 땅이 흔들린 정도나 피해 정도를 나타낸 값은 ☐, 지진이 발생한 지점에서 방출된 에너지의 양을 ☐라고 한다.

답 진도, 규모

대표 예제 7 지진대와 화산대

지진대와 화산대의 분포에 대한 설명으로 옳지 않은 것은?

① 좁고 긴 띠 모양의 형태로 나타난다.
② 지진대와 화산대의 분포는 대체로 일치한다.
③ 우리나라보다 일본이 지진대와 화산대에 가깝게 있다.
④ 지진대는 판의 경계, 화산대는 판의 중앙에 주로 위치한다.
⑤ 지진과 화산 활동이 가장 활발한 곳은 태평양의 가장자리이다.

개념 가이드

지진대와 화산대는 좁고 긴 띠 모양의 형태로 나타나며 판의 경계와 거의 ☐한다.

답 일치

대표 예제 8 판의 경계

그림은 지진대, 화산대와 판의 경계를 나타낸 것이다. 이에 대한 설명으로 옳은 것을 〈보기〉에서 모두 고르시오.

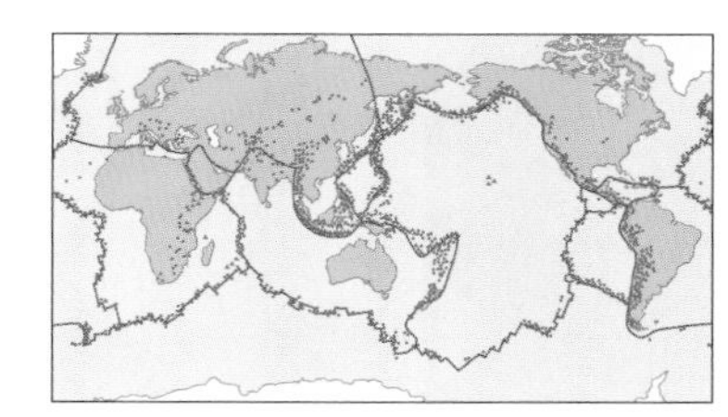

보기
ㄱ. 지진대와 화산대는 좁고 긴 띠 모양을 이룬다.
ㄴ. 지진과 화산 활동은 판의 경계에서만 일어난다.
ㄷ. 판의 경계에서 지각 변동이 활발하게 일어난다.

( )

개념 가이드

그림에서 태평양판의 중앙에 있는 하와이 지역은 판의 경계가 아니지만 ☐ 활동이 일어남을 알 수 있다.

답 화산

5일 중력

그림으로 개념 잡기
부아아앙
꺄아아
지구상의 모든 물체에는 지구 중심으로 중력이 작용해.
물체의 무게는 용수철저울로, 질량은 윗접시 저울로 측정해.
약 60 N
6 kg
지구

공부할 내용
❶ 과학에서의 힘
❷ 중력의 작용
❸ 무게와 질량
❹ 지구와 달에서의 무게와 질량
약 10 N
달에서 무게는 지구에서의 $\frac{1}{6}$배이고 질량은 장소에 따라 변하지 않는 물체 고유한 양이야.
6 kg
달
슈우우우
유성
떨어진다!
Quiz
1. 나와 지구 반대편에 있는 친구가 던진 공은 지구 ❶ (밖, 중심)으로 떨어진다.
2. 장소에 따라 변하지 않는 것은 질량이므로 60 kg인 물체의 달에서 ❷ (무게, 질량)은 60 kg이다.
답 ❶ 중심 ❷ 질량

5일 교과서 **핵심 정리 ①**

개념 1 과학에서의 힘

1. 힘의 의미 물체에 작용하여 물체의 모양, 빠르기, 운동 ❶[   ]을 변화시키는 원인, 물체를 밀거나 당기는 것으로 작용함.

2. 힘의 작용의 예 물체의 모양이나 운동 상태가 변한다.

운동 상태는 움직이는 물체의 빠르기와 움직이는 방향을 말한다.

모양 변화	운동 상태 변화	모양이나 운동 상태 변화
• 고무줄이나 용수철을 늘인다. • 고무공을 누른다.	• 굴러가던 공이 멈춘다. • 헬륨 풍선이 하늘 높이 올라간다.	• 배트로 힘차게 쳐낸 공은 포물선을 그리며 다시 땅으로 떨어진다.

참고 물이 끓거나 아이스크림이 녹는 등 물질의 성질이나 ❷[   ]가 변하는 것은 힘의 작용에 의한 현상이 아니다.

3. 힘의 표시 힘의 크기와 방향, 작용점을 ❸[   ]로 나타낸다.

- 힘의 방향: 화살표의 방향으로 표시
- 힘의 작용점: 힘을 작용하는 지점으로, 화살표의 시작점으로 표시
- 힘의 크기: 화살표의 길이로 표시

개념 2 중력의 작용

1. 중력 지구가 물체를 당기는 힘

(1) 방향 : 지구 ❹[   ] 방향(=연직 아래 방향)

(2) 크기 : 물체의 ❺[   ]이 클수록, 지구 중심에 가까울수록 크다.

예 지표 근처에 공기가 집중해 있고 높이 올라갈수록 희박한 까닭은 지구 중심으로부터 멀수록 중력의 크기가 작아지기 때문이다.

(3) 단위 : N(뉴턴) 사용

• 질량 1 kg에 작용하는 중력 = ❻[   ] N

▲ 중력의 작용

2. 중력에 의한 현상

• 수돗물이 아래로 흐른다.
• 눈과 ❼[   ]가 아래로 내린다.
• 폭포수가 아래로 떨어진다.
• 고드름이 아래쪽으로 얼어붙는다.
• 스카이다이버가 아래로 떨어진다.

예 높은 곳에 있는 물체를 가만히 놓으면 지구의 ❽[   ]에 의해 물체가 지면을 향해 떨어진다.

❶ 방향
❷ 상태
❸ 화살표
❹ 중심
❺ 질량
❻ 9.8
❼ 비
❽ 중력

기초 확인 문제

정답과 해설 73쪽

01 물체에 힘이 작용할 때 나타나는 현상이다. 빈칸에 알맞은 말을 다음 용어에서 골라 쓰시오.

모양 　 운동 방향 　 빠르기

(1) 고무공을 손가락으로 누르면 공의 (　　　　) 이 변한다.

(2) 운동장에서 굴러가는 공은 (　　　　)가 변하여 멈추었다.

(3) 날아오는 야구공을 방망이로 힘껏 쳤더니 방망이에 부딪치는 순간 공의 (　　　　), (　　　　), (　　　　)가 동시에 변한다.

02 물체에 힘이 작용하여 물체의 모양과 운동 상태가 동시에 변한 경우에 해당하는 것은?

① 고무공을 누를 때
② 농구공을 던질 때
③ 깡통을 찌그러뜨릴 때
④ 축구공을 발로 세게 찼을 때
⑤ 지우개를 실에 매달아 돌릴 때

03 다음은 여러 가지 현상을 나타낸 것이다. 이러한 현상이 일어나는 원인이 되는 힘의 종류를 쓰시오.

- 하늘에서 우박이 떨어진다.
- 지표 가까이에 대기가 모여 있다.
- 아이스크림이 흘러내린다.
- 사과나무의 사과가 떨어진다.

(　　　　　　)

04 그림과 같이 물체 (가), (나), (다)를 지표면으로부터 같은 거리만큼 떨어진 곳에서 가만히 놓았다. 이때 중력에 의해 물체 (가), (나), (다)가 움직이는 방향을 옳게 짝 지은 것은?

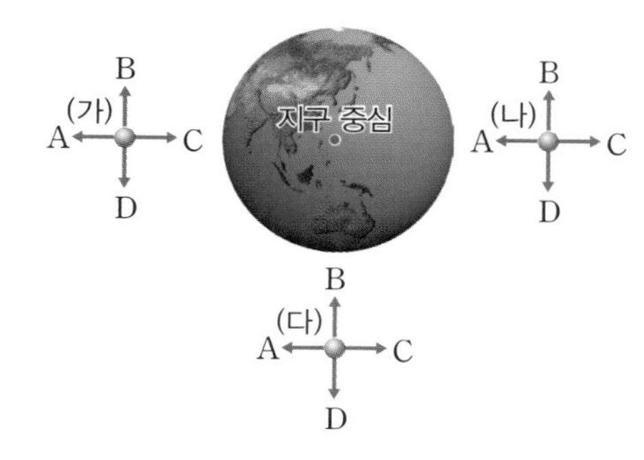

	(가)	(나)	(다)
①	A	B	C
②	A	C	B
③	B	D	A
④	C	A	B
⑤	D	D	D

05 다음은 중력에 대한 설명이다. (　) 안에 알맞은 말을 고르시오.

(1) 중력은 지구가 물체를 (당기는, 밀어내는) 힘이다.

(2) 중력이 작용하는 방향은 지구 (중심, 바깥) 방향이다.

(3) 중력의 단위로는 (N, kg)을 사용한다.

(4) 움직이는 물체에도 중력이 작용 (한다, 하지 않는다).

(5) 중력의 크기는 지표에서 높이 올라갈수록 (커, 작아)진다.

5일 교과서 핵심 정리 ②

개념 3 무게와 질량

1. **무게** 지구가 물체를 당기는 ❶ [ ] 의 크기

2. **무게와 질량의 비교**

구분	무게	질량
뜻	지구가 물체를 당기는 중력의 크기	물체가 가지는 고유한 양
단위	N(뉴턴)	kg(킬로그램)
측정	❷ [ ] 저울, 가정용저울	❸ [ ] 저울, 양팔저울
크기	측정 장소에 따라 크기가 달라짐	측정 장소에 따라 변하지 않음
관계	무게는 ❹ [ ] 에 비례, 지구에서 물체의 무게(N) = 9.8 × 질량(kg)	

예 측정 장소의 중력크기에 따라 물체의 ❺ [ ] 는 달라질 수 있지만, ❻ [ ] 은 일정하다.

❶ 중력
❷ 용수철
❸ 윗접시
❹ 질량
❺ 무게
❻ 질량

개념 4 지구와 달에서의 무게와 질량

1. **지구와 달에서 무게** 달에서의 무게는 지구에서의 $\frac{1}{6}$배로 줄어든다. → 달의 중력은 지구 중력의 ❼ [ ] 배이다.

2. **지구와 달에서 질량** 질량은 장소에 따라 변하지 않는 물체 고유한 양이므로 지구와 달에서 질량은 ❽ [ ].

> 달에서의 중력은 지구에서의 $\frac{1}{6}$배이므로 무게도 $\frac{1}{6}$배로 작아진다.
> → 달에서의 무게 = 지구에서의 무게 × $\frac{1}{6}$

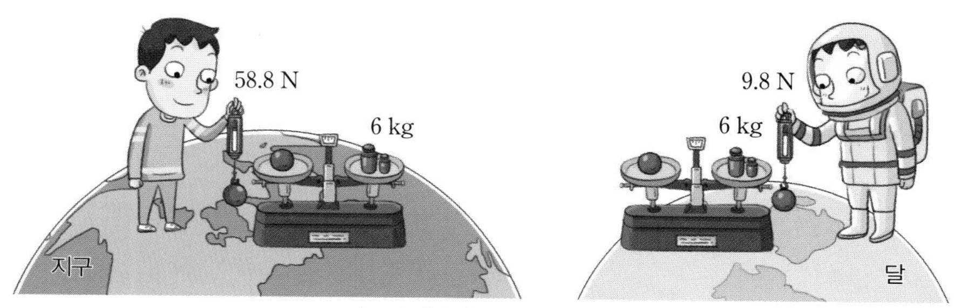

▲ 지구와 달에서의 무게와 질량 비교

예 질량 6 kg인 물체의 지구에서 무게는 58.8 N이고, 달에서 무게는 ❾ [ ] 이다. 그러나 달에서 질량은 그대로 ❿ [ ] 이다.

❼ $\frac{1}{6}$
❽ 같다
❾ 9.8 N
❿ 6 kg

기초 확인 문제

정답과 해설 73쪽

06 무게와 질량에 대한 설명이다. ( ) 안에 알맞은 것을 고르시오.

(1) 물체에 작용하는 중력의 크기를 (질량, 무게)(이)라고 한다.

(2) 무게는 물체의 질량이 클수록 (크다, 작다).

(3) 질량은 (용수철저울, 양팔저울)로 측정한다.

(4) 질량의 단위는 ㉠ (kg, N)을 쓰고, 무게의 단위는 ㉡ (kg, N)을 쓴다.

(5) 질량은 물체의 고유한 양으로 측정 (장소, 시간)에 따라 변하지 않는다.

07 그림은 지구와 달에서의 물체의 무게와 질량을 비교하는 것이다. 빈칸에 알맞은 말을 쓰시오.

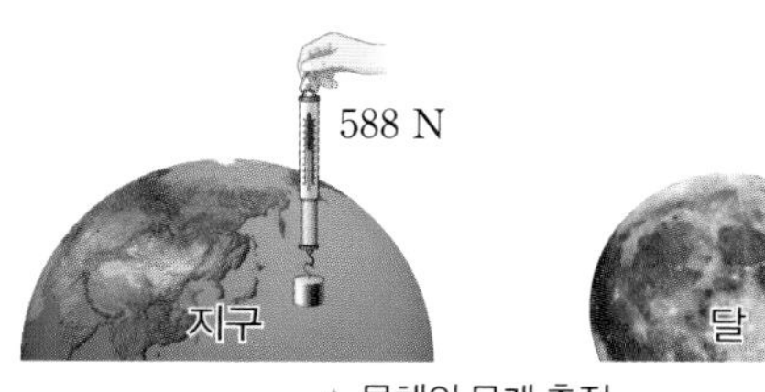

▲ 물체의 무게 측정

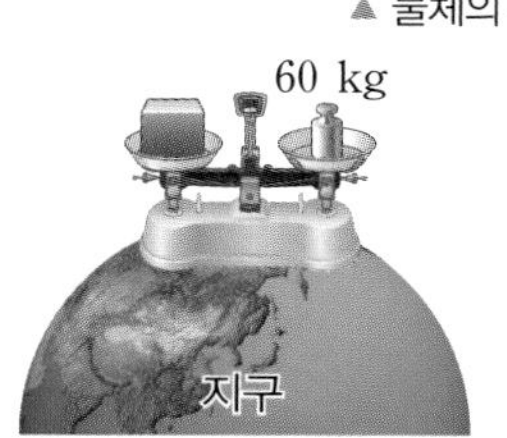

▲ 물체의 질량 측정

(1) 무게는 ㉠( )저울로 측정하며, 달에서 무게는 지구에서 무게의 ㉡( )배이다.

(2) 질량은 ㉠( ) 저울로 측정하며, 달에서의 질량은 지구에서의 질량과 ㉡( ).

08 무게와 질량을 비교하는 표의 빈칸에 알맞은 말을 다음 용어에서 골라 쓰시오.

중력 양팔 질량 kg(킬로그램)

구분	무게	질량
뜻	지구가 물체를 당기는 ㉠( )의 크기	물체가 가지는 고유한 양
단위	N(뉴턴)	㉡( )
측정	용수철저울 가정용 저울	윗접시 저울 ㉢( )저울
크기	측정 장소에 따라 크기가 달라짐	측정 장소에 관계없이 변하지 않음
관계	무게는 물체의 ㉣( )에 비례	

09 다음은 여러 가지 물체의 질량을 나타낸 것이다. 무게가 큰 물체부터 순서대로 나타내시오.

( )

(가) 3 kg인 화분 (나) 300 g인 사과
(다) 20 kg인 생수통

10 지구에서 질량이 6 kg인 물체를 달에 가지고 갔을 때, 달에서의 질량과 무게를 옳게 짝 지은 것은?

	질량	무게
①	1 kg	1 N
②	1 kg	6 N
③	6 kg	1 N
④	6 kg	9.8 N
⑤	6 kg	58.8 N

5일 내신 기출 베스트

대표 예제 1 힘의 작용

과학에서의 힘의 작용으로 나타나는 현상으로 옳은 것을 〈보기〉에서 모두 고른 것은?

보기
ㄱ. 달리던 자동차가 속력이 줄어들고 멈췄다.
ㄴ. 주전자에 물을 끓였더니 수증기가 발생하였다.
ㄷ. 높은 곳에서 스카이다이버가 아래로 떨어지고 있다.

① ㄱ ② ㄱ, ㄴ ③ ㄱ, ㄷ
④ ㄴ, ㄷ ⑤ ㄱ, ㄴ, ㄷ

개념 가이드

과학에서의 힘은 물체의 [ ]이나 [ ] 상태를 변화시키는 원인이다.

답 모양, 운동

대표 예제 2 과학에서의 힘

힘에 대한 설명으로 옳은 것은?

① 힘의 크기를 나타내는 단위는 N(뉴턴)을 사용한다.
② 힘을 표시할 때 화살표의 길이는 힘의 방향을 나타낸다.
③ '공부하느라 힘들어.'에서 힘은 과학에서 말하는 힘이다.
④ 힘은 물체의 모양, 운동 방향, 빠르기를 동시에 변화시킬 수는 없다.
⑤ 굴러가는 공에 굴러가는 방향과 반대 방향으로 힘이 작용하면 속력이 더 빨라진다.

개념 가이드

물체에 힘이 작용하면 모양이나 운동 상태를 동시에 [ ]시킬 수 있으며 운동 방향과 반대 방향으로 힘을 받으면 속력이 [ ]한다.

답 변화, 감소

대표 예제 3 힘, 중력, 무게와 질량

힘과 중력 및 무게와 질량에 대한 설명 중 옳지 않은 것은?

① 힘의 단위는 N을 사용한다.
② 무게의 단위는 N을 사용한다.
③ 질량의 단위는 kg을 사용한다.
④ 물체의 질량이 클수록 무게가 커진다.
⑤ 질량 0.1 kg인 물체에 작용하는 중력의 크기는 약 9.8 N이다.

개념 가이드

무게는 중력의 크기로 물체의 질량에 [ ]하고, 질량 1 kg인 물체의 무게는 [ ]N이다.

답 비례, 9.8

대표 예제 4 중력의 작용

그림과 같이 사과나무에 매달려 있던 사과가 땅으로 떨어지는 까닭을 설명할 수 있는 힘은?

① 중력
② 부력
③ 마찰력
④ 탄성력
⑤ 자기력

개념 가이드

지구상의 모든 물체에는 [ ]이 지구 [ ] 방향으로 작용하기 때문에 아래로 떨어진다.

답 중력, 중심

대표 예제 5 중력의 방향

그림과 같이 질량이 같은 두 물체 (가), (나)를 지표면으로부터 높이 1 m에서 가만히 놓았다.

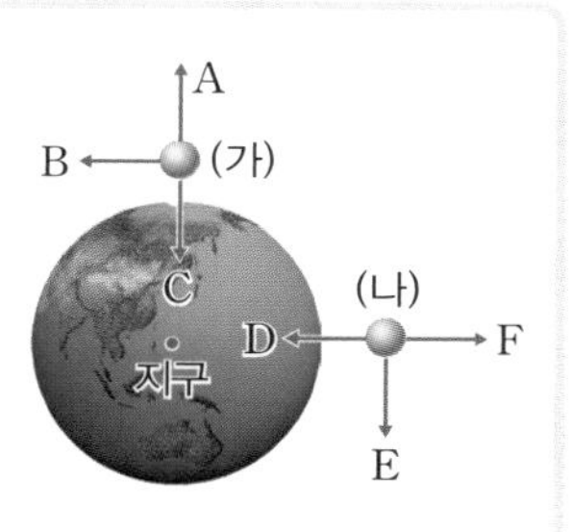

(1) 물체 (가), (나)에 공통으로 작용하는 힘의 종류를 쓰시오. (　　　　)

(2) 물체 (가), (나)가 떨어지는 방향을 각각 기호로 나타내시오. (가) : (　　　), (나) : (　　　)

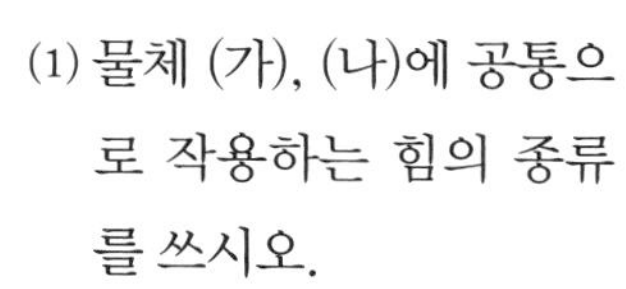

개념 가이드

중력은 지구가 물체를 [　　] 힘이므로 지구 중심을 향해 떨어지고, 크기는 물체의 [　　]이 클수록 크다.

답 당기는, 질량

대표 예제 6 중력의 크기

표는 여러 행성들의 중력값을 상대적으로 나타낸 것이다. 지구에서 몸무게가 300 N인 사람의 몸무게가 가장 작게 측정되는 행성은?

행성	지구	A	B	C	D	E
중력	1.00	0.85	1.30	0.76	2.54	0.91

① A　② B　③ C　④ D　⑤ E

개념 가이드

무게는 [　　]의 크기이고, 측정 장소에 따라 달라진다. 따라서 행성의 중력이 클수록 몸무게가 [　　].

답 중력, 커진다

대표 예제 7 무게와 질량

표의 (가)~(다)에 알맞은 말을 옳게 짝 지은 것은?

구분	질량	무게
장소에 따른 크기	(가)	달라짐
단위	kg	(나)
측정	(다)	용수철저울

	(가)	(나)	(다)
①	일정함	N(뉴턴)	양팔저울
②	일정함	N(뉴턴)	가정용 저울
③	달라짐	N(뉴턴)	윗접시 저울
④	달라짐	g(그램)	가정용 저울
⑤	달라짐	g(그램)	양팔저울

개념 가이드

질량은 [　　]에 따라 변하지 않는 물체의 고유한 양이며, 윗접시 저울이나 [　　] 저울로 측정한다.

답 장소, 양팔

대표 예제 8 달에서의 무게와 질량

지구에서 질량이 60 kg인 사람이 달에서 질량과 무게를 측정하면 각각 얼마인가? (단, 지구에서 질량이 1 kg인 물체의 무게는 9.8 N이다.)

	질량	무게
①	10 kg	9.8 N
②	10 kg	60 N
③	10 kg	588 N
④	60 kg	98 N
⑤	60 kg	588 N

개념 가이드

물체의 무게는 측정 [　　]에 따라 달라지며, 달에서의 무게는 지구에서의 [　　]배이다.

답 장소, $\frac{1}{6}$

6일 누구나 100점 테스트 1회

01 지구계의 구성 요소와 그 특징에 대한 설명으로 옳지 않은 것은?

① 수권은 대부분 빙하의 형태로 분포한다.
② 지권은 암석과 토양, 지구 내부 등으로 이루어져 있다.
③ 생물권은 지구에 살고 있는 모든 생물을 포함하며 지권, 수권, 기권에 분포한다.
④ 외권에서 들어오는 태양 에너지는 지구계의 활동에 가장 큰 영향을 주는 에너지원이다.
⑤ 기권은 지구 표면을 둘러싸고 있는 공기의 층으로 질소, 산소 등의 기체로 이루어져 있다.

02 그림은 지구계 구성 요소의 상호 작용을 나타낸 것이다. (가), (나)에 공통적으로 작용하는 지구계의 구성 요소는?

(가)

(나)

① 지권 ② 수권 ③ 기권
④ 외권 ⑤ 생물권

03 다음은 지구 내부 조사 방법에 대해 토론하는 내용이다. 빈칸에 들어갈 알맞은 말을 쓰시오.

04 A~D 중 가장 많은 부피를 차지하는 층과, 철과 니켈로 구성되어 있으며 액체 상태인 층에 해당하는 기호를 순서대로 옳게 나열한 것은?

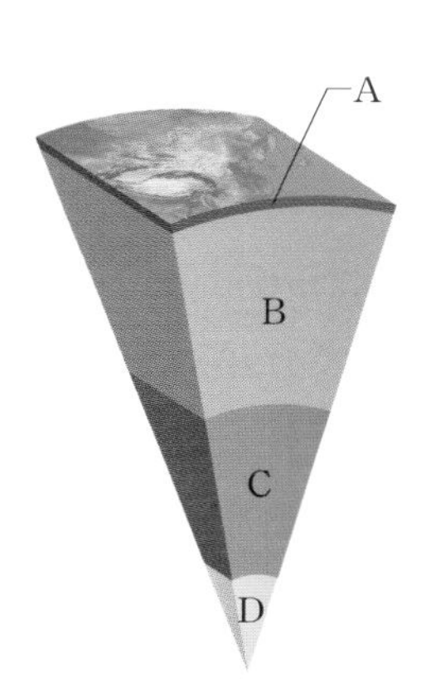

① A, B ② B, C
③ B, D ④ C, A
⑤ C, D

05 암석을 크게 화성암, 퇴적암, 변성암으로 분류하는 기준으로 옳은 것은?

① 암석의 색 ② 암석의 나이
③ 줄무늬의 유무 ④ 암석의 생성 과정
⑤ 구성 알갱이의 크기

06 그림은 화성암을 분류하는 과정을 나타낸 것이다.

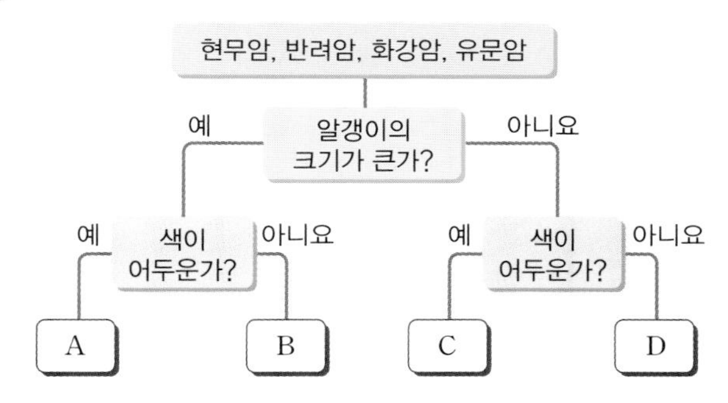

화강암에 해당하는 곳을 찾아 기호를 쓰시오.

( )

07 산호, 조개껍데기와 같은 생물의 유해가 쌓여 만들어진 암석으로 옳은 것은?

① 사암 ② 역암 ③ 응회암
④ 화강암 ⑤ 석회암

08 그림과 같은 과정을 통해 생긴 줄무늬를 볼 수 있는 암석으로 옳은 것은?

① 역암 ② 화강암 ③ 편마암
④ 현무암 ⑤ 셰일(이암)

09 그림은 암석의 순환 과정을 나타낸 것이다.

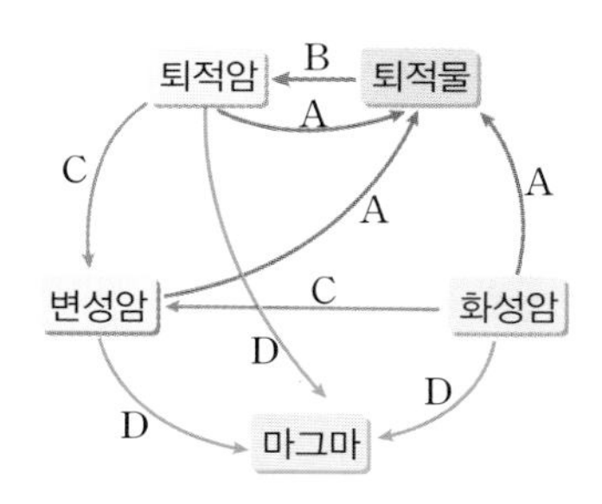

A~D에 해당하는 작용을 옳게 짝 지은 것은?

	A	B	C	D
①	다져짐, 굳어짐	녹음	열, 압력	잘게 부서짐
②	다져짐, 굳어짐	열, 압력	잘게 부서짐	녹음
③	잘게 부서짐	다져짐, 굳어짐	녹음	열, 압력
④	잘게 부서짐	녹음	다져짐, 굳어짐	열, 압력
⑤	잘게 부서짐	다져짐, 굳어짐	열, 압력	녹음

10 흑운모, 적철석, 자철석은 모두 겉보기 색이 검은색이다. 이 광물들을 구별하기 위한 방법으로 가장 적당한 것은?

① 굳기 비교 ② 부피 비교
③ 조흔색 비교 ④ 염산 반응 비교
⑤ 자성의 유무 비교

[범위] I. 지권의 변화 ▶ 풍화와 토양 ~ II. 여러 가지 힘 ▶ 중력

6일 누구나 100점 테스트 2회

01 암석을 풍화시키는 원인으로 옳지 않은 것은?

① 공기 중의 산소
② 암석 표면에 있는 이끼
③ 암석의 틈에서 자라는 식물 뿌리
④ 이산화 탄소가 녹아 있는 지하수
⑤ 지하 깊은 곳에서 암석에 작용하는 높은 열과 압력

02 토양에 대한 설명으로 옳은 것을 〈보기〉에서 모두 고른 것은?

보기
ㄱ. 암석이 풍화되어 토양이 만들어진다.
ㄴ. 대부분 매우 짧은 시간에 토양이 만들어진다.
ㄷ. 토양은 생물이 살아가는 터전을 제공한다.
ㄹ. 토양의 성분은 원래 암석의 성분과 항상 같다.

① ㄱ ② ㄴ ③ ㄷ
④ ㄱ, ㄷ ⑤ ㄴ, ㄹ

03 그림은 베게너가 대륙 이동설을 주장하는 모습이다. 베게너가 설명하지 못한 대륙을 이동시키는 힘으로 옳은 것은?

① 지각 대류
② 맨틀 대류
③ 태양 에너지
④ 지구의 자전
⑤ 지구의 공전

04 판에 대한 설명이다. 빈칸에 들어갈 알맞은 말을 쓰시오.

판은 지각과 ㉠(   )의 상부를 이루는 단단한 암석층이다. 지각 중 대륙 지각이 포함된 판은 ㉡(   )이라고 하고, 해양 지각이 포함된 판은 ㉢(   )이라고 한다.

05 지진이 발생했을 때 대처 방법으로 옳지 않은 것을 〈보기〉에서 있는 대로 고르시오.

보기

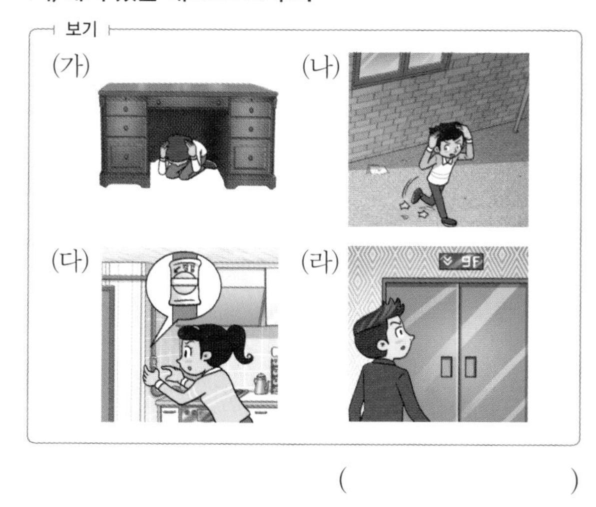

(   )

06 지진대와 화산대에 대한 설명으로 옳지 않은 것은?

① 화산 활동은 주로 대륙의 중앙부에서 일어난다.
② 지진대와 화산대는 판의 경계와 거의 일치한다.
③ 지진이 활발하게 일어나는 지역을 지진대라고 한다.
④ 화산 활동이 활발하게 일어나는 지역을 화산대라고 한다.
⑤ 환태평양 지진대·화산대에서 지진과 화산 활동이 가장 활발하다.

07 사과나무에서 사과가 땅으로 떨어지는 동안 사과에 작용하는 힘에 대한 설명으로 옳은 것은?

① 물체에 작용하는 이 힘의 크기를 무게라고 한다.
② 지표면에서부터 높이 올라갈수록 작용하는 이 힘의 크기가 커진다.
③ 물체의 질량이 클수록 작용하는 이 힘의 크기가 작아진다.
④ 같은 물체에 작용하는 이 힘의 크기는 장소에 관계없이 항상 일정하다.
⑤ 물체가 떨어지는 동안 작용한 이 힘의 방향과 운동 방향은 반대이다.

08 그림과 같이 지표면 근처 A, B, C, D에서 컵에 담긴 물을 쏟을 때 물이 쏟아지는 방향을 화살표로 옳게 나타낸 것은?

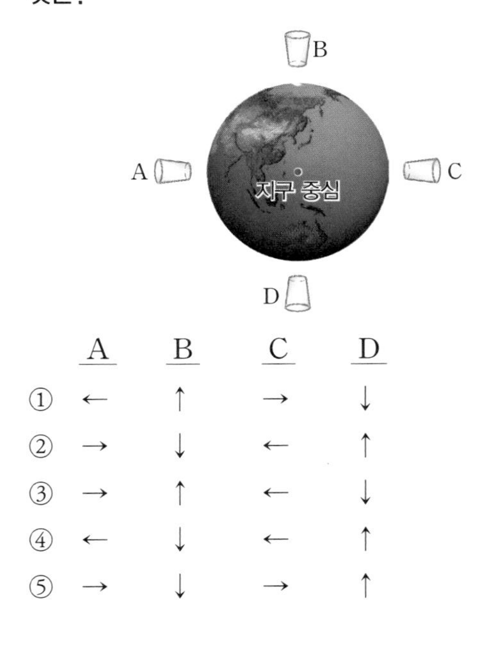

	A	B	C	D
①	←	↑	→	↓
②	→	↓	←	↑
③	→	↑	←	↓
④	←	↓	←	↑
⑤	→	↓	→	↑

09 표는 지구와 달에서 동일한 물체의 질량과 무게를 측정한 것이다. (가), (나)에 알맞은 값을 옳게 짝 지은 것은? (단, 지구에서 질량이 1 kg인 물체의 무게는 9.8 N이다.)

구분	지구	달
질량(kg)	(가)	30
무게(N)	294	(나)

	(가)	(나)
①	30	294
②	30	98
③	60	294
④	60	98
⑤	30	49

10 지구에서 양팔저울의 왼쪽에 사과를 올려놓고 오른쪽에 50 g인 추 6개를 올려놓았더니 수평을 이루었다.

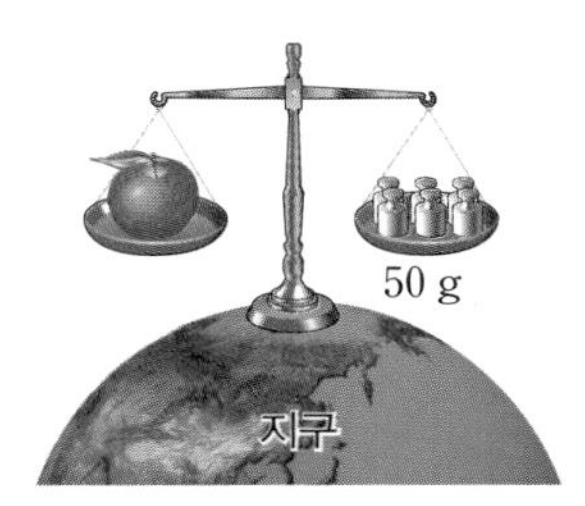

이에 대한 설명으로 옳은 것을 〈보기〉에서 모두 고른 것은?

보기
ㄱ. 사과의 질량은 0.3 kg이다.
ㄴ. 사과의 무게는 2.94 N이다.
ㄷ. 똑같은 사과를 달에서 측정하면 추를 1개만 올려놓아도 그대로 수평을 이룬다.

① ㄱ ② ㄴ ③ ㄷ
④ ㄱ, ㄴ ⑤ ㄱ, ㄷ

6일 서술형·사고력 테스트

01 그림은 지구와 달의 모습을 나타낸 것이다.

▲ 지구의 모습

▲ 달의 모습

달과 지구를 비교했을 때, 지구에는 있지만 달에는 없는 지구계의 구성 요소는 무엇인지 모두 서술하시오.

02 다음과 같이 암석을 세 종류로 분류하였다.

(가)	(나)	(다)
현무암, 화강암	규암, 편마암	석회암, 사암

(1) 위와 같이 암석을 분류한 기준은 무엇인지 서술하시오.

(2) (가), (나), (다)에 해당하는 암석의 종류는 무엇인지 각각 쓰시오.

03 그림은 석영과 방해석을 나타낸 것이다.

▲ 석영

▲ 방해석

(1) 위의 두 광물을 사진처럼 서로 긁었을 때 긁히지 않는 광물은 무엇인지 쓰시오.

(　　　　　　)

(2) 위의 두 광물은 무색 투명해서 쉽게 구별하기 어렵다. 두 광물을 구별하는 (1)과 다른 방법을 서술하시오.

04 그림은 우리나라와 일본 주변의 판을 나타낸 것이다. 일본이 우리나라보다 지진과 화산 활동으로 인한 피해가 더 큰 까닭을 설명하시오.

05 그림은 우주 정거장에서 질량이 다른 쇠공과 고무공의 움직임을 알아보는 실험을 나타낸 것이다.

▲ 자료 1. 무거운 쇠공과 가벼운 고무공 모두 아래로 떨어지지 않고 공중에 떠 있다.

▲ 자료 2. 두 공을 동시에 불면, 고무공이 쇠공보다 더 빨리 이동한다.

(1) 자료 1로부터 쇠공과 고무공의 무게를 비교하고 그 까닭을 서술하시오.

(2) 자료 2로부터 질량이 큰 물체를 쓰고, 그 까닭을 다음 용어를 포함하여 서술하시오.

힘	질량	속력 변화

06 그림과 같이 지표면에서 용수철저울로 질량이 6 kg인 물체를 측정하면 58.8 N이다. 이 물체를 달 표면에서 용수철저울과 양팔저울로 각각 무게와 질량을 측정하였다. (단, 달의 중력은 지구 중력의 $\frac{1}{6}$이다.)

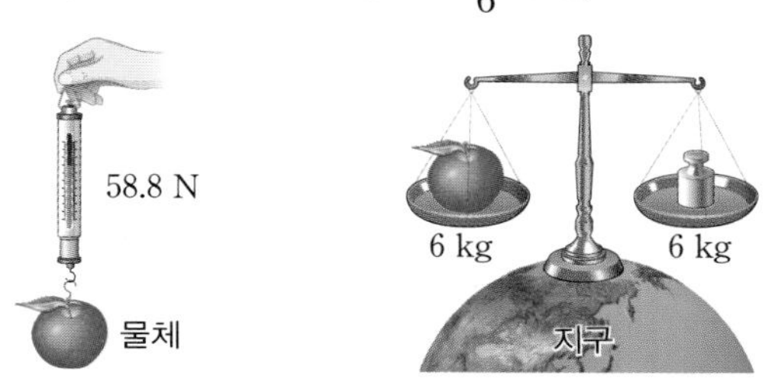

(1) 달 표면에서 무게를 측정한 용수철저울의 눈금은 얼마인지 쓰고 그 계산 과정을 쓰시오.

(2) 달 표면에서 같은 양팔저울로 물체의 질량을 측정하였더니 물체와 6 kg인 추가 그대로 수평을 이루었다. 지구에서처럼 똑같이 수평을 이룬 까닭을 다음 용어를 포함하여 서술하시오.

질량	장소	수평

[범위] Ⅰ. 지권의 변화 ~ Ⅱ. 여러 가지 힘 ▶ 중력

6일 창의·융합·코딩 테스트

융합

01 다음은 폼페이에서 발생한 화산 활동에 대한 기사이다.

제○○호 ○○ 신문 ○○○○년 ○월 ○일

79년 8월 4일 오후 1시,

이탈리아 남부 나폴리 만 연안의 고대 도시 폼페이에서 동쪽으로 약 12 km 떨어진 곳에 위치한 베수비오 화산이 폭발하였다. 천 년이 넘게 침묵하던 화산이 분화하여 멀리 40 km 떨어진 곳에서도 보일 정도로 거대한 연기를 내뿜었다. 붉은 용암이 흘러내리며 곳곳에서 불길이 일었다. 폼페이는 베수비오 화산에서 불어오는 바람을 정면으로 맞는 위치에 있었는데, 바람을 타고 날아온 화산재가 매우 치명적이었다. 18시간에 걸쳐 100억 톤에 가까운 화산재가 쏟아져 내렸고, 2000여 명의 주민들이 그대로 화산재에 묻혀 '화석'으로 남았다. 당시 비처럼 쏟아져 내린 화산재의 두께는 5~7 m였다고 전한다.

위 기사에서 일어난 현상은 어떤 지구계의 구성 요소 사이에 일어난 것인지 알맞게 짝 지은 것은?

① 지권과 수권 ② 외권과 기권
③ 생물권과 지권 ④ 외권과 생물권
⑤ 수권과 생물권

코딩

02 그림은 셰일(이암), 역암, 대리암, 편마암, 화강암, 현무암을 분류하는 과정을 나타낸 것이다.

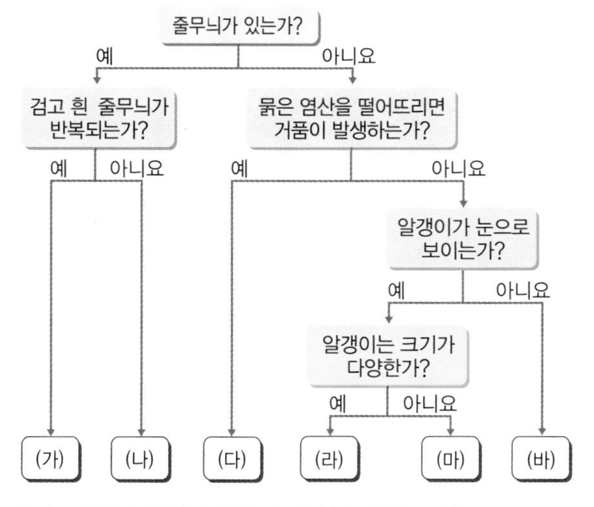

(가)~(바)에 들어갈 알맞은 암석을 각각 쓰시오.

(가) : ( ) (나) : ( )
(다) : ( ) (라) : ( )
(마) : ( ) (바) : ( )

창의

03 그림은 1969년에 달 표면에 만들어진 발자국이다. 지구의 표면에 찍힌 발자국은 금방 사라지지만, 달 표면에 만들어진 발자국은 현재에도 그대로 보존되어 있는 까닭을 풍화와 관련지어 서술하시오.

융합

04 다음은 대륙 이동설의 증거에 대한 대화이다.

이 대화에서 옳은 말을 한 학생만을 모두 고른 것은?

① 학생 A, 학생 B ② 학생 A, 학생 C
③ 학생 B, 학생 C ④ 학생 B, 학생 D
⑤ 학생 C, 학생 D

창의

05 그림과 같이 장난감 자동차를 매단 용수철저울과 질량이 0.5 kg인 추를 양팔저울에 매달았더니 수평을 이루었다.

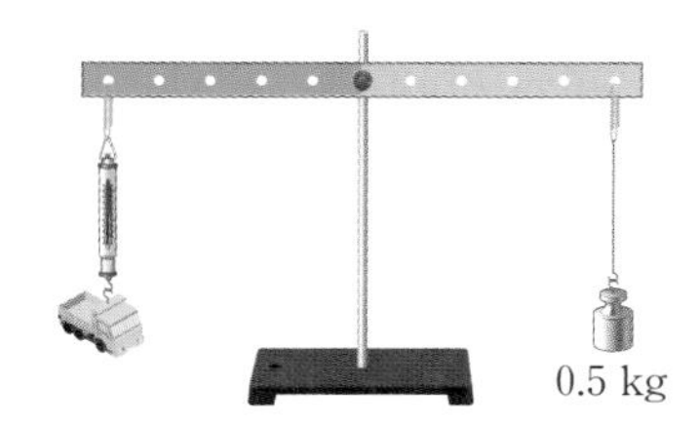

이 양팔저울을 그대로 달에 가져가면 장난감 자동차를 매단 용수철저울의 눈금이 어떻게 변하는지 쓰고 그 까닭을 서술하시오.

창의

06 그림과 같이 지구와 달에서 어떤 사람의 질량을 윗접시저울로 측정하였더니 질량 60 kg인 추와 수평을 이루었다. 지구와 달에서 이 사람의 무게를 각각 구하시오. (단, 단위를 반드시 포함한다.)

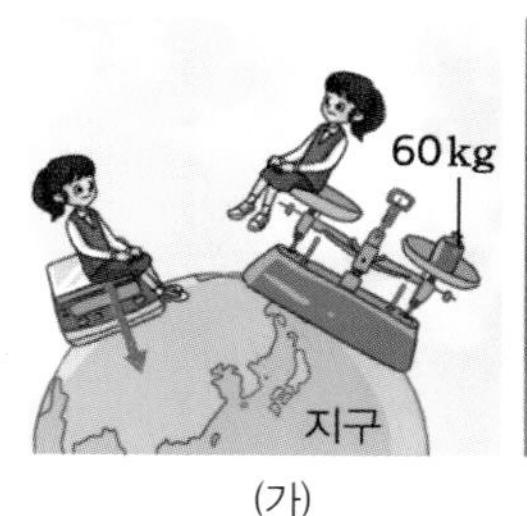

(가)

(나)

• (가) 지구에서의 무게 : ( )
• (나) 달에서의 무게 : ( )

창의 융합

07 그림 (가)는 지구에서 무게가 294 N인 물체 ㉠을, (나)는 달에서 무게가 294 N인 물체 ㉡을 나타낸 것이다.

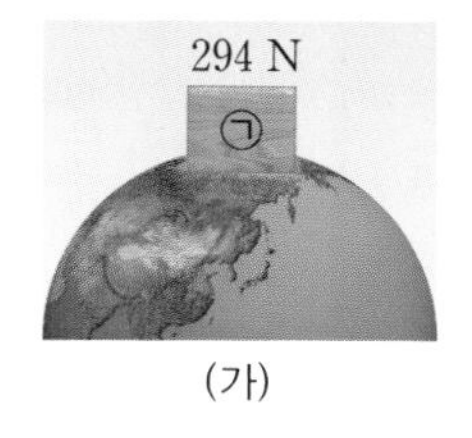

(가)

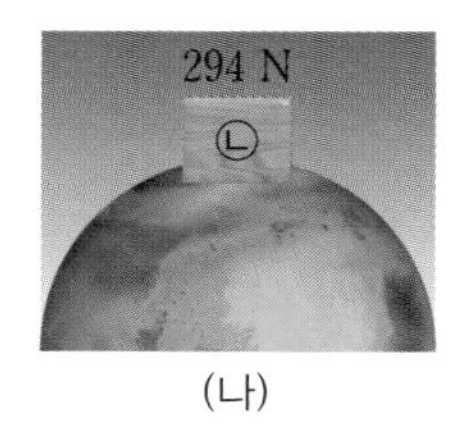

(나)

(1) 지구에서 물체 ㉠의 질량을 측정했을 때 몇 kg인지 풀이 과정과 함께 구하시오.

(2) 지구에서 물체 ㉡의 무게를 측정했을 때 몇 N인지 구하고 그 까닭을 서술하시오.

[범위] Ⅰ. 지권의 변화 ~ Ⅱ. 여러 가지 힘 ▶ 중력

학교시험 기본 테스트 1회

01 다음에서 설명하는 지구계의 구성 요소는 무엇인지 쓰시오. (　　　　　　　)

- 4개의 층으로 이루어져 있다.
- 지구의 겉 부분과 지구 내부를 뜻한다.
- 생물이 살아가는 데 필요한 물질과 공간을 제공한다.

02 〈보기〉는 지구 내부 조사 방법을 나타낸 것이다.

보기

ㄱ. 시추법　　ㄴ. 운석 연구
ㄷ. 지진파 분석　　ㄹ. 화산 분출물 조사
ㅁ. 광물 합성 실험

(가) 지구 내부를 조사하는 직접적인 방법과 (나) 지구 내부 전체 구조를 알아내는 데 가장 효과적인 방법을 옳게 짝 지은 것은?

	(가)	(나)
①	ㄱ, ㄴ	ㄱ
②	ㄴ, ㄷ	ㄱ
③	ㄷ, ㄹ	ㅁ
④	ㄱ, ㄹ	ㄷ
⑤	ㄷ, ㅁ	ㄴ

03 그림은 지권의 층상 구조를 나타낸 것이다. 층을 이루는 물질의 상태가 다른 하나를 골라 기호를 쓰시오.

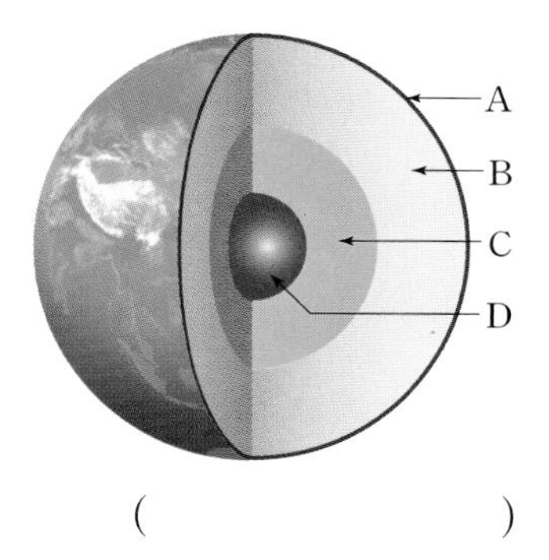

(　　　　　　　)

04 그림은 화성암의 생성 과정을 알아보는 실험을 나타낸 것이다.

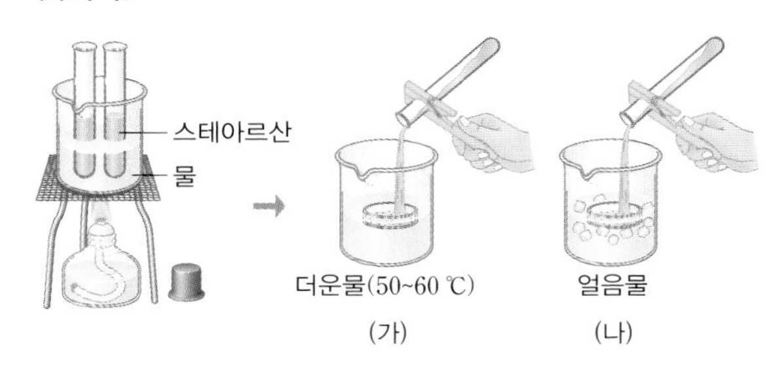

이에 대한 설명으로 옳지 않은 것은?

① (가)와 같은 과정으로 현무암이 만들어진다.
② 녹인 스테아르산은 마그마에 비유할 수 있다.
③ 녹인 스테아르산의 냉각 속도에 따라 결정의 크기가 달라진다.
④ (가)의 경우 (나)의 경우보다 결정의 크기가 더 크게 만들어진다.
⑤ 실험을 통해 화산암과 심성암의 결정의 크기가 다른 까닭을 알 수 있다.

05 그림은 화성암의 생성 장소를 나타낸 것이다. A와 B에서 만들어지는 암석과 관련된 설명으로 옳은 것은?

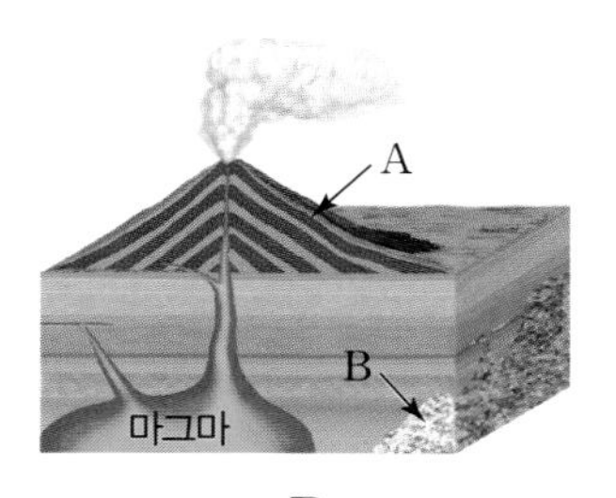

	A	B
①	심성암	화산암
②	색이 밝다.	색이 어둡다.
③	알갱이 크기가 작다.	알갱이 크기가 크다.
④	암석에 구멍이 있다.	층리가 발견된다.
⑤	현무암, 반려암	유문암, 화강암

06 그림은 퇴적암이 만들어지는 환경을 나타낸 것이다.

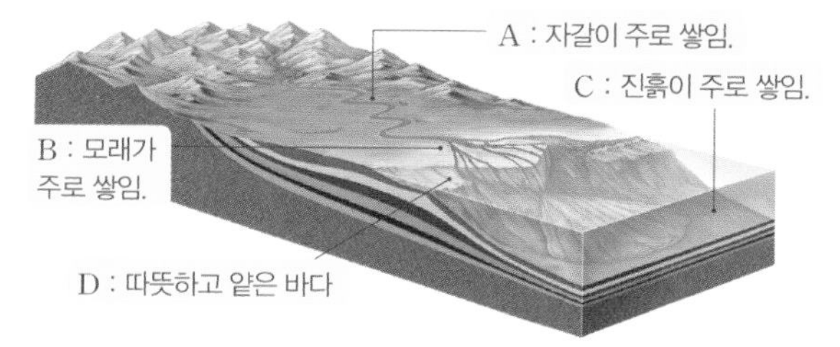

A~D 지역에 대한 설명으로 옳은 것을 〈보기〉에서 모두 고른 것은?

ㄱ. A 지역에서는 셰일이 생성된다.
ㄴ. B 지역에서는 사암이 생성된다.
ㄷ. A 지역에서 C 지역으로 갈수록 퇴적물의 알갱이 크기가 커진다.
ㄹ. 석회암이 만들어지는 환경은 D이다.

① ㄱ, ㄴ　② ㄴ, ㄷ　③ ㄴ, ㄹ
④ ㄷ, ㄹ　⑤ ㄴ, ㄷ, ㄹ

07 그림은 정원석으로 사용되는 줄무늬가 있는 암석이다. 이 암석에 대한 설명으로 옳은 것은?

① 퇴적암이다.
② 줄무늬는 퇴적물이 번갈아 쌓여 만들어졌다.
③ 규암, 석회암, 편암과 생성 과정이 비슷하다.
④ 줄무늬는 작용한 압력의 수평 방향으로 생긴다.
⑤ 이와 같은 종류의 암석은 높은 열과 압력을 받아 성질이 변해 만들어진다.

08 그림은 석영, 방해석, 자철석, 흑운모를 분류하는 과정을 나타낸 것이다. 빈칸에 알맞은 광물을 각각 쓰시오.

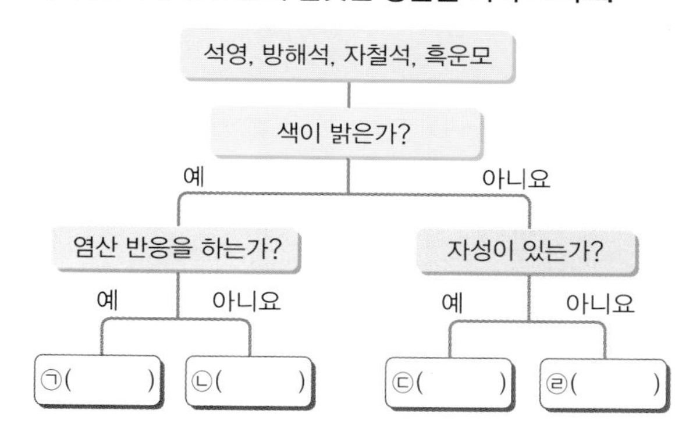

09 암석의 성분이 변하는 풍화의 예로 옳은 것을 〈보기〉에서 모두 고른 것은?

보기
ㄱ. 암석의 틈으로 스며든 물이 얼면서 암석이 부서진다.
ㄴ. 지하수가 석회암을 녹여 석회 동굴을 만든다.
ㄷ. 암석의 철 성분이 산소와 반응하여 붉게 변한다.
ㄹ. 암석 표면에 있는 이끼가 배출하는 성분이 암석을 녹인다.

① ㄱ, ㄴ　② ㄴ, ㄷ　③ ㄷ, ㄹ
④ ㄱ, ㄴ, ㄷ　⑤ ㄴ, ㄷ, ㄹ

10 풍화 작용의 주요 원인으로 옳은 것을 모두 고르면? (정답 2개)

① 불　② 물　③ 지진
④ 공기　⑤ 자기력

학교시험 기본 테스트 1회

11 그림은 성숙한 토양의 모습을 나타낸 것이다. 이 토양에서 가장 나중에 만들어진 층과 생명 활동이 가장 활발한 층을 순서대로 옳게 짝지은 것은?

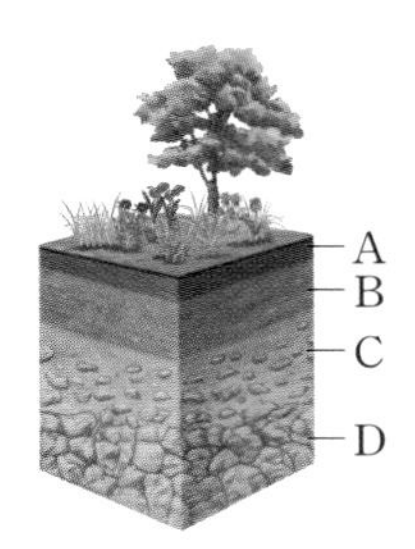

① A, B ② A, C
③ B, A ④ B, C
⑤ C, D

12 베게너가 주장한 내용으로 옳은 것을 〈보기〉에서 모두 고른 것은?

보기
ㄱ. 남아메리카 대륙의 동쪽과 아프리카 대륙의 서쪽의 해안선 모양이 잘 들어맞는다.
ㄴ. 대륙을 모으면 글로소프테리스, 메소사우루스 화석의 분포가 연결된다.
ㄷ. 대륙을 이동시킨 원동력은 맨틀 대류이다.

① ㄱ ② ㄴ ③ ㄷ
④ ㄱ, ㄴ ⑤ ㄱ, ㄴ, ㄷ

13 판에 대한 설명으로 옳은 것을 〈보기〉에서 모두 고르시오.

보기
ㄱ. 대륙판은 해양판보다 두껍다.
ㄴ. 판은 지각과 맨틀 전체를 모두 포함한다.
ㄷ. 1년에 수 cm 정도로 느리게 이동한다.
ㄹ. 지구의 겉 부분은 하나의 판으로 이루어져 있다.

( )

[14~15] 그림은 전 세계 지진 발생 지역과 화산 활동 지역, 판의 경계를 나타낸 것이다.

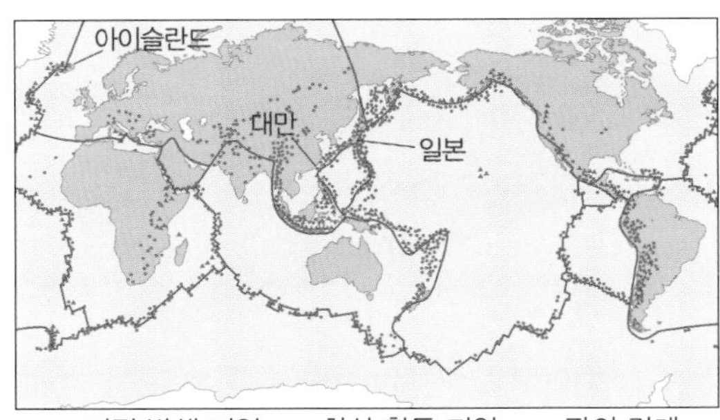

14 지진 발생 지역과 화산 활동 지역이 띠 모양으로 나타나는 까닭으로 옳은 것은?

① 맨틀의 내부에서 판이 충돌하기 때문이다.
② 맨틀이 같은 방향으로 계속 움직이기 때문이다.
③ 판의 경계에서 지각 변동이 활발하기 때문이다.
④ 판의 중앙에서 마그마의 활동이 활발하기 때문이다.
⑤ 지진파가 전파되면서 화산 활동을 일으키기 때문이다.

15 대만, 아이슬란드, 일본에 온천이 발달한 까닭을 판의 경계와 관련지어 서술하시오.

16 지진의 세기에 대한 설명으로 옳은 것을 〈보기〉에서 모두 고른 것은?

보기
ㄱ. 규모의 숫자가 클수록 약한 지진이다.
ㄴ. 진도의 숫자가 작을수록 피해 정도가 작다.
ㄷ. 지진이 발생한 지점에서 멀어질수록 규모가 크다.
ㄹ. 지진이 발생했을 때 규모는 지역과 관계 없이 같은 값을 갖는다.

① ㄱ, ㄴ ② ㄴ, ㄷ ③ ㄷ, ㄹ
④ ㄱ, ㄹ ⑤ ㄴ, ㄹ

17 다음과 같은 현상이 일어나는 원인이 되는 힘의 종류를 쓰시오.

- 수돗물이 아래로 흐른다.
- 놀이 기구가 아래로 떨어진다.
- 고드름이 아래쪽으로 얼어붙는다.

( )

18 중력에 대한 설명으로 옳은 것만을 〈보기〉에서 모두 고른 것은?

보기
ㄱ. 무거운 물체일수록 중력의 크기가 크다.
ㄴ. 눈과 비가 아래로 떨어지는 것은 중력이 작용하기 때문이다.
ㄷ. 지구에서 중력은 항상 지구 중심 방향으로 작용한다.

① ㄱ ② ㄱ, ㄴ ③ ㄱ, ㄷ
④ ㄴ, ㄷ ⑤ ㄱ, ㄴ, ㄷ

19 그림과 같이 지구에서 양팔저울의 왼쪽에 사과를 올려놓고 오른쪽에 질량 50 g인 분동 6개를 올려놓았더니 양팔저울이 수평을 이루었다. 달에서 같은 사과를 양팔저울에 올려놓았을 때 양팔저울이 수평를 이루려면 오른쪽 접시에 질량이 50 g인 분동을 몇 개 올려야 하는가?

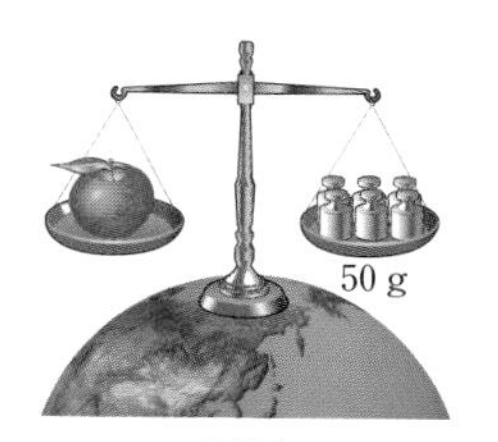

지구

달

① 3개 ② 4개 ③ 6개
④ 12개 ⑤ 36개

20 어떤 물체의 무게와 질량을 각각 지구와 달에서 측정한 후 표에 기호로 나타내었다.

측정 장소	질량(kg)	무게(N)
지구	A	C
달	B	D

표에 나타낸 기호의 관계를 옳게 설명한 것을 〈보기〉에서 모두 고른 것은?

보기
ㄱ. A와 B는 같다.
ㄴ. C는 A의 9.8배이다.
ㄷ. D는 C의 6배이다.

① ㄴ ② ㄱ, ㄴ ③ ㄱ, ㄷ
④ ㄴ, ㄷ ⑤ ㄱ, ㄴ, ㄷ

7일 학교시험 기본 테스트 2회

01 지구계에 대한 설명으로 옳은 것을 모두 고르면? (정답 2개)

① 태양, 달, 별은 외권에 속한다.
② 육지에 있는 빙하는 지권에 속한다.
③ 지구에 있는 모든 생명체는 생물권에 속한다.
④ 석탄은 생물권에 속하고, 수증기는 기권에 속한다.
⑤ 지권은 암석으로 이루어진 지구의 표면과 맨틀의 상층부만 해당한다.

02 〈보기〉는 지구계 내에서 일어나는 자연 현상을 나타낸 것이다.

(가) ▲ 분출된 화산재가 대기로 날아가 햇빛을 가려 지구의 기온이 내려간다.
(나) ▲ 우주에 있던 물질이 지구 대기로 끌려 들어와 대기와 부딪치며 탄다.
(다) ▲ 바람이 불면 씨앗이 멀리 퍼진다.
(라) ▲ 파도가 해안 지형을 깎아 동굴을 만든다.

수권과 지권 사이에서 일어나는 자연 현상을 〈보기〉에서 고르시오.

( )

03 틀린 말을 한 학생의 이름을 쓰고, 말을 옳게 고쳐 쓰시오.

04 지구 내부의 층상 구조에 대한 설명으로 옳은 것은?

① 지각은 액체 상태이다.
② 해양 지각의 두께는 대륙 지각보다 두껍다.
③ 가장 많은 부피를 차지하는 부분은 맨틀이다.
④ 맨틀은 외핵보다 무거운 물질로 이루어져 있다.
⑤ 지각은 지구의 겉 부분으로 두께가 가장 두꺼운 층이다.

05 표와 같이 암석의 종류를 구분하는 기준으로 옳은 것은?

(가)	(나)	(다)
대리암, 편마암	화강암, 현무암	석회암, 역암

① 암석의 생성 과정
② 암석의 화석 포함 여부
③ 암석을 이루는 알갱이의 종류
④ 암석을 이루는 알갱이의 크기
⑤ 암석이 가지고 있는 줄무늬의 수

06 퇴적암과 주요 퇴적물의 종류를 옳게 짝 지은 것은?

① 역암 – 자갈 ② 셰일 – 모래
③ 반려암 – 진흙 ④ 편암 – 화산재
⑤ 대리암 – 석회질 물질

07 다음 글에서 설명하는 암석으로 옳은 것은?

> • 마그마가 지하 깊은 곳에서 천천히 식어서 만들어졌다.
> • 암석을 구성하는 알갱이의 크기가 크고, 색깔이 밝다.

① 규암 ② 유문암 ③ 반려암
④ 현무암 ⑤ 화강암

08 그림은 암석의 순환을 나타낸 것이다. (가)~(다) 중 변성암에 해당하는 것을 고르시오.

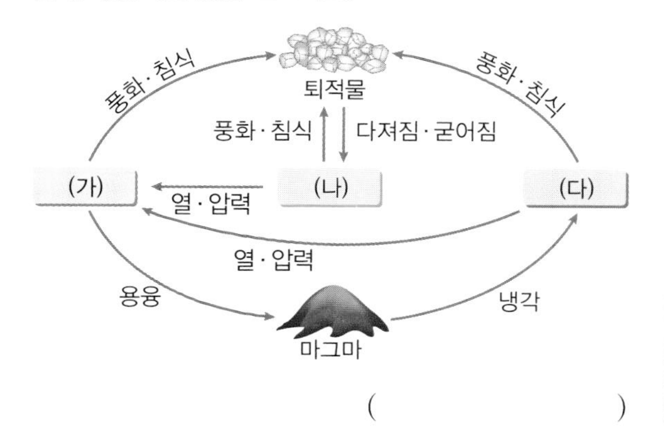

( )

09 지각의 암석을 구성하는 광물 중 가장 큰 부피 비를 차지하는 조암 광물로 옳은 것은?

① 휘석 ② 석영 ③ 장석
④ 각섬석 ⑤ 흑운모

10 표는 몇 가지 광물의 특징을 나타낸 것이다.

광물	특징
(가)	• 무색 투명하다. • 방해석과 서로 긁으면 방해석이 긁힌다.
(나)	겉보기 색은 노란색, 조흔색은 녹흑색이다.
(다)	묽은 염산을 떨어뜨리면 흰색 거품이 발생한다.
(라)	클립을 가까이 대면 달라붙는다.

광물 (가)~(라)의 이름을 바르게 짝 지은 것은?

	(가)	(나)	(다)	(라)
①	석영	황철석	흑운모	자철석
②	금강석	황동석	방해석	적철석
③	방해석	금	석영	흑운모
④	황동석	방해석	자철석	각섬석
⑤	석영	황동석	방해석	자철석

11 다음은 주요 조암 광물을 나타낸 것이다. 밝은색을 띠는 광물로만 짝 지은 것은?

> 석영, 휘석, 흑운모, 각섬석, 장석, 감람석

① 석영, 휘석 ② 석영, 장석
③ 휘석, 감섬석 ④ 장석, 흑운모
⑤ 각섬석, 감람석

학교시험 기본 테스트 2회

12 〈보기〉는 토양의 생성 과정을 순서 없이 나타낸 것이다.

보기
ㄱ. 다양한 식물이 자라면서 토양이 두꺼워진다.
ㄴ. 식물이 잘 자랄 수 있는 겉 부분의 흙(토양)이 만들어진다.
ㄷ. 암석이 풍화되어 잘게 부서지기를 반복된다.
ㄹ. 물에 녹은 물질과 진흙 등이 겉 부분 아래로 내려와 쌓인다.

토양의 생성 과정을 순서대로 옳게 나열한 것은?

① ㄱ → ㄴ → ㄷ → ㄹ ② ㄴ → ㄹ → ㄷ → ㄱ
③ ㄷ → ㄴ → ㄹ → ㄱ ④ ㄷ → ㄱ → ㄴ → ㄹ
⑤ ㄹ → ㄷ → ㄴ → ㄱ

13 그림은 베게너가 주장한 학설의 대륙 이동 모습을 순서에 관계 없이 나타낸 것이다.

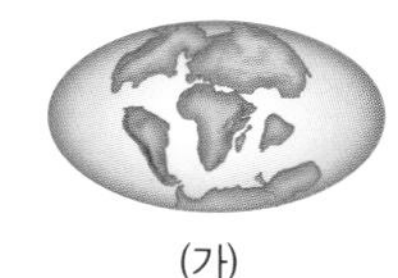
(가)
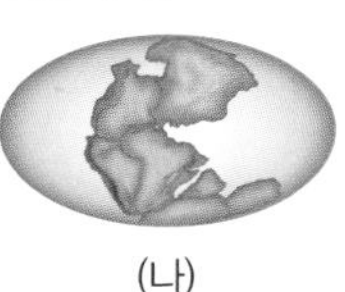
(나)
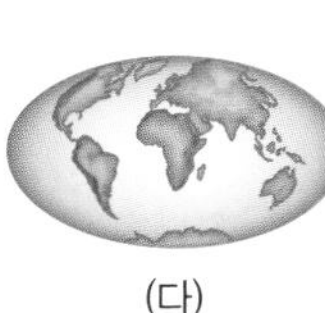
(다)

이에 대한 설명으로 옳은 것을 모두 고르면? (정답 2개)

① 이 학설을 판 구조론이라고 한다.
② (나)에 모여 있는 대륙을 판게아라고 한다.
③ 현재는 대륙이 이동하지 않는다고 주장하였다.
④ 대륙이 이동하는 원동력을 설명하지 못한 학설이다.
⑤ (다) → (가) → (나) 순서로 대륙이 이동하였다고 주장하였다.

14 그림은 판의 구조를 나타낸 것이다.

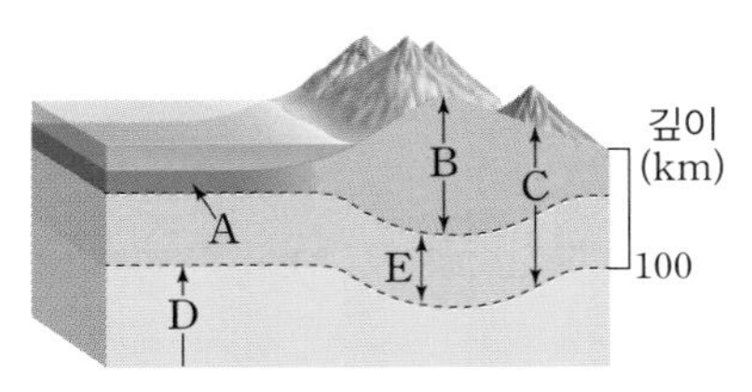

이에 대한 설명으로 옳은 것을 모두 고르면? (정답 2개)

① D와 E는 맨틀이다.
② C를 판이라고 한다.
③ A+E는 대륙판이다.
④ B를 포함하는 판은 해양판이다.
⑤ C와 D의 경계면을 모호면이라고 한다.

15 지진에 대한 설명으로 옳지 않은 것은?

① 지진이 발생한 지점은 진원이라고 한다.
② 규모는 지진의 세기를 나타내는 단위이다.
③ 지진으로 방출된 에너지의 양이 많을수록 규모가 크다.
④ 진도는 피해 정도를 기준으로 아라비아 숫자로 표기한다.
⑤ 지진은 지구 내부에 쌓인 에너지가 갑자기 방출되면서 땅이 흔들리는 현상이다.

16 빈칸에 들어갈 알맞은 말을 쓰시오.

전 세계에서 지진과 화산 활동이 가장 활발한 지역은 태평양의 가장자리인데, 이를 (   ) 지진대 · 화산대라고 한다.

17 중력에 대한 설명으로 옳은 것을 〈보기〉에서 모두 고른 것은?

보기
ㄱ. 지구 중심 방향으로 작용한다.
ㄴ. 지구가 물체를 밀어내는 힘이다.
ㄷ. 질량이 클수록 중력의 크기가 크다.
ㄹ. 지구상의 모든 물체에 같은 크기로 작용한다.

① ㄱ, ㄷ ② ㄴ, ㄷ ③ ㄷ, ㄹ
④ ㄱ, ㄴ, ㄷ ⑤ ㄴ, ㄷ, ㄹ

18 그림과 같은 저울을 이용하여 측정하는 값에 대한 설명으로 옳은 것은?

▲ 양팔저울

▲ 윗접시 저울

① 측정값의 단위는 N(뉴턴)을 사용한다.
② 측정값은 물체에 작용하는 중력의 크기이다.
③ 측정 장소에 따라 달라질 수 있는 양이다.
④ 같은 양을 측정하는 다른 도구로 용수철저울이 있다.
⑤ 기준이 되는 추를 이용하여 측정하며 물체와 추가 수평을 이룰 때 추의 양을 합산하여 구한다.

19 무게와 질량의 차이를 옳게 비교한 것은?

구분	무게	질량
① 단위	kg, g	N
② 뜻	중력의 크기	물체의 고유한 양
③ 측정	윗접시 저울	용수철저울
④ 특징	장소에 따라 변하지 않는다.	장소에 따라 변할 수 있다.
⑤ 달에서	지구에서의 9.8배이다.	지구에서의 $\frac{1}{6}$배 정도이다.

20 표는 지구, 달, 화성, 목성에서 중력의 상대적 크기를 나타낸 것이다. (단, 지구에서 질량 1 kg인 물체의 무게는 10 N이다.)

천체	지구	달	화성	목성
중력의 상대적 크기	1	$\frac{1}{6}$	$\frac{1}{3}$	2.5

지구에서 질량이 6 kg인 물체를 다른 천체에서 측정할 때 무게와 질량에 대한 설명으로 옳은 것을 모두 고르면? (정답 2개)

① 화성에서 물체의 무게는 20 N이다.
② 목성에서 물체의 질량은 15 kg이다.
③ 화성에서 물체의 무게는 달에서의 2배이다.
④ 물체의 무게는 달, 화성, 목성에서 모두 같다.
⑤ 달에서 물체의 질량은 1 kg, 무게는 60 N이다.

중간 대비

정답과 해설

중간 대비
정답과 해설

1일 지구계와 지권의 구조

기초 확인 문제 11, 13쪽

01 ④ 02 (1) 수권 (2) 외권 (3) 기권 (4) 생물권 03 지권
04 ⑤ 05 ㄴ, ㄷ 06 ① 07 (1) B (2) C (3) A (4) D
08 ⑤ 09 (1) A : 대륙 지각 B : 해양 지각 (2) 모호면(모호로비치치불연속면)

01 계는 여러 요소가 모여 하나의 커다란 전체를 이룬 것이다. 지구와 우주 공간이 하나의 계를 이루고 있는 것을 지구계라고 한다.

오답 풀이
ㄱ. 지구계는 지구 환경을 구성하는 육지, 바다, 대기, 생물, 우주 공간이다. 지구계는 여러 가지 요소로 이루어져 있다.
ㄷ. 지구계를 구성하는 각 요소는 서로 영향을 주고받으므로 어느 하나의 균형이 깨지면 다른 요소에 영향을 끼쳐 전체 계의 균형이 변한다.

02 지구계는 지구와 우주 공간이 이루는 하나의 계로, 지권, 수권, 기권, 생물권, 외권으로 이루어져 있다.

03 지권은 대부분 고체 상태로, 암석, 흙(토양), 산 등을 포함한다.

04 개, 물고기, 은행나무, 사람은 모두 생물권에 속한다. 생물권은 지권, 수권, 기권에 널리 분포하는 모든 생명체이다.

오답 풀이
① 달, 태양은 외권에 속하고, 산소는 기권, 비는 수권에 속한다.
② 아르곤, 질소는 기권에 속하고, 새는 생물권에 속하며, 비는 수권에 속한다.
③ 호수, 지하수, 눈은 수권에 속하고, 석유는 지권에 속한다.
④ 토양, 바위, 암석은 지권에 속하고, 식물은 생물권에 속한다.

05 A는 수권이다. 생물이 활동하는 데 물이 필요한 것은 생물권과 수권의 상호 작용이고, 물이 증발하여 구름이 만들어지고, 구름에서 비나 눈이 내리는 것은 수권과 기권의 상호 작용이다.

오답 풀이
ㄱ. 바람이 불어 씨앗이 멀리 퍼지는 것은 기권과 생물권의 상호 작용이다.
ㄹ. 지권에서 분출된 화산재가 대기로 날아가 햇빛을 가려 지구의 기온이 내려가는 것은 지권과 기권의 상호 작용이다.

06 지진파는 지구 내부를 통과하여 전달되기 때문에 다른 방법에 비해 더 깊은 범위를 조사할 수 있다.

오답 풀이
직접 땅을 파서 지구 내부의 물질을 채취할 수 있지만, 직접 땅을 파서 조사할 수 있는 깊이는 지구의 규모에 비해 매우 얕다. 화산 분출물을 조사하면 직접 땅을 파서 조사할 수 있는 곳보다 좀 더 깊은 곳에 있는 물질의 종류와 성질을 알 수 있지만, 화산 분출물은 흔하게 발견되지 않고, 화산 분출물을 조사하여 알 수 있는 깊이도 지구 전체 중 일부에 불과하다.

07 지권은 지표면에서부터 지각, 맨틀, 외핵, 내핵이라는 4개의 층으로 된 층상 구조를 이루고 있다. 그림에서 A는 지각, B는 맨틀, C는 외핵, D는 내핵이다.

자료 분석+ 지권의 층상 구조를 이루는 물질의 상태

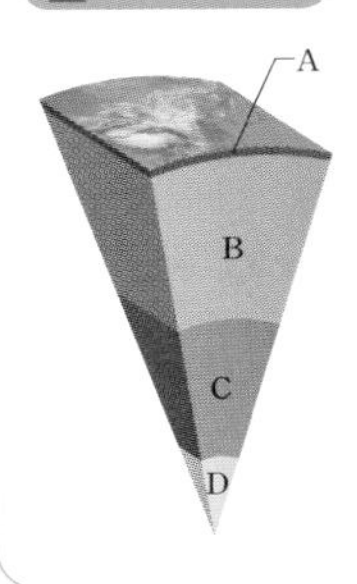

구분	이름	주요 구성 물질	물질의 상태
A	지각	암석	고체
B	맨틀	암석	고체
C	외핵	철, 니켈	액체
D	내핵	철, 니켈	고체

08 외핵은 액체 상태로, 맨틀 아래에서부터 약 5100 km 깊이까지의 층이다. 내핵은 온도와 압력이 가장 높지만 고체 상태이다. 외핵과 내핵은 주로 철과 니켈로 이루어져 있다.

09 A는 대륙 지각, B는 해양 지각, C는 모호면이다. 대륙 지각의 평균 두께는 약 35 km, 해양 지각의 평균 두께는 약 5 km로 대륙 지각이 해양 지각보다 두껍다. 지각과 맨틀 사이에는 경계면인 모호면이 있는데, 모호면을 기준으로 지진파의 빠르기가 갑자기 빨라진다.

자료 분석+ 지각의 구조

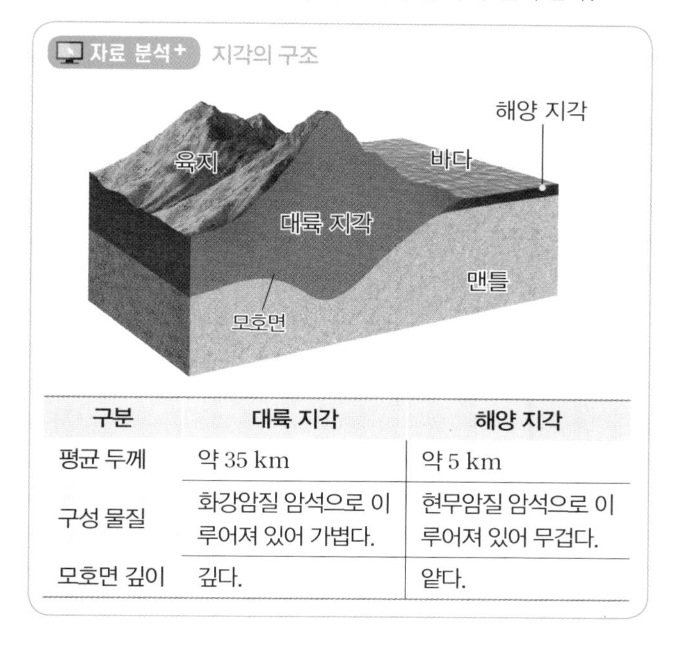

구분	대륙 지각	해양 지각
평균 두께	약 35 km	약 5 km
구성 물질	화강암질 암석으로 이루어져 있어 가볍다.	현무암질 암석으로 이루어져 있어 무겁다.
모호면 깊이	깊다.	얕다.

내신 기출 베스트 14~15쪽

1 ㄴ, ㄹ	2 ③, ④	3 ④	4 A
5 (1) ㄱ, ㄹ (2) ㄷ	6 ④	7 ㄴ	8 ㄷ

1 지구계를 구성하는 요소들이 서로 영향을 주고받으면서 지구에서는 다양한 자연 현상이 일어난다.

2 생물권은 사람을 비롯하여 지구에 사는 모든 생명체를 말한다. 수권은 해수, 빙하, 강, 호수, 지하수 등을 포함하는 지표의 물을 말하고, 눈과 얼음도 포함된다. 지구 표면의 약 71 %를 덮고 있는 해수가 지구 전체 물의 약 98 %를 차지한다.

3 지권은 생명체에게 서식처를 제공하고, 수권이나 기권보다 큰 부피를 차지한다.

오답 풀이

① 외권도 지구계에 속하며, 지구계의 다른 권역에 영향을 준다. 예를 들어 지구계의 활동에 가장 큰 영향을 주는 에너지는 외권에 있는 태양으로부터 공급된다.

② 지권이 수권이나 기권보다 큰 부피를 차지한다.

③ 기권은 지구 표면을 둘러싸고 있는 공기의 층이다. 우주 공간은 외권이다.

⑤ 생물권은 지권, 수권, 기권에 걸쳐 널리 분포하지만, 외권에는 분포하지 않는다. 외권에는 생물이 호흡할 때 필요한 공기(산소)가 없어 생물이 살 수 없다.

4 화산재가 대기로 날아가 햇빛을 가려 지구의 기온이 내려가는 현상은 지권(화산에서 분출한 화산재)과 기권(대기)의 상호 작용이다.

자료 분석+ 지구계 구성 요소의 상호 작용

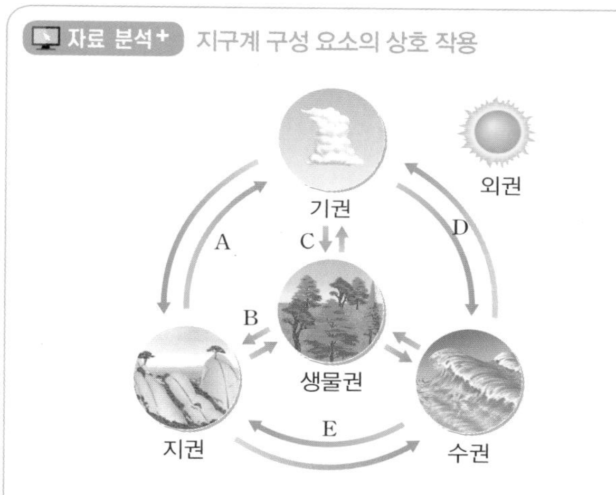

	지구계 구성 요소	상호 작용의 예
A	지권과 기권	지권에서 분출된 화산재가 대기로 날아가 햇빛을 가려 지구의 기온이 내려간다.
B	지권과 생물권	생물이 죽은 후 땅에 묻혀 석탄이나 석유와 같은 화석 연료가 된다.
C	기권과 생물권	바람이 불면 씨앗이 멀리 퍼진다.
D	기권과 수권	물이 증발하여 구름이 만들어지고, 구름에서 비나 눈이 내린다.
E	지권과 수권	파도가 해안 지형을 깎아 동굴을 만든다.

5 지구 내부를 조사하는 방법에는 시추법, 화산 분출물 조사와 같은 직접적인 방법과 운석 연구, 지진파 분석, 광물 합성 실험과 같은 간접적인 방법이 있다. 이와 같은 조사 방법 중에서 지구 내부를 깊은 곳까지 조사하는 데 가장 효과적인 방법은 지진파 조사이다. 지진파는 지구 내부를 통과하여 전달되기 때문에 다른 방법에 비해 더 깊은 범위를 조사할 수 있다.

6 A는 지각, B는 맨틀, C는 외핵, D는 내핵이다. 외핵(C)과 내핵(D)은 주로 철과 니켈로, 지각(A)과 맨틀(B)은 암석으로 이루어져 있다. 철과 니켈은 무거운 물질이다.

7 A는 지각, B는 맨틀, C는 외핵, D는 내핵이다. 외핵(C)은 액체 상태이고, 지각(A), 맨틀(B), 내핵(D)은 고체 상태이다.

8 A는 대륙 지각, B는 해양 지각, C는 맨틀이다. 해양 지각(B)이 대륙 지각(A)보다 무거운 암석으로 되어 있다.

2일 지각의 구성 물질

기초 확인 문제 19, 21쪽

01 (1) 퇴 (2) 변 (3) 화 02 ③ 03 ④ 04 ③
05 ② 06 ①, ④ 07 ㉠ 자갈 ㉡ 모래 ㉢ 진흙
08 수직 09 ⑤ 10 ③

01 지각은 화성암, 퇴적암, 변성암 등 다양한 암석으로 이루어져 있으며, 암석은 우리 주변에서 여러 가지 용도로 이용된다.

02 암석은 생성 과정에 따라 크게 화성암, 퇴적암, 변성암으로 구분한다. 화성암은 마그마가 지표로 흘러나오거나 지하에서 식어서 굳어진 암석이고, 퇴적암은 퇴적물이 쌓인 후 다져지고 굳어져서 만들어진 암석이며, 변성암은 높은 열과 압력을 받아 성질이 변하여 만들어진 암석이다.

03 마그마가 지표에서 빨리 식어서 만들어진 암석은 화산암이다. 화산암 중 현무암은 어두운색 광물이 많이 포함되어 있어 어둡고, 유문암은 어두운색 광물이 적게 포함되어 있어 밝다.

04 지표에서 마그마가 빨리 식어서 만들어진 암석을 화산암이라고 한다. 지하 깊은 곳에서 마그마가 서서히 식어서 만들어진 암석을 심성암이라고 한다. 화산암은 알갱이 크기가 작고, 심성암은 알갱이 크기가 크다.

오답 풀이
① A에서 생성되는 화성암을 화산암이라고 한다.
② B에서 생성되는 화성암을 심성암이라고 한다.
④ B에서는 마그마가 서서히 식어서 만들어진다.
⑤ 마그마가 식는 속도가 빠르면 결정이 성장할 시간이 짧아 결정의 크기가 작다. 암석의 색은 암석에 포함된 어두운색 광물의 양에 따라 달라진다.

05 반려암과 화강암은 마그마가 지하 깊은 곳에서 서서히 식어 알갱이 크기가 크다. 현무암과 유문암은 마그마가 지표에서 빨리 식어서 알갱이의 크기가 작다. 심성암인 A는 반려암이고, B는 화강암이다. 화산암인 C는 현무암이고, D는 유문암이다.

06 퇴적암에는 알갱이의 크기나 색이 다른 퇴적물이 번갈아 쌓여 나란한 줄무늬가 나타나기도 하는데, 이를 층리라고 한다. 또한 퇴적암에서는 과거에 살았던 생물의 유해나 흔적이 화석으로 발견되기도 한다.

▲ 층리

▲ 공룡 발자국 화석

오답 풀이
② 엽리는 암석에 작용한 압력의 수직 방향으로 광물이 평행하게 배열된 줄무늬로 변성암에서 볼 수 있다.
③ 화성암 중 현무암에서 구멍을 볼 수 있다.
⑤ 암석이 변성 작용을 받아 변성암이 될 때 광물이 녹았다가 다시 굳어지면서 결정이 커진다. 큰 광물 결정은 변성암의 특징이다.

07 주로 자갈이 포함된 퇴적물이 굳어진 암석을 역암, 주로 모래로 만들어지면 사암, 진흙으로 되어 있으면 셰일 또는 이암이라고 한다. 역암, 사암, 셰일은 퇴적물 알갱이의 크기에 따라 퇴적암을 구분한 것이다.

08 암석이 지하 깊은 곳에서 높은 열과 압력을 받으면 알갱이가 압력의 수직 방향으로 배열되면서 줄무늬가 생기는데, 이를 엽리라고 한다. 엽리는 편마암에서 잘 나타난다.

09 변성 작용을 받으면 셰일은 편암이나 편마암으로, 사암은 규암으로, 석회암은 대리암으로 변한다.

10 암석이 주변의 환경 변화에 따라 끊임없이 다른 암석으로 변하는 과정을 암석의 순환이라고 한다. 마그마가 식어 굳어져서 만들어진 암석인 A는 화성암이고, 퇴적물이 다져지고 굳어져서 만들어진 B는 퇴적암이며, 암석이 열과 압력을 받아 성질이 변한 C는 변성암이다.

내신 기출 베스트 22~23쪽

1 ③	2 ③	3 A-현무암 B-유문암 C-반려암 D-화강암
4 (다)-(가)-(라)-(나)	5 ②	6 ②
7 ③	8 ㄴ	

1 편마암, 대리암, 규암은 높은 열과 압력을 받아 성질이 변하여 만들어진 변성암(A)이다. 역암, 사암, 석회암은 퇴적물이 쌓인 후 다져지고 굳어져서 만들어진 퇴적암(B)이다. 화강암, 현무암, 유문암은 마그마가 지표로 흘러나오거나 지하에서 식어서 굳어져서 만들어진 화성암(C)이다. 암석은 암석의 생성 과정에 따라 화성암, 퇴적암, 변성암으로 분류한다.

2 화성암은 마그마가 냉각되는 위치에 따라 화산암(A)과 심성암(B)으로 구분한다.

오답 풀이

① A는 화산암이고, B는 심성암이다.

② A에서는 마그마가 빨리 식어서 결정이 성장할 시간이 짧기 때문에 결정의 크기가 작은 화성암이 만들어지고, B에서는 마그마가 서서히 식어서 결정이 성장할 시간이 충분해서 결정의 크기가 큰 화성암이 만들어진다.

④ 화석과 층리는 화성암에서 볼 수 없고, 퇴적암에서 볼 수 있다.

⑤ 화산암(A) 중 현무암은 어둡지만 유문암은 밝고, 심성암(B) 중 반려암은 어둡지만 화강암은 밝다.

3 A와 B는 알갱이 크기가 작은 화산암이고, C와 D는 알갱이 크기가 큰 심성암이다. A와 C는 색이 어둡고, B와 D는 색이 밝다.

자료 분석+ 화성암의 분류 그래프

작다 ↑ 알갱이 크기 ↓ 크다

현무암	유문암
반려암	화강암

어둡다 ← 색 → 밝다

- 위로 갈수록 알갱이의 크기가 작은 암석이다.
- 왼쪽으로 갈수록 어두운색 광물을 많이 포함하여 색이 어두운 암석이다.

4 퇴적암은 퇴적물이 운반되어 바다나 호수 밑에 쌓여 다져진 후 서로 결합되어 굳어져서 만들어진다.

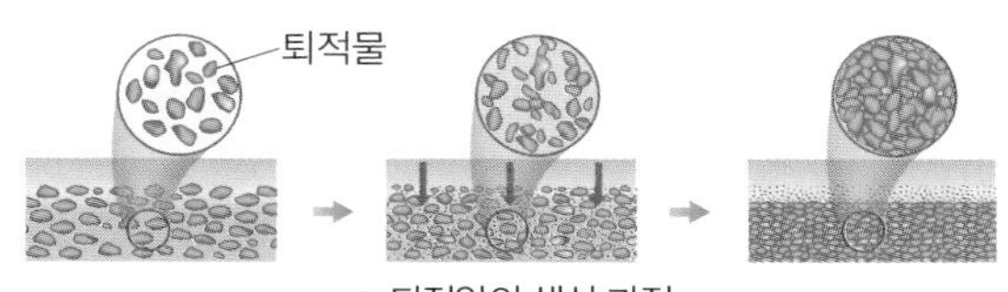

▲ 퇴적암의 생성 과정

5 진흙이 굳어진 것은 셰일(이암)이고, 주로 자갈이 굳어진 것은 역암이다. 주로 모래가 굳어진 것은 사암이고, 화산재가 굳어진 것은 응회암이다. 퇴적암은 알갱의 크기에 따라 셰일(이암), 사암, 역암으로 구분하고, 퇴적물의 종류에 따라 석회암(석회 물질), 응회암(화산재) 등으로 구분한다.

6 셰일(이암)이 변성 작용을 받으면 셰일 → 편암 → 편마암으로 변하고, 석회암이 변성 작용을 받으면 대리암으로 변한다.

7 암석이 지하 깊은 곳에서 높은 열과 압력을 받으면 알갱이가 압력의 수직 방향으로 배열되면서 줄무늬가 생기는데, 이 줄무늬를 엽리라고 한다.

오답 풀이

① 엽리가 만들어지는 과정이다.
② 퇴적암에서 볼 수 있는 줄무늬는 층리이다.
④ 압력의 수직 방향으로 줄무늬가 만들어진다.
⑤ 엽리는 주로 편마암에서 볼 수 있다.

8 A는 화성암이 생성되는 과정을 나타내고, B는 퇴적물이 생성되는 과정을 나타내며, C는 변성암이 생성되는 과정을 나타낸다.

오답 풀이

ㄱ. 높은 열과 압력이 필요한 과정은 C이다.
ㄷ. 암석은 끊임없이 다른 암석으로 변하는데, 이를 암석의 순환이라고 한다. 암석의 순환은 한 방향으로만 일어나는 것이 아니다.

3일 광물, 풍화와 토양

기초 확인 문제 27, 29쪽

01 ③	02 ③	03 ②, ③	04 ②	05 ④
06 ①, ③	07 ③	08 (나)	09 ㉠ 물 ㉡ 토양	
10 ⑤				

01 화강암은 주로 장석, 석영, 흑운모로 이루어져 있는데, 장석과 석영 등의 밝은색 광물이 더 많아 암석의 색이 밝다. 휘석, 각섬석, 흑운모, 감람석은 어두운색 광물이다.

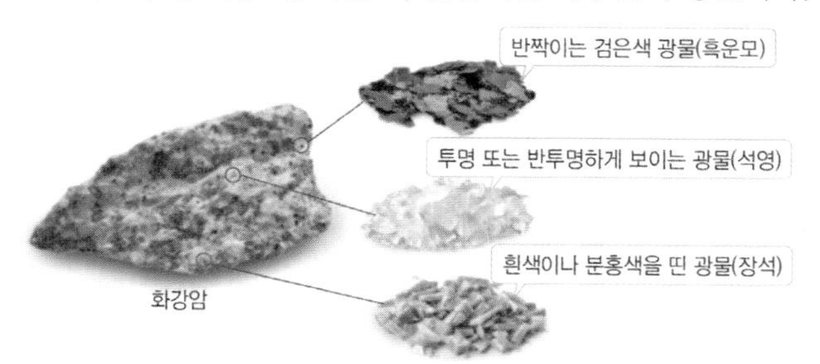

▲ 화강암을 이루고 있는 광물

02 조암 광물 중 가장 큰 부피 비를 차지하는 것은 장석이고, 두 번째로 큰 부피 비를 차지하는 것은 석영이다.

03 석영, 장석은 밝은색 광물이고, 휘석, 감람석, 흑운모는 어두운색 광물이다.

04 광물을 조흔판에 긁었을 때 나오는 광물 가루의 색을 조흔색이라고 한다. 흑운모의 색은 검은색이고, 흑운모의 조흔색은 흰색이다.

05 방해석은 석영보다 무르고, 투명하거나 반투명하게 보이며, 묽은 염산과 반응하여 이산화 탄소 기체가 발생한다.

▲ 방해석의 염산 반응

06 암석이 오랜 시간에 걸쳐 잘게 부서지거나 암석의 성분이 변하는 현상을 풍화라고 하고, 이때 일어나는 과정을 풍화 작용이라고 한다.

오답 풀이

② 대부분의 풍화는 여러 가지 풍화 작용이 복합적으로 일어난다.
④, ⑤ 암석이 잘게 부서지는 현상과 암석의 성분이 변하는 현상 모두 풍화이다.

07 용암이 식는 것은 풍화와 관련이 없다. 마그마나 용암이 식으면 화성암이 만들어진다.

08 암석이 잘게 부서질수록 주변의 물이나 공기와 접촉할 수 있는 표면적이 증가하기 때문에 풍화가 잘 일어난다.

09 풍화 작용을 거의 받지 않은 암석층에서는 식물이 잘 자랄 수 없다.

10 D층은 풍화 작용을 거의 받지 않은 암석층이다.

내신 기출 베스트 30~31쪽

1 ③	2 ㉠ (가), (다) ㉡ (나)	3 ④	4 ④
5 ③	6 ③	7 ②	8 ④

1 대부분 여러 종류의 광물이 모여 암석을 구성하며, 한 가지 광물로 이루어진 암석도 있다.

2 광물의 주요 특성에는 색, 조흔색, 굳기, 염산 반응, 자성 등이 있으며, 광물의 특성을 이용하여 여러 가지 광물을 구별할 수 있다.

오답 풀이

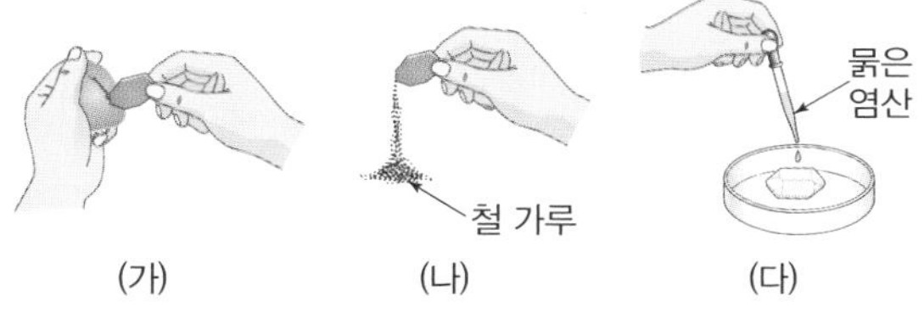

(가) 굳기 : 석영은 방해석보다 단단해서 석영과 방해석을 긁으면 방해석에 긁힌 자국이 남는다.

(나) 자성 : 자철석은 자성이 있어 쇠붙이로 된 물체를 끌어당긴다.

(다) 염산 반응 : 방해석의 주 성분인 탄산 칼슘은 염산과 반응하면 이산화 탄소가 발생하기 때문에 방해석에 묽은 염산을 떨어뜨리면 거품이 생긴다. 석영에 묽은 염산을 떨어뜨려도 거품은 발생하지 않는다.

3 조흔색이란 광물을 조흔판에 긁었을 때 생기는 광물 가루의 색이다. 금, 황동석, 황철석은 겉보기 색이 노란색으로 비슷하지만, 조흔색은 금이 노란색, 황동석이 녹흑색, 황철석이 검은색으로 각각 다르다.

4 클립을 끌어당기는 성질을 가진 광물은 자철석이고, 묽은 염산을 떨어뜨렸을 때 거품이 발생하는 광물은 방해석이다. 석영, 활석 중 방해석보다 단단한 광물은 석영이다.

5 풍화 작용을 일으키는 주요 원인에는 물, 공기, 생물 등이 있다.

6 그림은 암석의 틈에 스며든 물이 얼면서 부피가 커지면서 암석이 작은 조각으로 부서지는 모습을 나타낸 것이다. 이 현상은 온도가 낮은 지역에서 잘 일어난다.

7 성숙한 토양은 4개의 층을 이룬다.

자료 분석+ 성숙한 토양의 구조

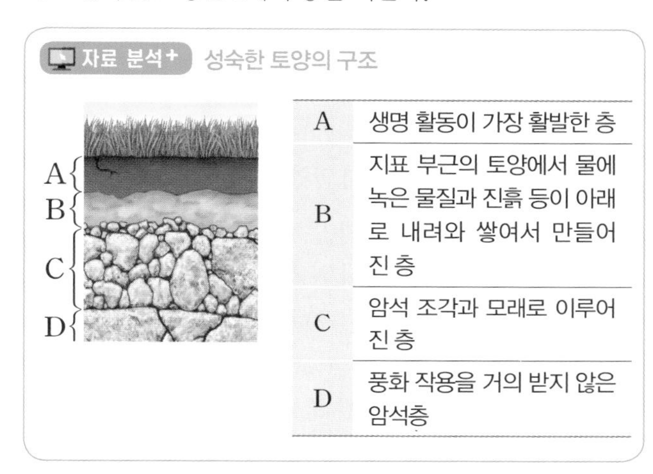

A	생명 활동이 가장 활발한 층
B	지표 부근의 토양에서 물에 녹은 물질과 진흙 등이 아래로 내려와 쌓여서 만들어진 층
C	암석 조각과 모래로 이루어진 층
D	풍화 작용을 거의 받지 않은 암석층

8 풍화 작용이 오랫동안 지속되면 단단한 암석이 잘게 부서지고 성분이 변하면서 식물이 잘 자랄 수 있는 흙이 되는데, 이를 토양이라고 한다.

자료 분석+ 토양의 생성 과정

① 암석이 풍화되어 잘게 부서지기를 반복한다.
② 식물이 잘 자랄 수 있는 겉 부분의 흙(토양)이 만들어진다.
③ 물에 녹는 물질과 진흙 등이 아래로 내려와 쌓인다.
④ 다양한 식물이 자라면서 토양이 두꺼워진다.

4일 지각의 변화

기초 확인 문제 35, 37쪽

01 ㉠ 대륙 ㉡ 판게아 02 ㄱ, ㄷ 03 ⑤
04 A : 대륙 지각 B : 대륙판 C : 해양판 05 ②, ④
06 진도 07 ② 08 ㉠ 지진대 ㉡ 화산대
09 ② 10 유라시아판

01 베게너가 주장한 대륙 이동설은 대륙을 이동시키는 원동력(힘)을 설명하지 못했기 때문에 당시의 과학자들은 대륙 이동설을 인정하지 않았다.

02 지진대와 화산대가 거의 일치하는 까닭은 지각 변동이 판의 경계에서 활발하게 일어나기 때문이다.

03 약 3억 3천5백만 년 전~1억 7천5백만 년 전에는 (다)와 같이 하나로 붙어 있던 판게아가 점차 분리되고 이동하여 현재 (가)와 같은 대륙 분포를 이루게 되었다.

04 판은 지각과 맨틀 상부를 이루는 단단한 암석층으로, 대륙 지각이 있는 대륙판은 두께가 약 100 km이고, 해양 지각이 있는 해양판은 두께가 약 70 km이다.

05 전 세계의 크고 작은 판들은 각각 이동 방향과 속력이 서로 다르므로, 판과 판의 경계에서 지진이나 화산 활동 등의 지각 변동이 일어난다.

오답 풀이
① 판은 움직이는 방향과 속력이 서로 다르다.
③ 판의 경계가 대륙과 해양의 경계와 일치하지 않는 곳도 많이 있다.
⑤ 주로 판과 판의 경계에서 판들이 서로 부딪치고, 갈라지고, 어긋나면서 여러 가지 지각 변동이 일어난다.

06 일반적으로 지진이 발생한 지점에서 가까울수록 진도가 커진다.

07 규모는 아라비아 숫자로 소수 첫째 자리까지 표시(예 4.5)하고, 진도는 로마 숫자로 표시(예 V)한다.

08 지진대와 화산대는 특정 지역을 따라 좁고 긴 띠 모양의 형태로 나타난다.

09 지진과 화산 활동이 일어나는 지역은 대체로 일치하지만 언제나 동시에 일어나는 것은 아니다. 태평양 가장자리에서 지진과 화산 활동이 가장 활발하며, 이 지역을 환태평양 지진대·화산대(불의 고리)라고 한다.

10 우리나라와 일본은 모두 유라시아판에 속하지만, 일본은 유라시아판, 태평양판, 필리핀판이 만나는 경계에 가까이 있기 때문에 우리나라보다 지진과 화산 활동이 자주 일어난다.

내신 기출 베스트 38~39쪽

1 ④ 2 ⑤ 3 ⑤ 4 ④, ⑤ 5 ④
6 ⑤ 7 ④ 8 ㄱ, ㄷ

1 베게너가 주장한 대륙 이동설은 거대한 대륙을 이동시키는 원동력을 명확하게 설명하지 못하여 당시의 과학자들에게 인정받지 못했다.

2 베게너는 대륙 이동설을 뒷받침할 수 있는 증거로 해안선 모양뿐 아니라 화석의 분포, 산맥의 분포, 빙하의 흔적 등을 제시하였다.

3 A는 대륙 지각이고, B는 해양판이다. 대륙판은 해양판보다 두께가 두껍다.

4 판마다 이동 방향이 서로 다르고, 판은 1년에 수 cm 정도 이동한다. 지구 표면은 여러 개의 판으로 되어 있다.

자료 분석+ 우리나라 주변의 판 분포

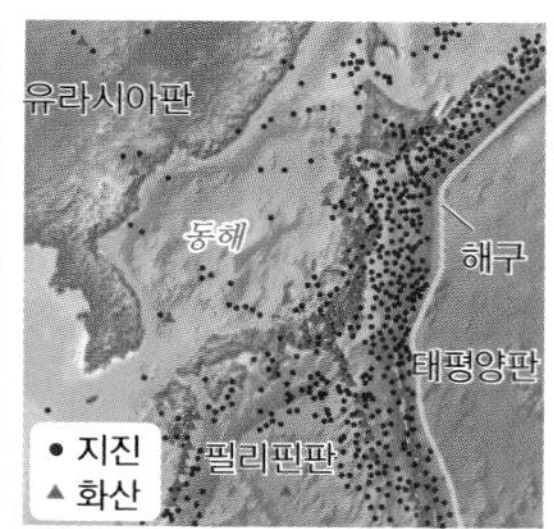

일본은 유라시아판, 태평양판, 필리핀판이 만나는 경계에 가까이 있기 때문에 우리나라보다 지진과 화산 활동이 자주 일어난다.

5 지진의 규모는 지진이 발생한 지점에서 방출된 에너지의 양을 나타내는 값으로, 진원이나 진앙에서 멀어진다고 해서 값이 변하지는 않는다.

6 진도는 지진이 일어났을 때 어떤 지역에서 땅이 흔들린 정도나 피해 정도를 나타내는 값이다. 지진이 발생한 지점에서 가까운 곳일수록 진도가 커지는 경향이 있다.

7 지진대와 화산대는 판의 경계와 거의 일치한다.

8 지진과 화산 활동은 주로 판의 경계에서 일어나지만, 판의 경계가 아닌 곳에서도 발생하기도 한다.

5일 중력

기초 확인 문제 43, 45쪽

01 (1) 모양 (2) 빠르기 (3) 모양, 운동 방향, 빠르기
02 ④ 03 중력 04 ④ 05 (1) 당기는 (2) 중심 (3) N (4) 한다 (5) 작아 06 (1) 무게 (2) 크다 (3) 양팔저울 (4) ㉠ kg ㉡ N (5) 장소 07 (1) ㉠ 용수철 ㉡ $\frac{1}{6}$ (2) ㉠ 윗접시 ㉡ 같다 08 ㉠ 중력 ㉡ kg(킬로그램) ㉢ 양팔 ㉣ 질량 09 (다)>(가)>(나) 10 ④

01 과학에서 힘은 물체의 모양이나 운동 방향, 빠르기를 변하게 하는 원인이다.

02 ④ 축구공을 세게 찼을 때 차는 순간 살짝 찌그러졌다가 펴지면서 날아간다. 따라서 모양과 운동 상태가 동시에 변한다.

오답 풀이
① 고무공을 누르면 찌그러지므로 모양이 변한다.
② 농구공을 던질 때 모양은 변하지 않고 운동 상태만 변한다.
③ 깡통을 찌그러뜨릴 때 모양만 변한다.
⑤ 지우개를 실에 매달아 돌릴 때 지우개의 모양은 변하지 않고 운동 상태만 계속 변한다.

03 우박이 떨어지고 아이스크림이 흘러내리고 사과가 떨어지는 것은 지구가 당기는 힘, 즉 중력이 지구 중심 방향으로 작용하기 때문이다. 또 대기가 지표에 집중하여 존재하는 것도 공기 입자에 지구의 중력이 작용하기 때문이다.

04 중력은 항상 지구 중심 방향으로 작용한다.

05 (1) 중력은 지구 중심으로 물체를 당기는 힘이다.
(2) 중력이 작용하는 방향은 지구 중심이다.
(3) 중력은 힘의 한 종류이므로, 단위는 힘의 단위인 N(뉴턴)을 사용한다.
(4) 중력은 지구상의 모든 물체에 작용하므로 움직이는 물체에도 작용한다.
(5) 중력의 크기는 지표로부터 높이 올라갈수록 작아진다.

06 (1) 물체에 작용하는 중력의 크기는 무게이다.
(2) 무게는 물체의 질량에 비례한다.
(3) 물체의 질량은 양팔저울로 측정한다.
(4) 질량의 단위는 kg, 무게의 단위는 N을 사용한다.
(5) 질량은 물체의 고유한 양이므로 측정 장소에 따라 변하지 않는다.

07 (1) 무게는 용수철저울로 측정하고, 지구에서 588 N인 물체가 달에서는 98 N으로 줄어들었으므로 달에서의 무게는 지구에서 무게의 $\frac{1}{6}$배이다.
(2) 질량은 윗접시 저울로 측정하고, 60 kg인 물체가 지구에서나 달에서 똑같이 60 kg인 추와 수평을 이루고 있으므로 질량은 변하지 않는다.

08 무게는 지구가 물체를 당기는 중력의 크기이다. 질량의 단위는 kg을 사용하며 양팔저울로 측정한다. 무게는 물체의 질량에 비례한다.

09 무게는 물체의 질량에 비례하므로 질량이 큰 물체일수록 무게가 크다. (나) 1 kg=1000 g이므로 300 g은 0.3 kg과 같다.

10 달에서의 무게는 지구에서 무게의 $\frac{1}{6}$배이고, 질량은 변하지 않으므로 그대로 6 kg이고 무게는 $\frac{1}{6}\times 6(\text{kg})\times 9.8\ (\text{N})=9.8\ (\text{N})$이다.

내신 기출 베스트 46~47쪽

1 ③ 2 ① 3 ⑤ 4 ① 5 (1) 중력 (2) (가) : C, (나) : D 6 ③ 7 ① 8 ④

1 힘이 작용하면 모양이나 운동 상태(속력이나 운동 방향)가 변한다. 물이 수증기로 변하는 현상은 상태 변화의 예이다.

2 힘을 화살표로 나타낼 때 화살표의 길이는 힘의 크기를 나타낸다. 과학에서의 힘은 물체의 모양이나 운동 상태를 변화시키는 원인이다. 굴러가는 공에 운동과 반대 방향으로 힘이 작용하면 공의 속력이 점점 느려진다.

3 무게는 중력의 크기이므로 중력과 같은 힘의 단위인 N을 사용한다. 또한 무게는 물체의 질량에 비례하므로 질량이 클수록 커진다. 질량 1 kg에 작용하는 중력의 크기는 9.8 N이다.

4 사과가 지표면으로 떨어지는 까닭은 지구 중력이 사과를 당기고 있기 때문이다.

5 지구상의 모든 물체에는 지구의 중력이 작용하며 중력은 지구 중심 쪽으로 작용한다.

6 지구 중력이 1이므로 행성의 중력값이 1보다 더 크면 몸무게가 더 커진다. 지구에서 300 N인 몸무게를 각 행성에서 구하면
A : $300 \times 0.85 = 255$(N), B : $300 \times 1.35 = 405$(N),
C : $300 \times 0.76 = 228$(N), D : $300 \times 2.54 = 762$(N),
E : $300 \times 0.91 = 273$(N)으로 변한다.

자료 분석+ 중력의 크기

지구 중력보다 작기때문에 몸무게가 작다.

행성	지구	A	B	C	D	E
중력	1.00	0.85	1.30	0.76	2.54	0.91

- 중력의 크기는 무게이며, 무게는 측정 장소에 따라 변한다.
- 지구에서의 중력의 크기를 1로 했을 때 1보다 작은 A, C, E에서는 지구에서보다 몸무게가 작아지고, 1보다 큰 B, D에서는 지구에서보다 몸무게가 커진다.

7 질량은 장소에 따라 변하지 않는 물체의 고유한 양이고 양팔저울이나 윗접시 저울로 측정한다. 또 무게의 단위는 N(뉴턴)을 사용한다.

8 질량 1 kg인 물체에 작용하는 무게는 9.8 N이므로 60 kg에 작용하는 무게는 $60 \times 9.8 = 588$ (N)이다. 달에서 질량은 변하지 않고 그대로이지만 무게가 지구에서의 $\frac{1}{6}$배로 감소하기 때문에 $588 \times \frac{1}{6} = 98$(N)이다.

자료 분석+ 무게와 질량

- 지구에서의 질량이 60 kg인 사람은 추 60 kg과 수평을 이루고 있다.
- 지구에서 질량 1 kg에 작용하는 무게는 9.8 N이다.
- 지구에서 질량이 60 kg인 사람의 무게 $= 9.8 \times 60(\text{kg}) = 588(\text{N})$

누구나 100점 테스트 1회 48~49쪽

01 ① 02 ⑤ 03 지진파 분석 04 ② 05 ④ 06 B 07 ⑤ 08 ③ 09 ⑤ 10 ③

01 수권은 생물이 생명을 유지하는 데 꼭 필요하며, 해수가 수권의 대부분을 차지한다.

02 바람이 불어 씨앗이 멀리까지 퍼지는 것은 기권과 생물권 사이의 상호 작용이고, 동물이 냇가에서 물을 먹는 것은 수권과 생물권 사이의 상호 작용이다. 생물권은 지구계의 다른 권역인 지권, 수권, 기권에 걸쳐 널리 분포한다.

03 지진파는 지구 내부를 통과하여 전달되기 때문에 다른 방법에 비해 더 깊은 곳까지 조사할 수 있다. 지구 내부의 깊은 곳까지 조사하는 데 가장 효과적인 방법은 지진파 분석이다.

04 가장 많은 부피를 차지하는 층은 B(맨틀)이고, 철과 니켈로 구성되어 있으며 액체 상태인 층은 C(외핵)이다. A(지각)는 가장 얇은 층이고, D(내핵)는 철과 니켈로 구성되어 있으며 고체 상태이다.

05 암석을 관찰하면 색, 구성 알갱이의 크기, 줄무늬 등이 다양하게 나타난다. 이처럼 특징이 다양한 암석들은 생성 과정에 따라 크게 화성암, 퇴적암, 변성암으로 구분한다.

06 현무암, 유문암 등의 화산암은 마그마가 지표 부근에서 빨리 식어서 만들어진 화성암으로, 광물 결정이 성장할 시간이 짧아 알갱이 크기가 작다. 반려암, 화강암 등의 심성암은 마그마가 지하 깊은 곳에서 서서히 식어서 만들어진 화성암으로, 광물 결정이 성장할 시간이 충분하기 때문에 알갱이 크기가 크다. 현무암과 반려암은 어둡고, 화강암과 유문암은 밝다. 따라서 A는 반려암, B는 화강암, C는 현무암, D는 유문암이다.

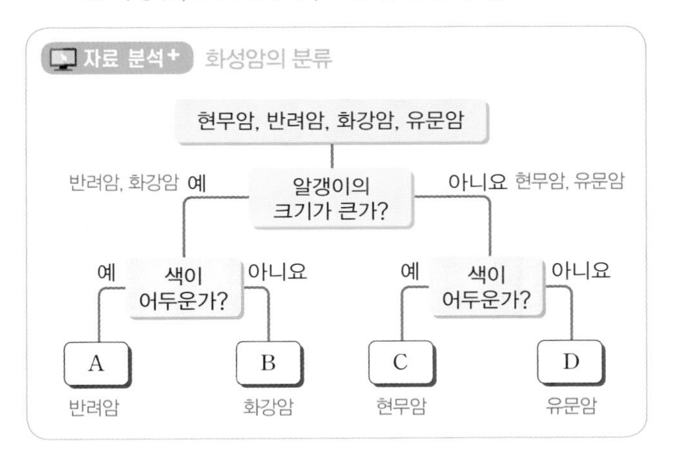

07 석회암은 따뜻하고 얕은 바다에서 산호, 조개껍데기와 같은 생물의 유해가 쌓여 만들어진 퇴적암이다.

오답 풀이

① 사암은 주로 모래로 만들어진 암석이다.
② 역암은 자갈이 포함된 퇴적물이 굳어진 암석이다.
③ 응회암은 화산재로 만들어진 암석이다.
④ 화강암은 지하 깊은 곳에서 마그마가 서서히 식어서 굳어진 암석이다.

08 암석이 높은 열과 압력을 받으면 알갱이가 압력의 수직 방향으로 배열되면서 줄무늬가 생기는데, 이 줄무늬를 엽리라고 한다. 엽리는 편마암에서 잘 나타난다.

09 화성암, 변성암, 퇴적암이 잘게 부서지면(A) 퇴적물이 되고, 퇴적물이 다져지고 굳어지면(B) 퇴적암이 된다. 화성암이나 퇴적암이 열과 압력(C)을 받으면 변성암이 되고, 암석이 녹으면(D) 마그마가 된다.

10 흑운모, 적철석, 자철석은 모두 겉보기 색이 검은색이지만, 조흔색은 서로 다르다. 흑운모의 조흔색은 흰색, 적철석의 조흔색은 붉은색, 자철석의 조흔색은 검은색이다.

누구나 100점 테스트 2회

50~51쪽

01 ⑤	02 ④	03 ②	04 ㉠ 맨틀 ㉡ 대륙판 ㉢ 해양판
05 (라)	06 ①	07 ①	08 ②
09 ⑤	10 ④		

01 퇴적암이나 화성암 등의 암석이 지하 깊은 곳에서 높은 열과 압력을 받으면 변성암이 된다.

02 토양은 암석이 오랫동안 풍화를 받아 잘게 부서지거나 성분이 변하여 만들어진 식물이 잘 자랄 수 있는 흙으로, 다양한 생물이 자라면서 토양이 두꺼워진다.

03 베게너는 대륙을 이동시키는 힘을 설명하지 못했기 때문에 당시의 과학자들은 대륙 이동설을 인정하지 않았다. 대륙 이동의 원동력은 맨틀 대류이다.

04 판은 지각과 맨틀의 상부를 이루는 단단한 암석층으로 대륙판과 해양판으로 구분된다. 대륙판은 두께가 약 100 km로 해양판(두께 약 70 km)보다 두껍다.

05 지진이 발생하면 엘리베이터 대신 계단을 이용하여 신속히 대피해야 한다.

자료 분석+ 지진이 발생했을 때 대처 방법

- 탁자 밑으로 이동하여 머리와 몸을 보호한다.
- 사용 중인 가스레인지를 끄고 가스 밸브를 잠근다.
- 건물을 빠져 나올 때는 엘리베이터를 타지 않고 계단을 이용한다.
- 담장에서 멀리 떨어져 운동장 같은 넓은 곳으로 피한다.
- 건축물이나 전선 등에서 멀리 떨어진다.
- 해안가에서는 지진 해일에 대비하여 높은 곳으로 대피한다.

06 전 세계의 지진과 화산 활동은 주로 태평양의 가장자리에서 가장 활발하게 일어난다.

07 사과에 작용하는 힘은 중력이고 사과가 떨어지는 방향은 지구 중심 방향이다. 중력의 크기를 무게라고 한다.

오답 풀이

② 중력은 지표로부터 높이 올라갈수록 크기가 작아지고 물체의 질량에 따라 크기가 다르다.

③ 무게는 물체의 질량에 비례하여 커진다.

④ 같은 물체에 작용하는 이 힘의 크기는 측정 장소에 따라 달라진다.

⑤ 물체가 떨어지는 동안 작용한 힘의 방향과 운동 방향은 같다.

08 물에 작용하는 힘은 지구의 중력이고, 중력은 지구 중심 방향으로 작용하므로 컵의 물을 쏟으면 지구 중심 쪽으로 쏟아진다.

09 질량은 물체의 고유한 양이기 때문에 장소에 따라 변하지 않으므로 (가)는 달과 같은 30 kg이다. 무게는 질량에 비례하며 질량 1 kg에 작용하는 무게가 9.8 N이므로 30 kg의 무게는 294 N, 달에서의 무게는 지구에서의 $\frac{1}{6}$배이므로 (나)는 $294\times\frac{1}{6}=49$(N)이다.

10 양팔저울로 측정하는 것은 물체의 질량이다. 사과의 질량은 50 g인 추 6개와 수평을 이루고 있으므로 300 g, 즉 0.3 kg이다. 질량 1 kg에 작용하는 중력은 9.8 N이므로 0.3 kg에 작용하는 무게는 2.94 N이다. 질량은 장소에 따라 변하지 않는 물체 고유한 양이므로 달에서도 사과의 질량은 그대로 50 g인 추 6개와 수평을 이룬다.

자료 분석+ 물체의 질량 측정

• 사과의 질량은 50 g짜리 추 6개와 수평을 이루고 있으므로 6×50 g=300 g=0.3 kg이다.

서술형·사고력 테스트 52~53쪽

01 해설 참조 02 (1) 해설 참조 (2) (가) 화성암 (나) 변성암 (다) 퇴적암 03 (1) 석영 (2) 해설 참조
04 해설 참조 05 (1) 해설 참조 (2) 쇠공, 해설 참조
06 (1) 9.8 N, 해설 참조 (2) 해설 참조

01 모범 답안 달에는 수권, 기권, 생물권이 없다.

해설 | 달에는 지구와 다르게 물과 공기가 없어 생물이 살 수 없다.

채점 기준	배점(%)
수권, 기권, 생물권이 없음을 옳게 서술한 경우	100
수권, 기권, 생물권 중 2가지 요소만 옳게 서술한 경우	50

02 (1) 모범 답안 암석의 생성 과정에 따라 분류하였다.

해설 | 표는 암석의 생성 과정을 기준으로 분류하였다.

채점 기준	배점(%)
암석을 분류한 기준을 옳게 서술한 경우	100
암석을 분류한 기준을 옳게 서술하지 못한 경우	0

(2) 현무암, 화강암은 화성암이고, 규암, 편마암은 변성암이며, 석회암, 사암은 퇴적암이다.

03 (1) 석영과 방해석을 서로 긁으면 방해석에 긁힌 자국이 남는다.

(2) 모범 답안 두 광물에 묽은 염산을 각각 몇 방울 떨어뜨려서 거품이 발생하는 광물(방해석)을 확인한다.

해설 | 방해석은 묽은 염산과 반응하여 거품이 발생하지만, 석영에서는 거품이 생기지 않는다.

채점 기준	배점(%)
모범 답안과 같이 서술한 경우	100
석영과 방해석을 구별하는 방법을 잘못 서술한 경우	0

04 모범 답안 지진과 화산 활동은 판의 경계 부근에서 활발한데, 일본은 우리나라보다 판의 경계에 가깝기 때문이다.

해설 | 우리나라와 일본은 모두 유라시아판에 속하지만, 일본은 유라시아판, 태평양판, 필리핀판의 경계에 위치하므로, 일본은 우리나라보다 지진과 화산 활동이 매우 활발하다. 단, 우리나라도 지진에 대해 안전 지대

는 아니다.

채점 기준	배점(%)
모범 답안과 같이 서술한 경우	100
일본이 판의 경계에 가깝다는 내용만 서술한 경우	70

05 (1) 모범 답안 쇠공과 고무공의 무게를 비교할 수 없다. 그 까닭은 무중력 상태에서는 쇠공과 고무공의 무게가 모두 0이기 때문이다.

해설 | 우주 정거장은 무중력 상태이므로 모든 물체의 무게가 0이다.

(2) 모범 답안 쇠공, 쇠공과 고무공에 똑같은 크기의 힘이 작용하였을 때 질량이 큰 물체일수록 속력 변화가 작기 때문이다.

해설 | 같은 힘이 작용할 때 물체의 운동 변화(속력 변화)는 물체의 질량에 반비례한다.

채점 기준	배점(%)
(1)과 (2)를 옳게 설명한 경우	100
(1)과 (2) 중 한 가지만 옳게 설명한 경우	50

자료 분석+ 우주 정거장에서 무게와 질량

- 쇠공과 고무공이 공중에 떠 있는 이유는 아래로 당기는 힘이 작용하지 않기 때문, 즉 물체의 무게가 0이기 때문이다.
- 쇠공과 고무공에 같은 크기의 힘이 작용한다. ➡ 고무공이 더 빨리 이동한다. ➡ 고무공이 쇠공보다 질량이 작다.

▲ 자료 1. 무거운 쇠공과 가벼운 고무공 모두 아래로 떨어지지 않고 공중에 떠 있다.

▲ 자료 2. 두 공을 동시에 불면, 고무공이 쇠공보다 더 빨리 이동한다.

06 (1) 모범 답안 9.8 N, 달의 중력은 지구 중력의 $\frac{1}{6}$배이기 때문에 달에서의 질량이 6 kg인 물체의 무게$=\frac{1}{6}\times 9.8\times 6=9.8(\text{N})$이다.

(2) 모범 답안 질량은 물체의 고유한 양으로 장소에 따라 변하지 않기 때문에 달에서도 그대로 수평을 이룬다.

해설 | 양팔저울은 질량을 측정하는 도구이고 질량은 측정 장소에 따라 변하지 않는 물체 고유한 양이다.

채점 기준	배점(%)
(1)과 (2)를 옳게 설명한 경우	100
(1)과 (2) 중 한 가지만 옳게 설명한 경우	50

창의·융합·코딩 테스트 54~55쪽

01 ③ 02 (가) 편마암 (나) 셰일(이암) (다) 대리암 (라) 역암 (마) 화강암 (바) 현무암 03 해설 참조 04 ⑤
05 해설 참조 06 (가) 588 N (나) 98 N
07 (1) 30 kg, 해설 참조 (2) 1764 N, 해설 참조

01 화산 폭발에 의해 발생한 인명 피해를 다룬 기사로서, 이는 지권과 생물권 사이에 일어난 일이다.

02 (가)는 편마암, (나)는 셰일(이암), (다)는 대리암, (라)는 역암, (마)는 화강암, (바)는 현무암이다.

자료 분석+ 여러 가지 암석의 분류

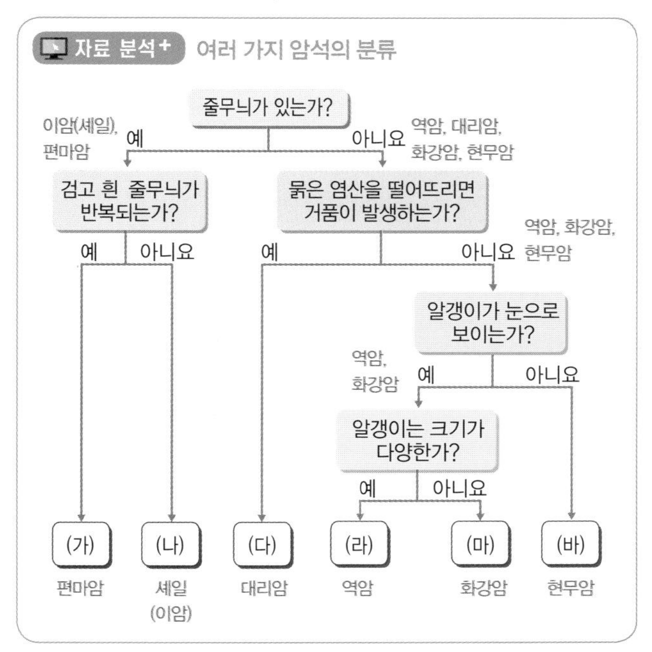

03 모범 답안 달에는 풍화를 일으키는 주요 원인인 수권(물), 기권(공기), 생물(생물권)이 존재하지 않아 풍화 작용이 거의 일어나지 않기 때문이다.

해설 | 달에는 지구에 있는 수권(물), 기권(공기), 생물(생물권)이 존재하지 않아 풍화 작용이 거의 일어나지 않는다.

채점 기준	배점(%)
모범 답안과 같이 서술한 경우	100
풍화를 일으키는 주요 원인 중 달에 존재하지 않는 것을 2가지만 서술한 경우	50

04 남아메리카 대륙의 동쪽과 아프리카 대륙의 서쪽 해안선 모양이 잘 들어맞고, 유럽과 북아메리카 대륙의 산맥 분포가 하나로 이어지는 것이 베게너가 주장한 대륙 이동설의 증거이다.

05 모범 답안 줄어든다. 그 까닭은 달의 중력이 지구 중력의 $\frac{1}{6}$배이므로 장난감 자동차의 무게도 $\frac{1}{6}$로 줄어들기 때문이다.

해설 | 양팔저울을 그대로 달에 가져가면 질량은 변하지 않으므로 수평을 이룬다. 하지만 달에서의 무게는 지구에서의 $\frac{1}{6}$배이므로 줄어든다.

채점 기준	배점(%)
줄어든다는 결과와 그 까닭을 옳게 서술한 경우	100
줄어든다라고만 서술한 경우	50

06 (가) 지구에서 질량 60 kg의 무게 $= 60 \times 9.8 = 588$(N), (나) 달에서 질량 60 kg의 무게 = 지구에서의 $\frac{1}{6}$배가 되므로 $\frac{1}{6} \times 588 = 98$(N)이다.

자료 분석+ 무게와 질량

- 질량은 측정 장소에 따라 변하지 않는 물체 고유한 양이므로 달에서도 지구에서와 같은 60 kg인 추와 수평을 이룬다.
- 지구에서 질량 1 kg에 작용하는 중력의 크기는 9.8 N이므로 60 kg에 작용하는 중력의 크기는 무게와 같다.
- 지구에서의 무게 $= 60 \times 9.8 = 588$(N)
- 달에서의 무게는 지구에서의 $\frac{1}{6}$배이다.

07 (1) 모범 답안 30 kg, 질량 1 kg에 작용하는 중력의 크기는 9.8 N이므로 294 N $= 9.8 \times$ ㉠의 질량, ㉠의 질량 $= 294 \div 9.8 = 30$(kg)

해설 | 질량 1 kg에 작용하는 중력의 크기는 9.8 N이고 무게는 질량에 비례한다.

(2) 모범 답안 1764 N, 지구 중력은 달의 중력의 6배이므로 지구에서의 무게는 달에서 무게의 6배가 된다. 따라서 ㉡의 지구에서 무게 $= 6 \times 294$ N $= 1764$ N이다.

해설 | 달에서의 중력은 지구에서의 $\frac{1}{6}$배이다.

채점 기준	배점(%)
(1)과 (2)를 풀이 과정을 포함하여 옳게 구한 경우	100
(1)과 (2) 중 한 가지만 풀이 과정을 포함하여 옳게 구한 경우	50

자료 분석+ 지구와 달에서의 무게

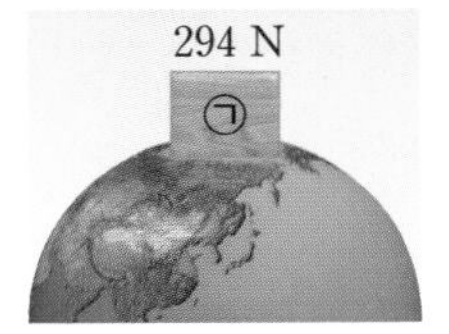

(가) 지구에서

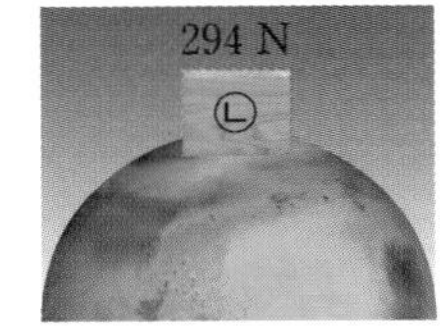

(나) 달에서

- (가) 무게는 물체의 질량에 비례한다. 지구에서 질량 1 kg에 작용하는 중력의 크기는 9.8 N이므로 1 kg : 9.8 N $= x$: 294 N에서 $x = 294 \div 9.8 = 30$(kg)
- (나) 달에서의 무게는 지구에서의 $\frac{1}{6}$배이므로 지구에서의 무게는 달에서의 6배가 된다. 따라서 달에서 294 N인 물체의 지구에서 무게는 294 N $\times 6 = 1764$ N이다.

7일

학교시험 기본 테스트 1회 56~59쪽

01 지권	02 ④	03 C	04 ①	05 ③	06 ③
07 ⑤		08 ㉠ 방해석 ㉡ 석영 ㉢ 자철석 ㉣ 흑운모			
09 ⑤	10 ②, ④		11 ③	12 ④	13 ㄱ, ㄷ
14 ③	15 해설 참조		16 ⑤	17 중력	18 ⑤
19 ③	20 ②				

01 지권은 토양과 암석으로 이루어진 지구의 표면과 지구의 내부를 말한다. 지권은 4개의 층으로 이루어져 있으며, 생물이 살아가는 데 필요한 물질과 서식처를 제공한다.

02 지구 내부를 조사하는 직접적인 방법에는 시추법과 화산 분출물 조사가 있고, 간접적인 방법에는 운석 연구, 지진파 분석, 광물 합성 실험이 있다. 지구 내부 전체 구조를 알아내는 데 가장 효과적인 방법은 지진파 분석이다.

03 A는 지각(고체), B는 맨틀(고체), C는 외핵(액체), D는 내핵(고체)이다. 지권은 대부분 고체 상태이지만, 외핵은 액체 상태이다.

04 (가)와 같은 과정으로 심성암인 화강암, 반려암이 생성된다.

자료 분석+ 화성암의 생성 과정

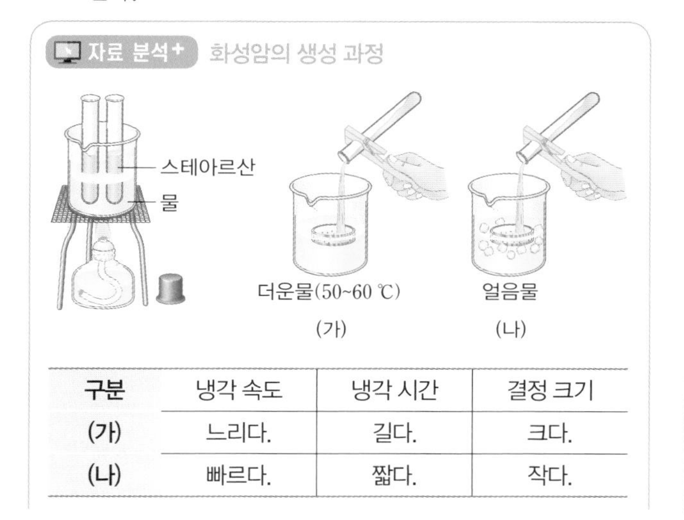

구분	냉각 속도	냉각 시간	결정 크기
(가)	느리다.	길다.	크다.
(나)	빠르다.	짧다.	작다.

- 첫 번째 과정은 실제 자연에서 암석이 녹아 마그마가 되는 과정에 비유할 수 있다.
- 녹인 스테아르산은 마그마에 비유할 수 있다.
- (가) 더운물에서 스테아르산이 냉각되는 과정은 심성암의 생성 과정에, (나) 얼음물에서 스테아르산이 냉각되는 과정은 화산암의 생성 과정에 비유할 수 있다

05 A는 화산암으로 알갱이 크기가 작고, B는 심성암으로 알갱이 크기가 크다. 화산암에는 현무암, 유문암이 있고, 심성암에는 반려암, 화강암이 있다. 현무암, 반려암은 어둡고, 유문암, 화강암은 밝다. 화성암에서는 층리, 화석 등이 발견되지 않는다.

06 A는 역암, B는 사암, C는 셰일, D는 석회암이 만들어지는 환경이다. 따뜻하고 얕은 바다에서는 산호와 같은 생물의 유해가 쌓여 석회암이 생성된다. A 지역에서 C 지역으로 갈수록 퇴적물의 알갱이 크기가 작아진다.

자료 분석+ 퇴적암이 만들어지는 다양한 환경

구분	환경	주로 생성되는 퇴적암
A		강 주변(A)이나 자갈로 이루어진 해안에서는 주로 자갈로 이루어진 역암이 생성된다.
B		강 주변 저지대, 강과 바다가 만나는 곳(B), 해안에서는 주로 모래가 쌓여 사암이 생성된다.
C		갯벌이나 해안에서 먼 곳(C)에서는 고운 진흙이 쌓여 셰일(이암)이 생성된다.
D		따뜻하고 얕은 바다(D)에서는 산호와 같은 생물의 유해가 쌓여 석회암이 생성된다.

07 암석이 지하 깊은 곳에서 높은 열과 압력을 받아 알갱이가 압력의 수직 방향으로 배열되면서 줄무늬가 생기는데, 이 줄무늬를 엽리라고 한다. 엽리는 변성암의 특징으로 편마암에서 잘 나타나며, 편마암은 정원석 등으로 이용된다.

오답 풀이

① 엽리는 변성암에서 나타나는 줄무늬이다. 퇴적암에서 나타나는 줄무늬는 층리이다.

② 퇴적암에는 알갱이의 크기나 색이 다른 퇴적물이 번갈아 쌓여 나란한 줄무늬가 나타나기도 하는데, 이를 층리라고 한다.

③ 규암과 편암은 편마암처럼 높은 열과 압력을 받아 생성되지만, 석회암은 퇴적물(석회 물질)이 다져지고 굳어져서 생성된다.

④ 편마암과 같은 변성암에서 볼 수 있는 줄무늬는 암석에 작용한 압력의 수직 방향으로 생긴다.

08 석영과 방해석은 밝은색 광물이고, 자철석과 흑운모는 어두운색 광물이다. 방해석은 묽은 염산과 반응하여 기포가 발생하고, 자철석은 자성이 있어 클립을 가까이 가져가면 달라붙는다.

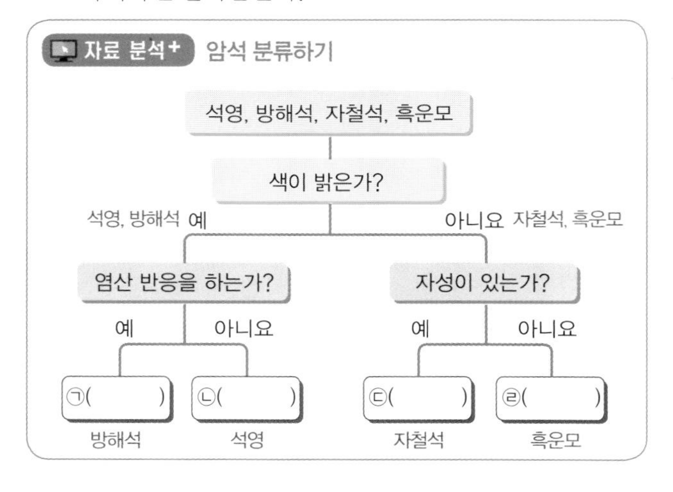

09 암석의 틈으로 스며든 물이 얼면서 부피가 커지면서 암석이 작은 조각으로 부서지는 것은 암석이 잘게 부서지는 풍화의 예이다.

10 물과 공기는 풍화를 일으키는 주요 원인이다.

11 B가 가장 나중에 만들어진 층이고, A가 생명 활동이 가장 활발한 층이다.

12 베게너가 주장한 학설은 대륙 이동설로서, 대륙이 이동하는 원동력을 설명하지 못해 당시 과학자들에게 이 학설은 인정받지 못했다. 대륙 이동의 원동력은 맨틀 대류이다.

13 대륙 지각이 있는 판을 대륙판, 해양 지각이 있는 판을 해양판이라고 한다. 대륙판의 두께는 약 100 km, 해양판의 두께는 약 70 km이다.

오답 풀이

ㄴ. 판은 지각과 맨틀의 상부를 포함한다.

ㄹ. 지구의 겉 부분은 여러 개의 판으로 이루어져 있다.

14 판들이 서로 다른 방향과 속력으로 이동하기 때문에 판의 경계에서는 지진이나 화산 활동과 같은 지각 변동이 활발하게 일어난다.

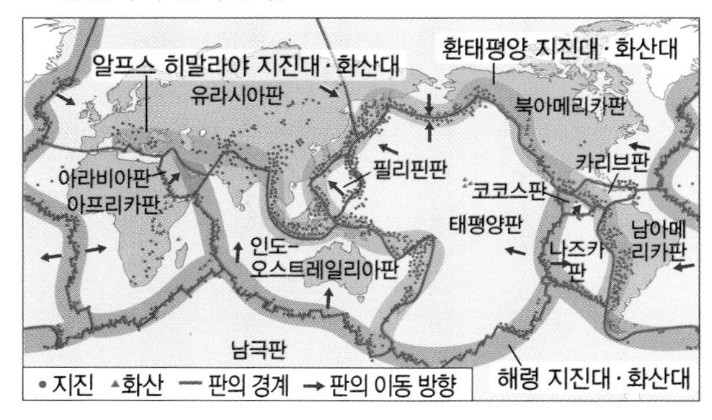

15 모범 답안 대만, 아이슬란드, 일본은 판의 경계에 위치하여 화산 활동이 활발하기 때문이다.

해설 | 대만, 아이슬란드, 일본은 판의 경계에 위치한다. 판과 판이 서로 멀어지거나 부딪치거나 어긋나는 경계에서 지각 변동이 활발하게 일어난다.

채점 기준	배점 (%)
모범 답안과 같이 서술한 경우	100
판의 경계라는 단어를 빼고 서술한 경우	50

16 규모의 숫자가 클수록 강한 지진이고, 지진이 발생한 지점에서 멀어지면 일반적으로 진도는 작아지지만 규모는 같은 값을 가진다.

자료 분석+ 지진의 진도 비교

진도 Ⅱ	매달린 물체가 약하게 흔들린다.
진도 Ⅳ	정지해 있는 자동차가 흔들린다.
진도 Ⅵ	모든 사람이 진동을 느끼고 가구가 흔들린다.
진도 Ⅷ	무거운 가구가 넘어지고 굴뚝이 붕괴된다.
진도 Ⅹ	지표면이 갈라지고 기차 선로가 휘어진다.
진도 Ⅻ	물체가 공중으로 튀어오르고 땅이 출렁거린다.

17 수돗물이 아래로 흐르고 놀이 기구가 아래로 떨어지며 고드름이 아래쪽으로 얼어붙는 것은 지구 중력이 작용하기 때문이다.

18 물체가 무겁다는 것은 중력의 크기가 크게 작용한다는 것이다. 또 중력이 작용하는 방향은 항상 지구 중심 방향이다. 따라서 지구상의 모든 물체는 항상 지구 중심 방향으로 떨어진다.

19 물체의 질량은 고유한 양이므로 장소에 따라 변하지 않는다. 따라서 사과 1개의 질량을 달에서 측정하면 지구에서와 마찬가지로 50 g인 추 6개와 수평을 이룬다.

자료 분석+ 양팔저울로 측정하는 질량

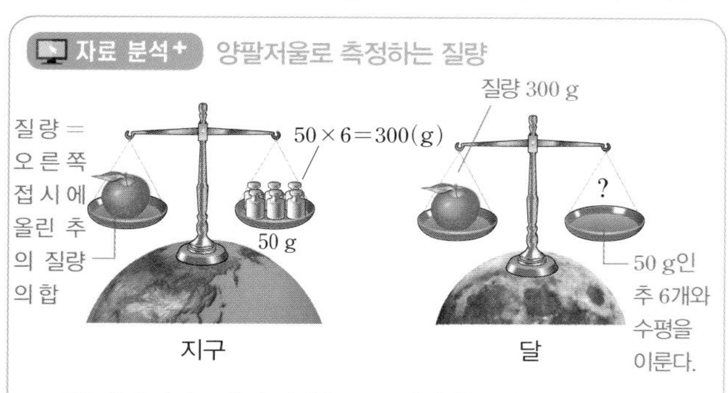

- 지구에서 사과 1개의 질량은 50 g짜리 추 6개와 수평을 이룬다.
- 질량은 측정 장소에 따라 변하지 않는 물체 고유한 양이다.
- 달에서도 사과 1개의 질량은 지구에서와 같은 300 g이다.

20 물체의 무게(N)=9.8×질량(kg), C=9.8×A

측정 장소	질량(kg)	무게(N)
지구	A	C
달	B	D

달에서의 무게는 지구에서의 $\frac{1}{6}$배이므로 $D=C\times\frac{1}{6}$, 질량은 장소에 따라 변하지 않는 물체 고유한 양이므로 A=B이다.

학교시험 기본 테스트 2회

60~63쪽

01 ①, ③　02 (라)　03 나연, 해설 참조
04 ③　05 ①　06 ①　07 ⑤　08 (가)　09 ③
10 ⑤　11 ②　12 ③　13 ②, ④　14 ①, ②
15 ④　16 환태평양　17 ①　18 ⑤　19 ②
20 ①, ③

01 빙하는 수권에 속하고, 석탄은 지권, 수증기는 기권에 속한다. 지권은 토양과 암석으로 이루어진 지구 표면과 내부 영역을 말한다.

02 (가)는 지권과 기권, (나)는 외권과 기권, (다)는 기권과 생물권 사이에서 일어나는 자연 현상이다.

03 모범 답안 나연, 변성암에서는 엽리라는 줄무늬를 볼 수 있다고 해.

해설 | 암석이 지하 깊은 곳에서 높은 열과 압력을 받으면 변성암이 되는데, 이때 생긴 줄무늬를 엽리라고 한다. 층리는 알갱이의 크기나 색이 다른 퇴적물이 번갈아 쌓여 나타난 줄무늬로, 퇴적암에서 볼 수 있다.

채점 기준	배점(%)
모범 답안과 같이 서술한 경우	100
옳지 않게 설명한 사람 이름만 정확하게 쓴 경우	50

04 지권은 지구 표면에서부터 지각, 맨틀, 외핵, 내핵으로 이루어져 있다. 지각은 대륙 지각과 해양 지각으로 구성되어 있다.

오답 풀이

① 지각은 토양과 암석으로 이루어져 있으며, 고체 상태이다. 지각, 맨틀, 외핵, 내핵 중 액체 상태인 층은 외핵이다.
② 대륙 지각은 해양 지각보다 두께가 두껍다.
④ 맨틀은 주로 암석으로 되어 있고, 외핵은 주로 철과 니켈로 이루어져 있다.

⑤ 지각은 지구의 겉 부분으로 두께가 가장 얇은 층이다. 지각, 맨틀, 외핵, 내핵 중 가장 두꺼운 층은 맨틀이다.

자료 분석+ 지구 내부 조사 방법

시추법	화산 분출물 조사	지진파 분석
땅을 직접 파서 지구 내부를 조사하는 방법	화산이 분출할 때 나오는 물질을 조사하는 방법	지진파를 분석하여 지구 내부를 조사하는 방법

05 암석은 생성 과정에 따라 크게 화성암, 퇴적암, 변성암으로 구분한다. (가) 대리암, 편마암은 변성암이고, (나) 화강암, 현무암은 화성암이며, (다) 석회암, 역암은 퇴적암이다.

구분	생성 과정
화성암	마그마가 지표로 흘러나오거나 지하에서 식어서 굳어진 암석
퇴적암	퇴적물이 다져지고 굳어져서 만들어진 암석
변성암	높은 열과 압력을 받아 성질이 변하여 만들어진 암석

06 편암과 대리암은 변성암이고, 반려암은 화성암이다. 셰일은 퇴적암으로, 진흙으로 만들어졌다.

07 반려암과 화강암은 마그마가 지하 깊은 곳에서 천천히 식어서 만들어진 심성암이다. 심성암 중 알갱이의 크기가 크고, 색깔이 밝은 암석은 화강암이다.

자료 분석+ 현무암과 화강암 비교

구분	현무암	화강암
종류	화산암	심성암
생성 장소	지표 부근	지하 깊은 곳
마그마 냉각 속도	빠르다	느리다
알갱이 크기	작다	크다
색	어두운색	밝은색
이용	돌하르방, 맷돌	축대, 비석, 돌탑

08 (가)는 변성암, (나)는 퇴적암, (다)는 화성암에 해당한다.

자료 분석+ 암석의 순환 과정

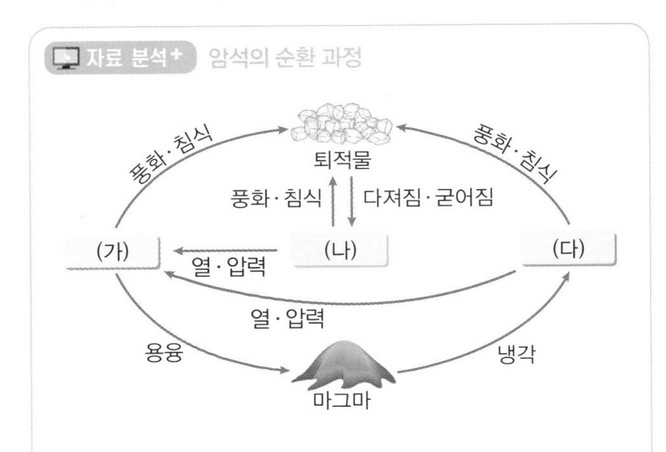

• (가)는 암석이 열과 압력을 받아 변성된 변성암이다.
• (나)는 퇴적물이 다져지고 굳어져서 만들어진 퇴적암이다.
• (다)는 마그마가 냉각되어 만들어진 화성암이다.

09 조암 광물은 지구의 암석을 구성하는 주된 광물을 뜻한다. 지각을 구성하는 광물 중 가장 큰 부피를 차지하는 것은 장석이고, 그 다음은 석영이다.

자료 분석+ 조암 광물의 부피 비

• 조암 광물은 전체 광물 중 약 20여 종이다.
• 대표적인 조암 광물에는 장석, 석영, 휘석, 각섬석, 흑운모, 감람석 등이 있다.
• 지각을 이루는 조암 광물의 부피 비 : 장석(약 51 %) > 석영(약 12 %) > 휘석(약 11 %) > 기타
• 조암 광물에 공통적으로 포함된 원소 : 산소, 규소

10 (가)는 석영, (나)는 황동석, (다)는 방해석, (라)는 자철석이다. 석영은 방해석보다 단단하고, 방해석은 묽은 염산을 떨어뜨리면 흰색 거품이 발생한다. 금, 황동석, 황철석은 겉보기 색이 노란색으로 모두 같지만, 조흔색이 녹흑색인 것은 황동석이다. 자철석은 자성을 가지고

있어 쇠붙이를 끌어당기는 성질이 있다.

11 석영, 장석은 밝은색 광물이고, 휘석, 흑운모, 각섬석, 감람석은 어두운색 광물이다.

12 암석이 풍화되어 잘게 부서지는 과정이 반복되어 식물이 잘 자랄 수 있는 겉 부분의 흙(토양)이 만들어진 다음, 물에 녹은 물질과 진흙 등이 아래로 내려와 쌓인다. 이후 다양한 식물이 자라면서 토양이 두꺼워진다.

13 베게너가 주장한 학설은 대륙 이동설로서, 대륙이 이동하는 원동력을 설명하지 못해 당시 과학자들에게 이 학설은 인정받지 못했다.

자료 분석+ 대륙의 이동

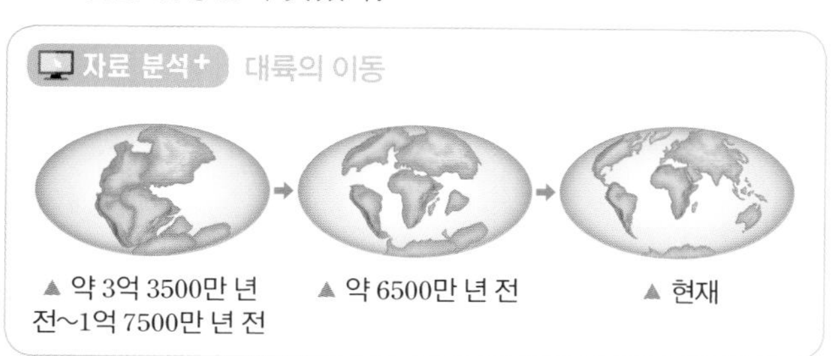

▲ 약 3억 3500만 년 전~1억 7500만 년 전 ▲ 약 6500만 년 전 ▲ 현재

14 지각과 맨틀의 상부를 이루고 있는 암석층은 여러 개의 크고 작은 조각으로 나뉘어 있는데, 이 조각을 판이라고 한다. 대륙 지각을 포함하는 판을 대륙판, 해양 지각을 포함하는 판을 해양판이라고 한다.

자료 분석+ 판의 구조

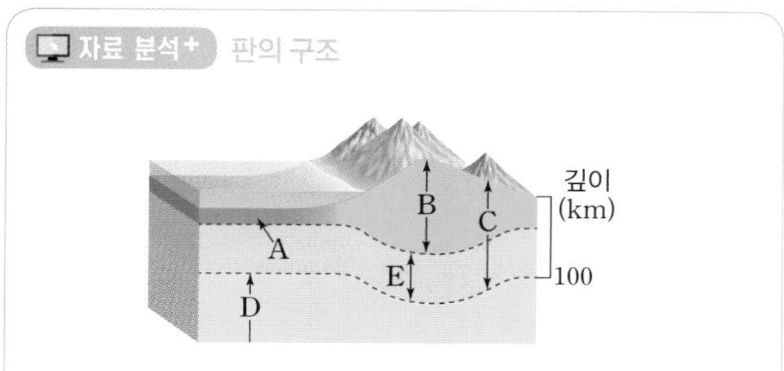

- A는 해양 지각이고, B는 대륙 지각이다.
- C는 대륙판이고, A+E는 해양판이다.
- D와 E는 맨틀이다.
- A와 E 사이나 B와 E 사이의 점선은 모호면(모호로비치치 불연속면)이다.

15 진도는 지진의 진동과 피해 정도를 기준으로 로마 숫자로 나타낸다.

구분	규모	진도
정의	지진으로 방출된 에너지양	지진의 진동과 피해 정도
표시 방법	아라비아 숫자로 소수 첫째 자리까지 표시 예 5.3	로마 숫자(I~XII)로 표시 예 IV
특징	진앙으로부터의 거리에 관계없이 일정하다.	진앙에 가까울수록 대체로 크다.

16 전 세계에서 발생하는 지진과 화산 활동의 70 % 이상이 환태평양 지진대 또는 환태평양 화산대에서 발생한다.

17 중력은 항상 당기는 힘으로 작용하며 물체의 질량에 따라 중력의 크기는 다르다. 중력의 크기, 즉 무게는 물체의 질량에 비례한다.

18 양팔저울, 윗접시 저울로 측정하는 것은 질량이다. 질량의 단위는 kg를 사용하며 왼쪽 접시에 물체를, 오른쪽 접시에 추를 올려놓아 수평을 이룰 때 추의 질량의 합=물체의 질량이다.

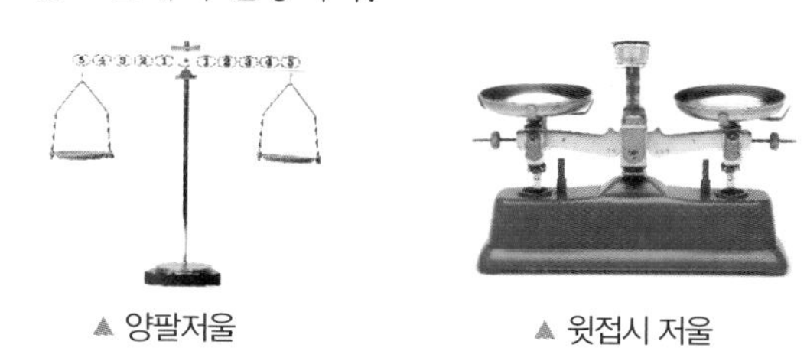

▲ 양팔저울 ▲ 윗접시 저울

19 무게는 중력의 크기로 물체의 질량이 클수록 크다. 달에서의 무게는 지구에서의 $\frac{1}{6}$배이다. 질량은 물체의 고유한 양으로 측정 장소에 따라 변하지 않으므로 달에서의 질량은 지구에서와 같다.

구분	무게	질량
① 단위	kg, g	N
② 뜻	중력의 크기	물체의 고유한 양
③ 측정	윗접시 저울	용수철저울
④ 특징	장소에 따라 변하지 않는다.	장소에 따라 변할 수 있다.
⑤ 달에서	지구에서의 $\frac{1}{6}$배 정도이다.	변하지 않는다.

20 6 kg인 물체의 화성에서 무게$=\frac{1}{3}\times 6\times 10=20$(N)

달에서의 무게$=\frac{1}{6}\times 6\times 10=10$(N)

목성에서 무게$=2.5\times 6\times 10=150$(N)

질량은 측정 장소에 따라 변하지 않는 물체의 고유한 양이므로 6 kg인 물체의 질량은 어디서나 그대로 6 kg이다.

자료 분석+ 중력의 크기

천체	지구	달	화성	목성
중력의 상대적 크기 (무게 비교)	1	$\frac{1}{6}$ ($\frac{1}{6}$배)	$\frac{1}{3}$ ($\frac{1}{3}$배)	2.5 (2.5배)

(지구, 달, 화성, 목성: 측정 장소)

- 중력의 크기는 무게이며 무게는 측정 장소에 따라 변한다.
- 지구에서의 중력의 크기를 1로 했을 때 달에서는 $\frac{1}{6}$배로 감소하고 화성에서는 $\frac{1}{3}$배로 감소한다.
- 지구 중력보다 큰 목성에서는 지구에서의 2.5배 증가한다.

초등에 나오는 과학 용어 풀이

❶ 공기 (빌 空, 기운 氣)

지구를 둘러싸고 있는 냄새와 색깔이 없는 투명한 ❶ [ ]로, 동물과 식물이 ❷ [ ]을 쉬는 데 이용

답 ❶ 기체 ❷ 숨

예1 공기의 움직임을 바람이라고 한다.

예2 공기는 질소와 산소가 주성분으로 되어 있으며, 소량의 다른 기체와 이산화 탄소 등이 포함되어 있다.

❷ 질소 (막을 窒, 본디 素)

공기의 대부분을 차지하는 ❶ [ ]로, 우리 주변에서 쉽게 구할 수 있으며, 색, 맛, ❷ [ ]가 없다.

답 ❶ 기체 ❷ 냄새

예1 과자봉지에 질소를 넣어서 포장하면 과자가 상하는 것을 막아 준다.

예2 질소는 인체에 해롭지 않기 때문에 식품 포장, 충전제 등에 이용된다.

❸ 산소 (초 酸, 본디 素)

공기의 주성분이며 냄새와 색깔이 없는 기체로, 생명체가 살아가는 데 매우 중요하며 ❶ [ ]이나 촛불과 같이 물질이 ❷ [ ]할 때 필요한 기체

답 ❶ 모닥불 ❷ 연소

예1 생물이 호흡을 할 때에는 산소를 들이마시고, 이산화 탄소를 내뱉는다.

예2 산소는 철, 구리, 알루미늄과 같은 금속을 녹슬게 한다.

❹ 태양 (클 太, 볕 陽) 에너지

태양으로부터 오는 열과 빛 형태의 에너지를 말하며, 태양 ❶ [ ] 에너지라고도 한다.

답 ❶ 복사

예1 태양의 고도가 높을수록 지표면이 받는 태양 에너지의 양이 많아진다.

예2 지구계의 주요 에너지원은 외권에서 오는 태양 에너지이다.

⑤ 현무암(검을 玄, 굳셀 武, 바위 巖)

지표 가까이에서 ❶ [ ]이 빨리 식어서 만들어진 화산암 중 어두운 암석

▲ 현무암

▲ 현무암의 이용

답 ❶ 용암

예1 제주도에 있는 용두암과 돌하르방은 현무암으로 되어 있다.

예2 현무암에서 볼 수 있는 크고 작은 구멍은 화산이 분출할 때 용암에서 가스 성분이 빠져나간 자리이다.

⑥ 화강암(꽃 花, 산등성 崗, 바위巖)

지하 깊은 곳에서 마그마가 ❶ [ ] 식어서 만들어진 화강암 중 밝은 암석

▲ 화강암

▲ 화강암의 이용

답 ❶ 서서히

예1 설악산에는 화강암으로 된 바위가 많다.

예2 화강암은 축대, 비석, 석탑, 건축 자재용 등으로 이용된다.

⑦ 퇴적물(흙무더기 堆, 쌓을 積, 만물 物)

풍화된 암석의 알갱이나 생물의 ❶ [ ] 따위가 ❷ [ ]이나 바람 등에 의해 운반되어 땅 표면에 쌓인 물질

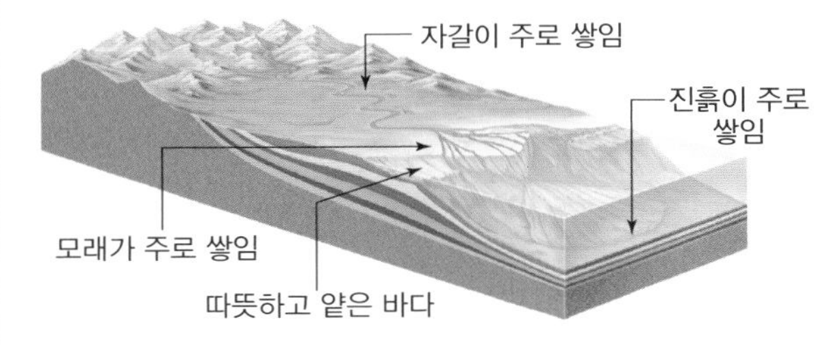

답 ❶ 몸체 ❷ 물

예1 지층은 퇴적물이 층층이 쌓여서 굳어진 것을 말한다.

예2 퇴적물은 이동하는 과정에서 모난 부분이 깎이면서 둥글게 변한다.

⑧ 퇴적암(흙무더기 堆, 쌓을 積, 바위 巖)

퇴적물이 쌓이고 오랜 시간 동안 ❶ [ ]지고 굳어져서 만들어진 암석

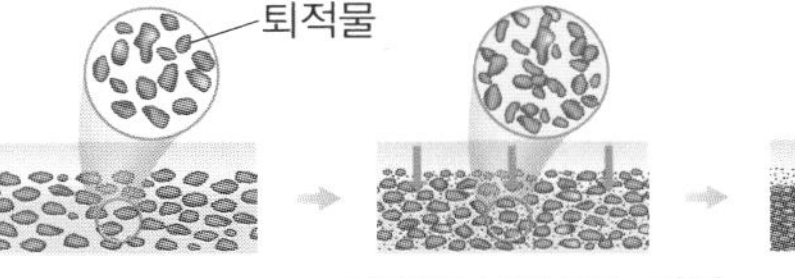

▲ 퇴적암이 생성되는 과정

답 ❶ 다져

예1 퇴적암은 알갱이의 크기에 따라 셰일(이암), 사암, 역암으로 분류할 수 있다.

예2 퇴적암을 통해 과거 퇴적 당시의 환경을 알 수 있다.

❾ 이암 (진흙 泥, 바위 巖)

알갱이의 크기가 ❶ [ ] 과 같이 작은 것이 굳어져서 만들어진 암석으로, 이암 또는 ❷ [ ] 이라고 한다.

▲ 셰일(이암)

답 ❶ 진흙 ❷ 셰일

예1 이암은 알갱이의 크기가 매우 작은 암석이다.

예2 갯벌이나 해안에서 먼 곳에서는 진흙이 쌓여 셰일(이암)이 생성된다.

❿ 사암 (모래 沙, 바위 巖)

알갱이의 크기가 진흙보다 더 큰 ❶ [ ] 가 주로 굳어져서 만들어진 퇴적암

▲ 사암

답 ❶ 모래

예1 사암은 알갱이 크기를 눈으로 구분하기 쉽지만, 셰일(이암)은 알갱이 크기를 눈으로 구분하기 어렵다.

예2 사암은 퇴적물의 알갱이가 역암보다 작다.

⓫ 역암 (자갈 礫, 바위 巖)

모래보다 알갱이가 더 큰 ❶ [ ] 이 주로 굳어져서 만들어진 퇴적암

▲ 역암

답 ❶ 자갈

예1 자갈은 모래나 진흙보다 무거워서 해안 가까이에 쌓이므로 역암은 해안 가까이에서 생성된다.

예2 강 주변이나 자갈 등으로 이루어진 해안에서는 주로 자갈로 이루어진 역암이 생성된다.

⓬ 층리 (층 層, 다스릴 理)

퇴적물이 ❶ [ ] 하게 쌓여 굳어져서 지층이나 암석이 만들어질 때 나타나는 나란한 줄무늬로, ❷ [ ] 을 이루는 알갱이의 크기, 색, 성분 등이 달라서 생긴다.

▲ 셰일

▲ 층리

답 ❶ 수평 ❷ 층

예1 지층을 이루는 각 층의 경계에서 줄무늬가 나타나는 것을 층리라고 한다.

예2 암석에서 볼 수 있는 줄무늬가 모두 층리인 것은 아니다. 변성암인 편마암에서 나타나는 줄무늬는 엽리이다.

⑬ 화석(될 化, 돌 石)

과거에 살았던 ❶ ☐ 의 몸체나 ❷ ☐ 이 암석이나 지층 속에 남아 있는 것

▲ 고사리 화석

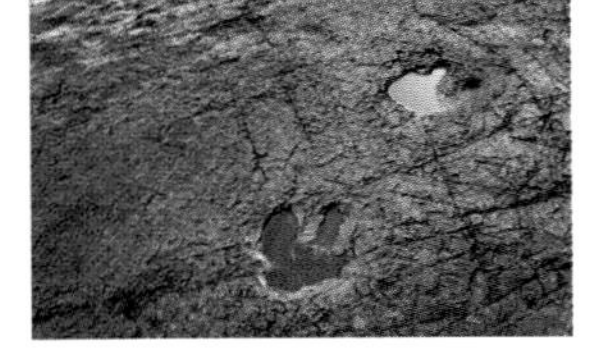

▲ 공룡 발자국 화석

답 ❶ 생물 ❷ 흔적

예1 얼음 속에서 매머드 화석이 발견되었다.

예2 산호 화석이 발견된 곳은 과거에 얕고 따뜻한 바다였다는 것을 알 수 있다.

⑭ 지진(땅 地, 벼락 震)

지구 내부의 ❶ ☐ 가 지표로 나와 ❷ ☐ 이 흔들리고 갈라지는 현상

답 ❶ 에너지 ❷ 땅

예1 일본은 우리나라보다 지진과 화산 활동이 자주 발생한다.

예2 우리나라는 지진의 안전 지대가 아니다.

⑮ 무게

지구가 물체를 ❶ ☐ 힘의 크기로, 물체의 무겁고 가벼운 정도는 무게로 비교한다. 또 무게는 측정하는 ❷ ☐ 에 따라 크기가 달라진다.

▲ 지구에서 몸무게를 재는 경우

▲ 달에서 몸무게를 재는 경우

답 ❶ 당기는 ❷ 장소

예1 달에서는 우주인의 몸무게가 지구에서보다 가벼워져 껑충껑충 이동한다.

예2 소포를 보낼 때 물체의 무게가 무거울수록 운송 비용이 많이 든다.

⑯ N(뉴턴)

힘의 크기를 나타내는 단위로, 중력을 발견한 과학자 ❶ ☐ 의 이름에서 따온 것이다. ❷ ☐ 는 중력의 크기이므로 단위도 힘의 단위인 뉴턴을 사용한다.

▲ 뉴턴(Newton, I., 1642~1727)

답 ❶ 뉴턴 ❷ 무게

예1 물체의 운동에 관한 만유인력의 법칙을 발견한 과학자는 뉴턴이다.

예2 사과 한 개의 무게는 2 N이고 배 한 개의 무게가 3 N이라면 배는 사과보다 무겁다.

핵심 정리 01 지구계

● 지구계의 구성 요소

지권	토양과 암석으로 이루어진 지구 표면과 지구 내부 영역
수권	❶ [　　] 이 존재하는 영역 (예 해수, 빙하, 지하수, 강과 호수 등)
기권	지구 표면을 둘러싸고 있는 공기의 층
생물권	사람을 비롯한 지구에 사는 모든 생명체
외권	기권 바깥의 우주 공간 (예 태양, 별, 은하 등)

● 지구계의 상호 작용

지구계를 구성하는 요소들은 서로 ❷ [　　] 을 주고받으며 지구에서는 다양한 자연 현상이 일어난다.

예 파도(수권)가 해안 지형(지권)을 깎아 동굴을 만든다.

예 생물(생물권)이 생활하는 데 물(수권)이 필요하다.

답 ❶ 물 ❷ 영향

핵심 정리 02 지권의 층상 구조

● 지권의 층상 구조

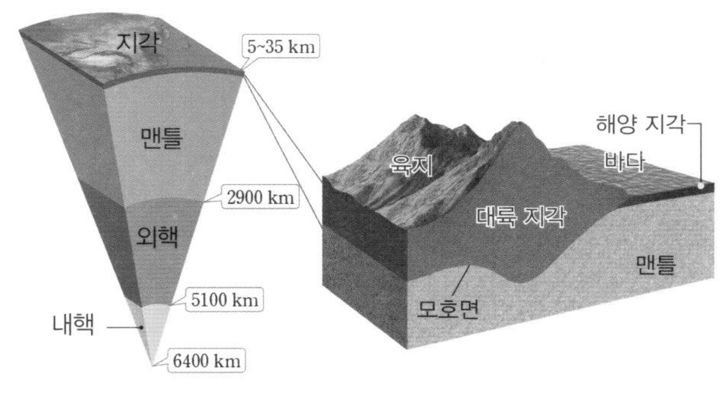

지각	• 지권의 가장 바깥에 있는 층으로, 두께가 가장 ❶ [　　]. • 대륙 지각과 해양 지각으로 구분
맨틀	지구 전체 부피의 약 80 %를 차지함.
외핵	❷ [　　] 상태이며 주로 철과 니켈로 이루어짐.
내핵	고체 상태이며 주로 철과 니켈로 이루어짐.

답 ❶ 얇음 ❷ 액체

핵심 정리 03 화성암

● 화성암 마그마 또는 용암이 식어서 굳어진 암석

● 화산암과 심성암 화성암은 마그마가 냉각되는 위치에 따라 화산암과 심성암으로 구분한다.

구분	화산암	심성암
생성 위치	❶ [　　]	지하 깊은 곳
마그마의 냉각 속도	빠르다	느리다
알갱이 크기	작다	❷ [　　]

● 화성암의 종류

알갱이 크기 \ 색	어둡다	밝다
작다(화산암)	현무암	유문암
크다(심성암)	반려암	화강암

작다 ↑ 알갱이 크기 ↓ 크다 / 현무암, 유문암, 반려암, 화강암 / 어둡다 ←— 색 —→ 밝다

답 ❶ 지표 부근 ❷ 크다

핵심 정리 04 퇴적암과 변성암

● 퇴적암 퇴적물이 다져지는 작용과 굳어지는 작용을 받아 만들어진 암석(특징 : ❶ [　　], 화석)

● 퇴적암의 종류 알갱이의 크기와 퇴적물의 종류에 따라 구분

주요 퇴적물	자갈	모래	진흙	석회 물질	화산재
퇴적암	역암	사암	셰일(이암)	석회암	응회암

● 변성암 기존의 암석이 높은 열과 압력을 받아 ❷ [　　] 이 변한 암석(특징 : 엽리, 큰 광물 결정)

● 변성암의 종류 원래 암석의 종류와 변성 정도에 따라 구분

원래의 암석	화강암	석회암	사암	셰일(이암)
변성암	편마암	대리암	규암	편암→편마암

답 ❶ 층리 ❷ 성질

절취선에 따라 카드를 잘라서 활용하세요.

01 이것만은 꼭! 지구계의 구성 요소

[예제] **그림은 지구계의 구성 요소 중 한 가지를 나타낸 것이다. 그림과 같은 권역에 속하는 것을 〈보기〉에서 모두 고른 것은?**

보기		
ㄱ. 태양	ㄴ. 빙하	ㄷ. 석유
ㄹ. 식물	ㅁ. 토양	ㅂ. 물

① ㄱ, ㄴ　② ㄴ, ㄷ　✓③ ㄴ, ㅂ
④ ㄹ, ㅁ　⑤ ㅁ, ㅂ

기억해요!

수권은 지구계에서 [　　] 이 존재하는 영역으로, 이 영역의 대부분을 차지하는 것은 [　　] 이다.

답 물, 해수

02 이것만은 꼭! 지권의 층상 구조

[예제] **지권의 층상 구조에 대한 설명으로 옳은 것을 〈보기〉에서 모두 고른 것은?**

보기
ㄱ. 지각은 대륙 지각과 해양 지각으로 구분한다.
ㄴ. 지구 내부 중 내핵은 액체 상태이다.
ㄷ. 지권의 층상 구조에서 가장 두꺼운 층은 맨틀이다.
ㄹ. 외핵은 주로 토양과 암석으로 이루어져 있다.

① ㄱ　② ㄴ　③ ㄷ
✓④ ㄱ, ㄷ　⑤ ㄴ, ㄹ

기억해요!

지구 내부는 [　　] 의 빠르기가 급격히 변하는 지점을 기준으로 지표면으로부터 지각, [　　], 외핵, 내핵으로 구분한다.

답 지진파, 맨틀

03 이것만은 꼭! 화성암

[예제] **다음과 같이 화성암을 분류한 기준으로 옳은 것은?**

현무암, 반려암	유문암, 화강암

① 마그마가 식는 속도
② 암석이 생성되는 위치
③ 마그마가 냉각되는 위치
✓④ 암석의 밝고 어두운 정도
⑤ 암석을 구성하는 알갱이(광물)의 크기

기억해요!

화성암은 마그마가 냉각되는 [　　] 에 따라 [　　] 과 심성암으로 구분한다.

답 위치, 화산암

04 이것만은 꼭! 퇴적암과 변성암

[예제] **퇴적암의 특징에는 '퇴', 변성암의 특징에는 '변'이라고 쓰시오.**

(1) 층리가 나타나고 화석이 발견되기도 한다. (퇴)
(2) 높은 열과 압력을 받아서 만들어진다. (변)
(3) 알갱이의 크기와 퇴적물의 종류에 따라 구분한다. (퇴)
(4) 광물 결정의 크기가 크며, 엽리를 볼 수 있다. (변)

기억해요!

퇴적암에서는 층리와 [　　] 을 볼 수 있고, [　　] 에서는 엽리와 큰 광물 결정을 볼 수 있다.

답 화석, 변성암

핵심 정리 05 암석의 순환

- **암석의 순환** 암석이 주위 환경에 따라 끊임없이 다른 암석으로 변하는 과정
- **암석의 순환 과정** 암석의 순환은 특정한 순서로 일어나지 않고, 다양하게 일어난다.

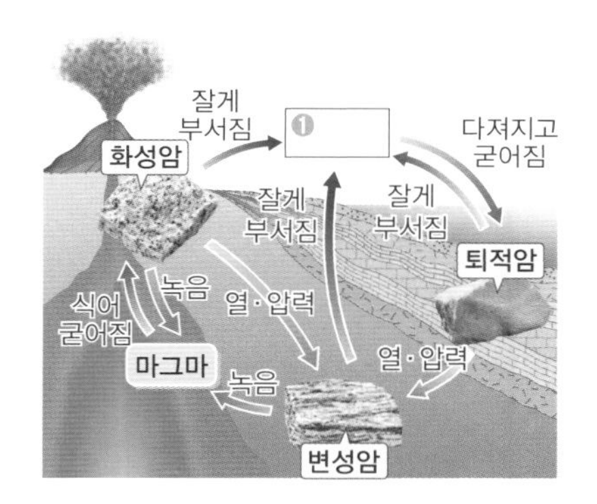

예 • 마그마가 식는다. → 화성암
- 암석이 풍화되어 잘게 부서진다. → 퇴적물
- 퇴적물이 다져지고 굳어진다. → 퇴적암
- 암석이 열과 압력을 받아 성질이 변한다. → ❷ (　　　)
- 암석이 더 높은 열을 받아 녹는다. → 마그마

답 ❶ 퇴적물 ❷ 변성암

핵심 정리 06 광물의 특성

- **색** 광물이 띠고 있는 ❶ (　　　) 색

밝은색 광물	어두운색 광물
예 장석, 석영	예 휘석, 각섬석, 흑운모, 감람석

- **조흔색** 조흔판에 긁었을 때 나오는 광물 가루의 색

겉보기 색이 노란색인 광물			겉보기 색이 검은색인 광물		
금	황동석	황철석	흑운모	자철석	적철석
노란색	❷ (　　　)	검은색	흰색	검은색	적갈색

- **굳기** 광물의 단단하고 무른 정도로, 광물끼리 서로 긁어서 확인한다. 예 석영의 굳기(긁히지 않음) > 방해석의 굳기(긁힘)
- **염산 반응** 염산과 반응하여 거품이 발생하는 성질
  예 방해석에 묽은 염산을 떨어뜨리면 거품이 발생한다.
- **자성** 광물이 자석처럼 쇠붙이를 끌어당기는 성질
  예 자철석에 클립을 갖다 대면 클립이 달라붙는다.

답 ❶ 겉보기 ❷ 녹흑색

핵심 정리 07 풍화

- **풍화** 암석이 오랜 시간에 걸쳐 잘게 부서지거나 암석의 성분이 변하는 현상 → 물, 공기, 생물 등에 의해 일어난다.
- **풍화 작용의 예**

▲ 물이 어는 작용

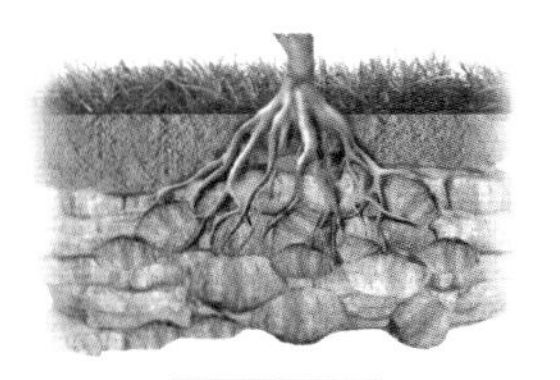
▲ 식물 ❶ (　　　)의 작용

▲ ❷ (　　　)의 용해 작용

▲ 이끼의 작용

답 ❶ 뿌리 ❷ 지하수

핵심 정리 08 토양의 생성

- **토양** 암석이 오랫동안 ❶ (　　　) 작용을 받아 잘게 부서지고 성분이 변하여 만들어진 식물이 잘 자랄 수 있는 흙
- **토양의 단면**

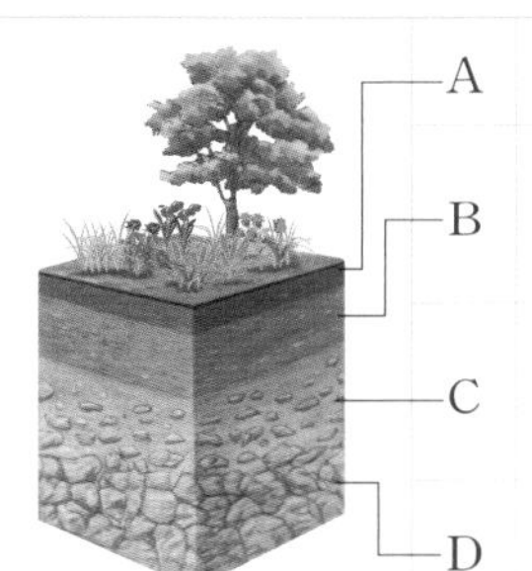

A 생명 활동이 가장 활발한 층
B A에서 빗물에 녹은 물질이 쌓여서 만들어진 층
C 암석 조각과 모래로 이루어진 층
D 풍화되지 않은 암석

- **토양의 생성 과정** D → C → A → ❷ (　　　)
  ① 암석이 풍화되어 잘게 부서지기를 반복한다.
  ② 식물이 잘 자랄 수 있는 흙이 만들어진다.
  ③ 다양한 식물이 자라면서 토양이 두꺼워진다.

답 ❶ 풍화 ❷ B

06 이것만은 꼭! 광물의 특성

[예제] 금, 황동석, 황철석은 겉보기 색이 노란색이다. 이 세 광물을 구별하는 가장 좋은 방법은?

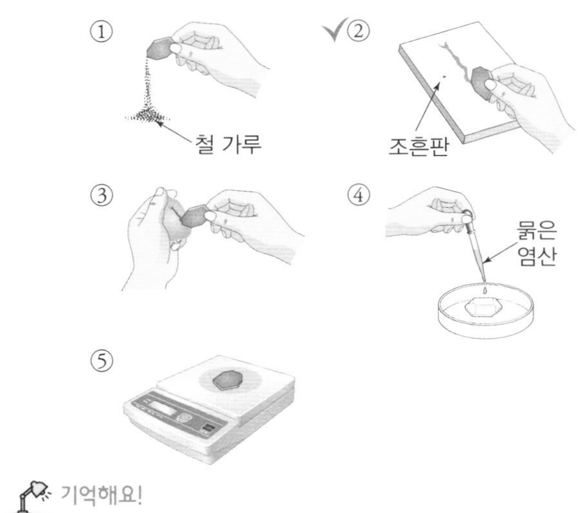

기억해요!

석영과 방해석은 겉보기에 둘 다 흰색이지만, □이 더 단단하고, □은 묽은 염산에 반응한다.

답 석영, 방해석

05 이것만은 꼭! 암석의 순환

[예제] 그림은 암석의 순환을 나타낸 것이다.

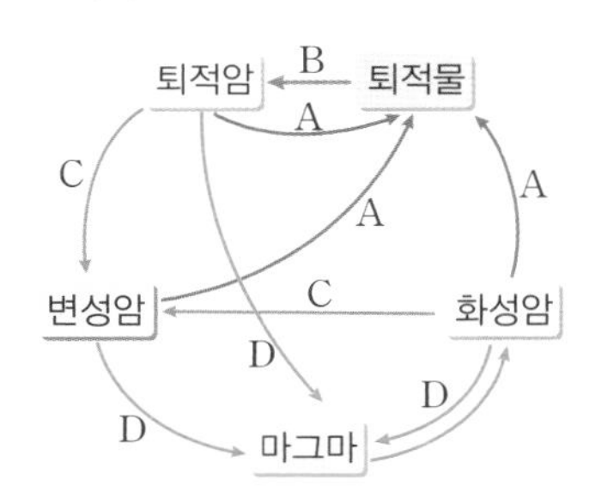

B에 들어갈 알맞은 과정은?

① 녹음 ② 잘게 부서짐
③ 식어 굳어짐 ✓④ 다져지고 굳어짐
⑤ 높은 열과 압력을 받음

기억해요!

암석이 지하 깊은 곳에서 열과 압력을 받으면 □이 되고, 더 높은 열과 압력을 받아 녹으면 □가 된다. 마그마가 식어 굳으면 □이 된다.

답 변성암, 마그마, 화성암

08 이것만은 꼭! 토양의 생성

[예제] 그림은 토양의 단면을 나타낸 것이다. 이에 대한 설명으로 옳은 것만을 〈보기〉에서 있는 대로 고르시오.

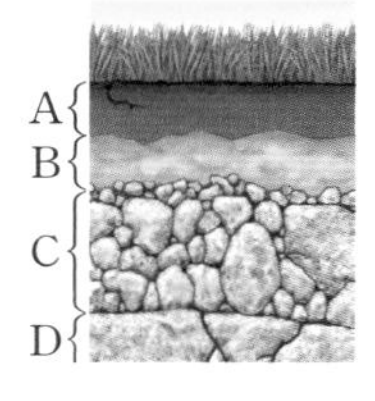

보기

ㄱ. A층은 가장 나중에 만들어진 것이다.
✓ㄴ. B층은 A층에서 물에 녹은 물질이 밑으로 내려가서 형성된다.
ㄷ. D층은 C층에서 풍화된 암석 조각과 모래로 이루어진 층이다.

기억해요!

토양은 암석이 오랫동안 □ 작용을 받아 잘게 부서지거나 성분이 변하여 만들어진 흙이다. 암석이 풍화를 받으면 점차 □ 토양층이 만들어진다.

답 풍화, 두꺼운

07 이것만은 꼭! 풍화

[예제] 암석의 풍화 작용에 대한 설명으로 옳지 않은 것은?

① 바위 틈새로 식물의 뿌리가 자란다.
② 지하수가 흐르면서 석회암을 녹인다.
✓③ 화산 활동으로 지하의 마그마가 분출한다.
④ 암석에서 자라는 이끼가 암석의 성분을 변화시킨다.
⑤ 암석의 틈으로 스며든 물이 얼었다가 녹는 과정이 반복되면서 암석이 부서진다.

기억해요!

암석이 오랜 시간에 걸쳐 잘게 부서지거나 암석의 □이 변하는 현상을 풍화라고 한다. 대부분의 풍화는 여러 가지 풍화 작용이 □으로 일어난다.

답 성분, 복합적

핵심 정리 09 대륙 이동설

● **대륙 이동설** 과거에 대륙이 하나로 붙어 판게아를 형성하였다가 여러 대륙으로 분리, 이동하여 현재와 같은 분포가 되었다는 학설로, ❶ ______ 가 주장함.

● **대륙 이동의 증거**

해안선 모양	남아메리카 대륙의 동쪽과 아프리카 대륙의 서쪽 해안선 모양이 잘 들어맞는다.
산맥의 분포	북아메리카와 유럽 대륙의 산맥 분포가 하나로 이어진다.
빙하의 흔적	대륙에 남아 있는 빙하의 흔적이 ❷ ______ 대륙 중심으로 하나로 연결된다.
화석의 분포	대륙을 하나로 모았을 때 글로소프테리스, 메소사우루스 화석 분포가 연결된다.

→ 대륙을 이동시키는 힘(원동력)을 설명하지 못하여 당시에는 다른 학자들에게 인정받지 못하였다.

답 ❶ 베게너 ❷ 남극

핵심 정리 10 판의 이동과 경계

● **판** 지각과 맨틀의 상부를 이루는 단단한 ❶ ______

대륙판	대륙 지각을 포함하는 판으로 두께가 두껍다.
해양판	해양 지각을 포함하는 판으로 두께가 얇다.

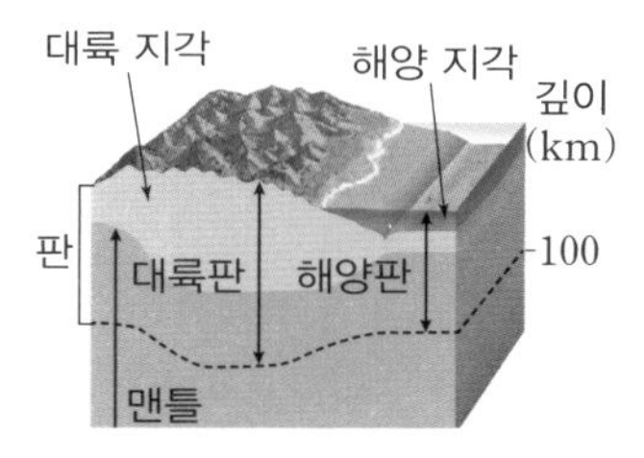

→ 지구 표면은 10여 개의 크고 작은 판으로 이루어졌다.

● **판의 이동과 경계**

- 판은 판 아래 ❷ ______ 의 움직임에 따라 서로 다른 방향과 속력으로 이동한다.
- 판과 판이 서로 멀어지거나 부딪치거나 어긋나는 경계에서 지각 변동이 일어난다.

답 ❶ 암석층 ❷ 맨틀

핵심 정리 11 지진과 지진의 세기

● **지진** 지구 내부에 쌓인 ❶ ______ 가 갑자기 방출되면서 생긴 진동이 지표로 전달되는 현상

● **지진의 세기**

구분	규모	진도
기준	지진이 발생한 지점에서 방출되는 에너지의 양	땅이 흔들린 정도나 피해 정도를 나타낸 값
표시	소수점 첫째 자리까지 아라비아 숫자로 나타냄.	로마 숫자로 나타냄.
특징	숫자가 ❷ ______ 수록 강한 지진	지진이 발생한 지점에서 가까울수록 대체로 진도가 커짐.

→ 지진이 발생했을 때 규모는 지역과 관계없이 같은 값을 갖지만, 진도는 지역에 따라 달라진다.

답 ❶ 에너지 ❷ 클

핵심 정리 12 지진대와 화산대

● **지진대와 화산대**

구분	지진대	화산대
뜻	지진이 활발하게 일어나는 지역	❶ ______ 이 활발하게 일어나는 지역
특징	• 좁고 긴 띠 모양의 형태로 나타남. • 판의 ❷ ______ 와 거의 일치함.	

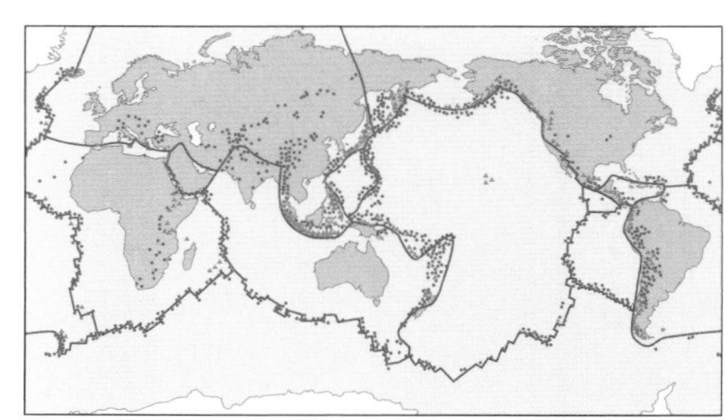
• 지진 발생 지역 ▲ 화산 활동 지역 ― 판의 경계

답 ❶ 화산 활동 ❷ 경계

10 이것만은 꼭! 판의 이동과 경계

[예제] 그림은 지구 표면 부근의 내부 구조를 나타낸 것이다.

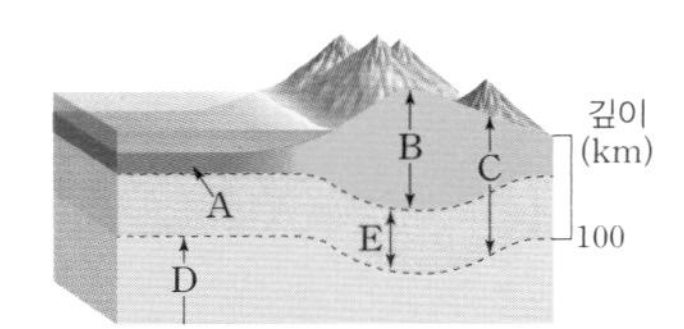

이에 대한 설명으로 옳은 것을 모두 고르면? (정답 2개)

① A와 B는 판이다.
✓② D와 E는 맨틀에 포함된다.
③ C의 두께는 언제나 일정하다.
④ A는 대륙 지각, B는 해양 지각이다.
✓⑤ C는 D의 움직임에 따라 서로 다른 방향과 속력으로 이동한다.

기억해요!

판과 판의 경계에서는 판들이 서로 부딪치고, 갈라지고, 어긋나면서 여러 가지 지각 변동이 일어난다. 대표적인 지각 변동은 [ ]과 [ ]이다.

답 지진, 화산 활동

12 이것만은 꼭! 지진대와 화산대

[예제] 화산대와 지진대에 대한 설명으로 옳지 않은 것은?

✓① 화산 활동과 지진은 항상 같이 일어난다.
② 화산대와 지진대의 위치는 거의 일치한다.
③ 화산대와 지진대는 주로 판의 경계에 위치한다.
④ 화산 활동은 태평양 가장자리에서 가장 활발하게 일어난다.
⑤ 지진과 화산 활동이 자주 발생하는 지역은 좁고 긴 띠 모양으로 분포한다.

기억해요!

지진이 활발하게 일어나는 지역을 [ ], 화산 활동이 활발하게 일어나는 지역을 [ ]라고 한다.

답 지진대, 화산대

09 이것만은 꼭! 대륙 이동설

[예제] 베게너가 주장한 대륙 이동설의 증거로 옳지 않은 것은?

✓① 여러 대륙의 화산 분포가 일치한다.
② 같은 종류의 생물 화석의 분포 지역이 연결된다.
③ 현재 떨어져 있는 두 대륙의 산맥이 연결된다.
④ 여러 대륙에 남아 있는 빙하의 흔적이 서로 연결된다.
⑤ 대서양을 사이에 둔 양쪽 두 대륙의 해안선 모양이 잘 들어맞는다.

기억해요!

대륙 이동설은 과거에 대륙이 하나로 붙어 [ ]를 형성하였다가 여러 대륙으로 분리, 이동하여 현재와 같은 분포가 되었다는 학설로, 대륙 이동의 [ ]을 설명하지 못하여 당시 과학자들에게 인정받지 못했다.

답 판게아, 원동력(힘)

11 이것만은 꼭! 지진과 지진의 세기

[예제] 지진에 관한 설명으로 옳은 것을 〈보기〉에서 모두 고른 것은?

보기

ㄱ. 지진 발생 지점에서 가까운 곳은 규모가 크고 먼 곳은 규모가 작다.
ㄴ. 진도는 진동 때문에 발생한 지면의 흔들림이나 피해 정도를 나타낸다.
ㄷ. 일본이 우리나라보다 지진이 많이 발생하는 이유는 섬이기 때문이다.

① ㄱ ✓② ㄴ ③ ㄱ, ㄴ
④ ㄴ, ㄷ ⑤ ㄱ, ㄴ, ㄷ

기억해요!

지진의 세기는 규모와 진도로 나타낸다. 지진이 발생했을 때 [ ]는 지역과 관계없이 같은 값을 갖지만 [ ]는 지역에 따라 달라진다.

답 규모, 진도

핵심 정리 13 과학에서의 힘

● **힘의 의미** 물체에 작용하여 물체의 모양, 빠르기, 운동 ❶ [ ]을 변화시키는 원인

예 운동 상태는 물체의 빠르기와 운동 방향을 말한다.

● **힘의 작용의 예**

모양 변화	운동 상태 변화	모양과 운동 상태 변화
• 고무줄이나 용수철을 늘인다.	• 굴러가던 공이 멈춘다. • 대관람차가 회전한다.	• 배트로 힘차게 쳐 낸 공은 포물선을 그리며 다시 땅으로 떨어진다.

● **힘의 표시** 힘의 크기와 방향, 작용점을 ❷ [ ]로 나타낸다.

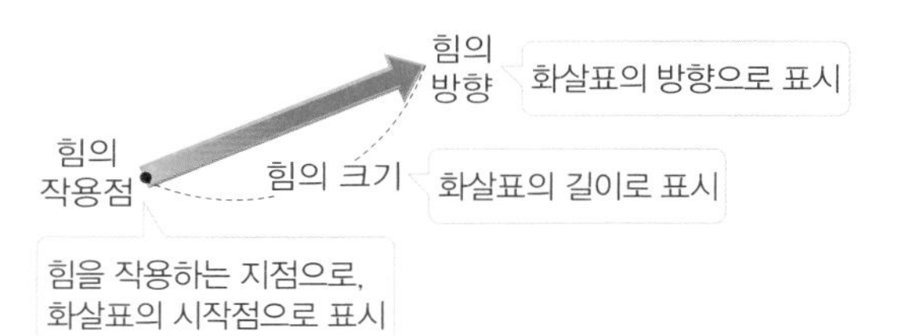

답 ❶ 방향 ❷ 화살표

핵심 정리 14 중력의 작용

● **중력** 지구가 물체를 당기는 힘

- 방향 : 지구 ❶ [ ] 방향
- 크기 : 물체의 질량이 클수록, 지구 중심에 가까울수록 크게 작용한다.
- 단위 : N(뉴턴)
- 질량 1 kg에 작용하는 중력= ❷ [ ] N

● **중력에 의한 현상**

- 수돗물이 아래로 흐른다.
- 눈과 비가 아래로 내린다.

답 ❶ 중심 ❷ 9.8

핵심 정리 15 무게와 질량

● **무게**

지구가 물체를 당기는 중력의 크기

● **무게와 질량의 비교**

구분	무게	질량
뜻	지구가 물체를 당기는 중력의 크기	물체가 가지는 고유한 양
단위	N(뉴턴)	kg(킬로그램)
측정	❶ [ ] 저울, 가정용 저울	❷ [ ] 저울, 양팔 저울
크기	측정 장소에 따라 크기가 달라짐	측정 장소에 따라 값이 변하지 않음
관계	• 무게는 질량에 비례 • 지구에서 물체의 무게(N)=9.8×질량(kg)	

예 무게는 중력의 크기에 따라 달라질 수 있지만, 질량은 중력의 크기에 관계없는 물체의 고유한 양이다.

답 ❶ 용수철 ❷ 윗접시

핵심 정리 16 지구와 달에서의 무게와 질량

● **지구와 달에서 무게**

달에서의 무게는 지구에서의 $\frac{1}{6}$배로 줄어든다. → 달의 중력은 지구 중력의 ❶ [ ]배이기 때문이다.

● **지구와 달에서 질량**

질량은 장소에 따라 변하지 않는 물체 고유한 양이므로 지구와 달에서 질량은 ❷ [ ].

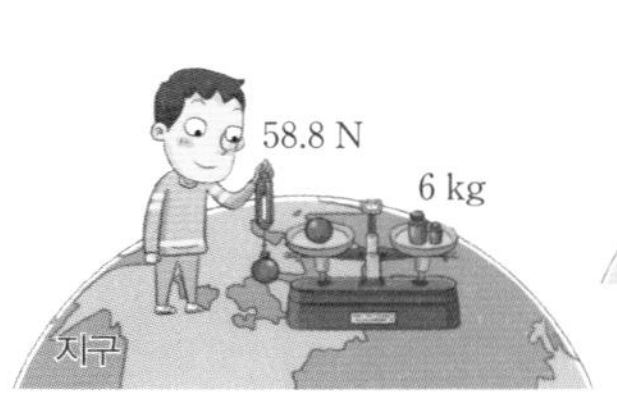

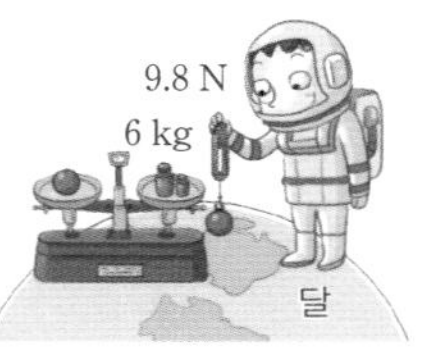

예 지구에서 질량 6 kg인 물체의 무게는 58.8 N이고, 달에서의 무게는 9.8 N이다. 질량은 달에서도 그대로 6 kg이다.

답 ❶ $\frac{1}{6}$ ❷ 같다

14 이것만은 꼭! 중력의 작용

[예제] 그림과 같이 사과가 아래로 떨어지는 현상을 설명한 것으로 옳은 것을 〈보기〉에서 모두 고른 것은?

보기
ㄱ. 사과에 작용하는 힘은 지구의 중력이다.
ㄴ. 사과는 중력이 작용하는 방향으로 떨어진다.
ㄷ. 떨어지고 있는 사과에만 중력이 작용한다.

① ㄱ　　✓② ㄱ, ㄴ　　③ ㄱ, ㄷ
④ ㄴ, ㄷ　　⑤ ㄱ, ㄴ, ㄷ

기억해요!

지구상의 모든 물체에는 지구 (　　　) 방향으로 당기는 지구의 (　　　)이 작용한다. 따라서 사과에도 사과나무에도 중력이 작용한다.

답 중심, 중력

13 이것만은 꼭! 과학에서의 힘

[예제] 밑줄 친 물체에 힘이 작용하여 모양과 운동 상태가 동시에 변하는 경우를 〈보기〉에서 모두 고른 것은?

보기
ㄱ. 용수철을 양손으로 당겨 길이를 늘였다.
ㄴ. 정지해 있던 자동차가 서서히 출발하기 시작한다.
ㄷ. 날아오는 고무공을 라켓으로 세게 쳤더니 멀리 날아갔다.

① ㄱ　　② ㄴ　　✓③ ㄷ
④ ㄱ, ㄴ　　⑤ ㄱ, ㄷ

기억해요!

과학에서의 힘은 물체의 모양, 운동 (　　　), 빠르기를 변하게 하는 원인이다. 운동 방향과 (　　　)는 운동 상태를 나타낸다. 날아오는 고무공을 세게 쳐내는 순간 모양이 찌그러졌다가 날아가면서 펴진다.

답 방향, 빠르기

16 이것만은 꼭! 지구와 달에서의 무게와 질량

[예제] 지구와 달에서의 물체의 질량과 무게에 대해 잘못 말하고 있는 사람을 모두 고른 것은?

① 유미　　✓② 기동　　③ 지희
④ 지희, 기동　　⑤ 기동, 준우

기억해요!

달에서 무게는 지구에서의 (　　　)배이다. 지구에서 질량이 60 kg인 물체의 질량은 달에서도 (　　　) kg이다.

답 $\frac{1}{6}$, 60

15 이것만은 꼭! 무게와 질량

[예제] 물체의 무게와 질량을 설명한 내용으로 옳은 것을 모두 고르면? (정답 2개)

① 무게의 단위는 kg, g을 사용한다.
② 질량은 가정용 저울, 용수철저울을 이용하여 측정한다.
✓③ 질량은 장소가 달라져도 변하지 않는 물체의 고유한 양이다.
✓④ 무게는 물체에 작용하는 중력의 크기로 측정한 장소에 따라 값이 달라진다.
⑤ 무게는 양팔저울이나 윗접시 저울로 측정하고, 단위는 N을 사용한다.

기억해요!

질량은 물체의 고유한 양으로 측정 (　　　)에 따라 값이 달라지지 않으며, 양팔저울이나 윗접시 저울로 측정하고, 단위는 (　　　)을 사용한다.

답 장소, kg

book.chunjae.co.kr

교재 내용 문의 ·· 교재 홈페이지 ▸ 중등 ▸ 교재상담
교재 내용 외 문의 ································· 교재 홈페이지 ▸ 고객센터 ▸ 1:1문의
발간 후 발견되는 오류 ·························· 교재 홈페이지 ▸ 중등 ▸ 학습지원 ▸ 학습자료실

7일 끝

기말고사

7일 끝으로 끝내자!

중학 **과학 1-1**

BOOK 2

천재교육

언제나 만점이고 싶은 친구들

Welcome!

숨 돌릴 틈 없이 찾아오는 시험과 평가,
성적과 입시 그리고 미래에 대한 걱정.
중·고등학교에서 보내는 6년이란 시간은
때때로 힘들고, 버겁게 느껴지곤 해요.

그런데 여러분, 그거 아세요?
지금 이 시기가 노력의 대가를
가장 잘 확인할 수 있는 시간이라는 걸요.

안 돼, 못하겠어, 해도 안 될 텐데-
어렵게 생각하지 말아요. 천재교육이 있잖아요.
첫 시작의 두려움을 첫 마무리의 뿌듯함으로 바꿔줄게요.

펜을 쥐고 이 책을 펼친 순간
여러분 앞에 무한한 가능성의 길이 열렸어요.

우리와 함께 꽃길을 향해 걸어가 볼까요?

#시험대비
#핵심정복

7일 끝
중간고사
기말고사

Chunjae
Makes
Chunjae

개발총괄 김은숙
편집개발 김은송, 김용하, 박준우, 박유미
제작 황성진, 조규영

발행일 2021년 3월 15일 초판 2021년 3월 15일 1쇄
발행인 (주)천재교육
주소 서울시 금천구 가산로9길 54
신고번호 제2001-000018호
고객센터 1577-0902
교재 내용문의 (02)3282-8739

※ 정답 분실 시에는 천재교육 홈페이지에서 내려받으세요.

7일 끝으로 끝내자!

중학 **과학 1-1**

BOOK 2
기 말 고 사 대 비

7일 끝 중학 과학 1-1

구성과 활용

시험 공부 시작

생각 열기

공부할 내용을 그림과 퀴즈로 쉽게 살펴보며 학습을 준비해 보세요.

❶ 그림으로 개념 잡기　학습할 개념을 그림과 만화로 재미있게 알아보세요.

❷ Quiz　공부할 내용을 그림과 관련된 퀴즈 문제로 확인해 보세요.

본격 공부 중

교과서 **핵심 정리** + 기초 확인 문제

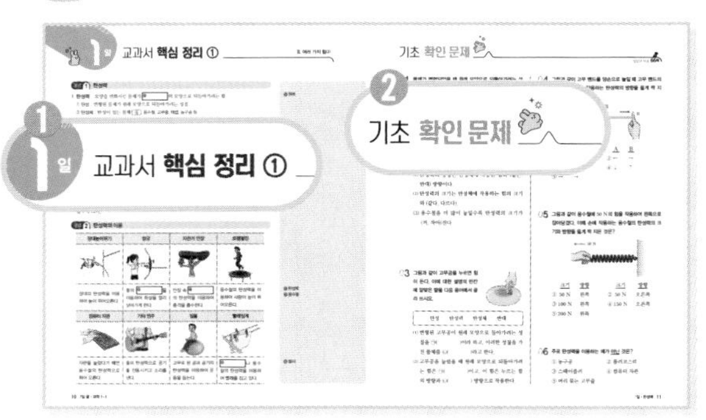

꼭 알아야 할 교과서 핵심 개념을 익히고 기초 확인 문제를 풀며 제대로 이해했는지 확인해 보세요.

❶ 교과서 핵심 정리　빈칸을 채워 보며 교과서 핵심 개념을 다시 한번 체크해 보세요.

❷ 기초 확인 문제　교과서 핵심 정리와 관련된 문제를 풀며 공부한 내용을 확인해 보세요.

내신 기출 베스트

다양한 유형의 문제를 풀어 보며 공부한 내용을 점검해 보세요.

❶ 대표 예제　시험에 자주 나오는 빈출 유형 필수 문제를 풀어 보세요.

❷ 개념 가이드　대표 예제와 관련된 핵심 개념을 익혀 보세요.

시험 공부 마무리

누구나 100점 테스트

5일 동안 공부한 내용을 바탕으로 기초 이해력을 점검해 보세요.

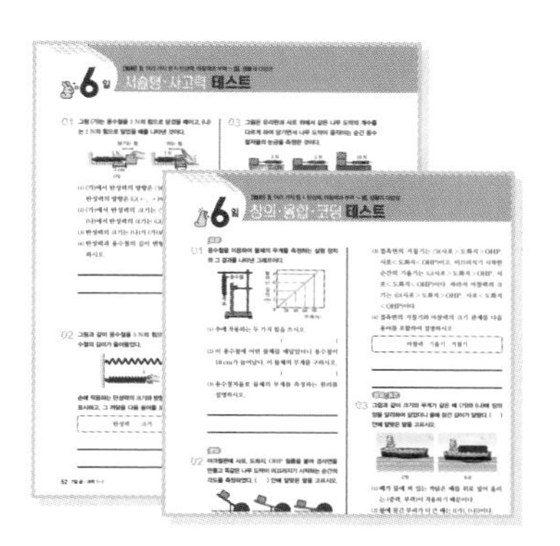

서술형·사고력 테스트
창의·융합·코딩 테스트

서술형·사고력 문제와 창의·융합·코딩 문제를 풀어 보면서 창의력과 문제 해결력을 길러 보세요.

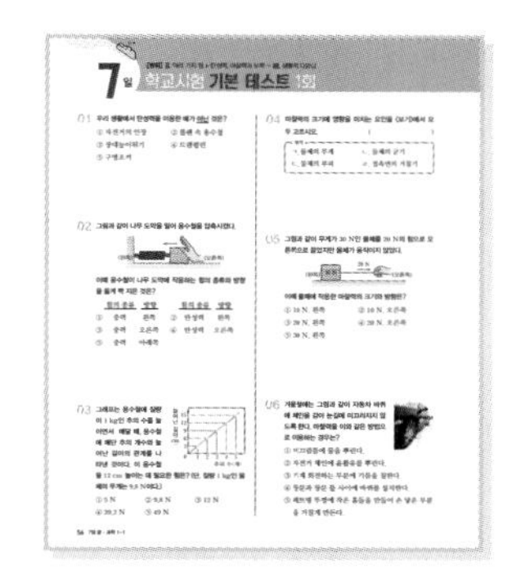

학교시험 기본 테스트

중간·기말고사 예상 문제를 최종으로 풀며 실전에 대비해 보세요.

튼튼이·짬짬이 공부하기

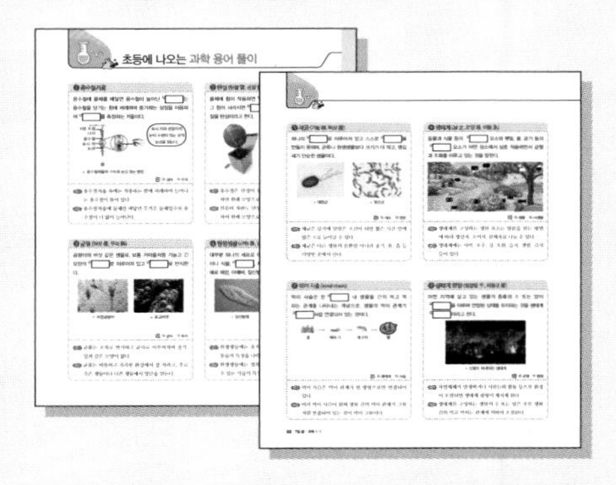

초등학교에서 배운 과학 용어로 선수 학습을 확인할 수 있어요.

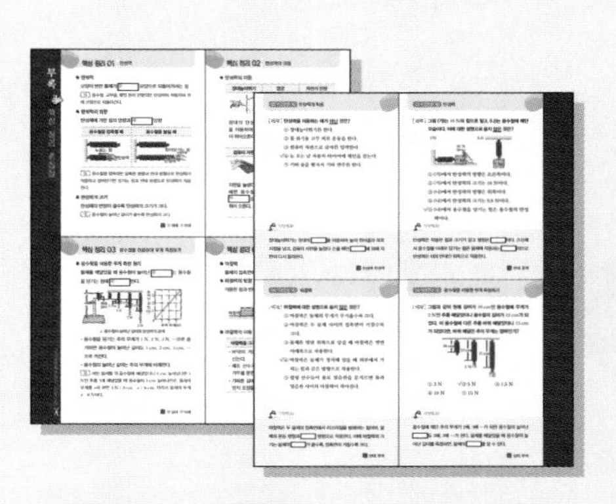

시험 직전이나 틈틈이 암기 카드를 휴대하여 활용해 보세요.

7일 끝 중학 과학 1-1

차례

6일

7일

7일 끝

과학 1-1과 내 교과서 비교하기

학교 시험 범위와 내 교과서의 출판사명을 확인하고 7일 끝 교재 범위를 체크해 공부해요.
예를 들어, 〈천재교과서〉의 과학 교과서를 사용하는 내 과학 학교의 1학기 기말고사 범위가 'Ⅱ. 여러 가지 힘-마찰력과 부력 ~ Ⅲ. 생물의 다양성'(80~127쪽)까지라고 하면, 7일 끝 BOOK2 16~47쪽 을 학습하면 돼요!

	대단원	일별 학습 주제	7일 끝 과학 1-1(쪽)	천재교과서(쪽)
BOOK 1	Ⅰ. 지권의 변화	1일 지구계와 지권의 구조	8~15	12~19
		2일 지각의 구성 물질	16~23	22~33
		3일 광물, 풍화와 토양	24~31	34~46
		4일 지각의 변화	32~39	48~57
	Ⅱ. 여러 가지 힘(1)	5일 중력	40~47	66~71
BOOK 2	Ⅱ. 여러 가지 힘(2)	1일 탄성력	8~15	73~78
		2일 마찰력과 부력	16~23	80~89
	Ⅲ. 생물의 다양성	3일 생물 다양성	24~31	98~104
		4일 생물의 분류	32~39	106~115
		5일 생물 다양성 보전	40~47	118~127

비상교육(쪽)	미래엔(쪽)	동아출판(쪽)	YBM(쪽)
12~20	14~21	13~19	14~18
24~27	22~29	20~28	22~27
28~37	30~40	29~35	28~35
44~54	42~51	39~46	36~49
64~69	62~71	57~61	62~68
70~76	72~75	62~68	70~73
78~88	76~89	70~80	75~82
96~99	98~103	91~95	96~100
100~108	104~115	96~104	104~111
110~120	116~125	106~114	113~121

1일 탄성력

그림으로 개념 잡기
용수철을 더 많이 당길수록
힘이 드는 것은
용수철의 탄성력이 점점
커지기 때문이야!
좌
악
헉!
주
욱
활시위를 뒤로 잡아당겼다가
놓으면 활의 탄성력으로
화살이 앞으로 날아가.
끵
끵

공부할 내용

❶ 탄성력
❷ 탄성력의 이용
❸ 용수철을 이용한 물체의 무게 측정
❹ 용수철이 늘어난 길이와 탄성력의 크기

Quiz

1. 물체의 모양을 변화시킬 때 원래 모습으로 되돌아오는 힘을 ❶ (중력, 탄성력)이라고 한다.
2. 용수철에 매다는 추의 무게와 용수철이 늘어난 길이가 ❷ (비례, 반비례)하는 성질을 이용하면 물체의 무게를 구할 수 있다.

답 ❶ 탄성력 ❷ 비례

교과서 **핵심 정리 ①**

개념 1 탄성력

1. 탄성력 모양을 변화시킨 물체가 ❶ ______ 의 모양으로 되돌아가려는 힘

① 탄성 : 변형된 물체가 원래 모양으로 되돌아가려는 성질

② 탄성체 : 탄성이 있는 물체 (예) 용수철, 고무줄, 태엽, 농구공 등

2. 탄성력의 방향 변형된 탄성체가 원래 모양으로 되돌아가려는 방향 → 탄성체에 작용한 힘과 ❷ ______ 방향으로 작용

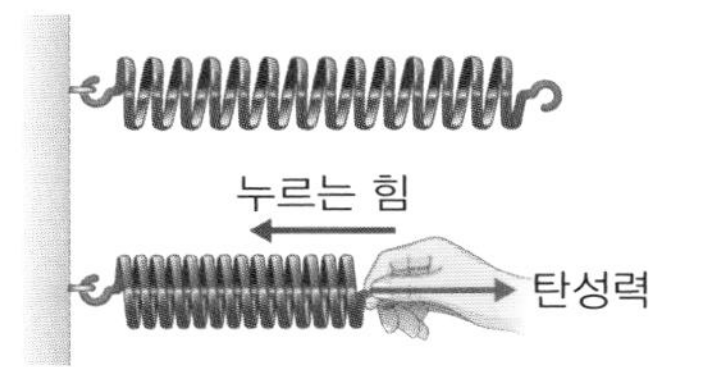

▲ 용수철을 누를 때

▲ 용수철을 잡아당길 때

(예) 용수철을 누르거나 당겼을 때 ❸ ______ 에 작용한 힘과 반대 방향으로 ❹ ______ 이 발생한다.

3. 탄성력의 크기 탄성체에 작용한 힘의 크기와 같으며, 탄성체의 ❺ ______ 이 변하는 정도가 클수록 크다.

개념 2 탄성력의 이용

장대높이뛰기	양궁	자전거 안장	트램펄린
장대의 탄성력을 이용하여 높이 뛰어오른다.	활의 ❻ ______ 을 이용하여 화살을 멀리 날아가게 한다.	안장 속 ❼ ______ 의 탄성력을 이용하여 충격을 흡수한다.	용수철의 탄성력을 이용하여 사람이 높이 뛰어오른다.
컴퓨터 자판	**기타 연주**	**짐볼**	**빨래집게**
자판을 눌렀다가 떼면 용수철의 탄성력으로 튀어 오른다.	줄의 탄성력으로 공기를 진동시키고 소리를 낸다.	고무로 된 공과 공기의 탄성력을 이용하여 운동을 돕는다.	❽ ______ 나 용수철의 탄성력을 이용하여 빨래를 집고 있다.

❶ 원래
❷ 반대
❸ 용수철
❹ 탄성력
❺ 모양
❻ 탄성력
❼ 용수철
❽ 철사

기초 확인 문제

정답과 해설 66쪽

01 물체가 변형되었을 때 원래 모양으로 되돌아가려는 성질에 의해 나타나는 힘은?

① 중력　② 자기력　③ 부력　④ 탄성력　⑤ 마찰력

02 다음은 탄성력에 대한 설명이다. (　　) 안에 알맞은 말을 고르시오.

(1) 탄성력의 방향은 탄성체에 작용한 힘과 (같은, 반대) 방향이다.

(2) 탄성력의 크기는 탄성체에 작용하는 힘의 크기와 (같다, 다르다).

(3) 용수철을 더 많이 늘일수록 탄성력의 크기가 (커, 작아)진다.

03 그림과 같이 고무공을 누르면 힘이 든다. 이에 대한 설명의 빈칸에 알맞은 말을 다음 용어에서 골라 쓰시오.

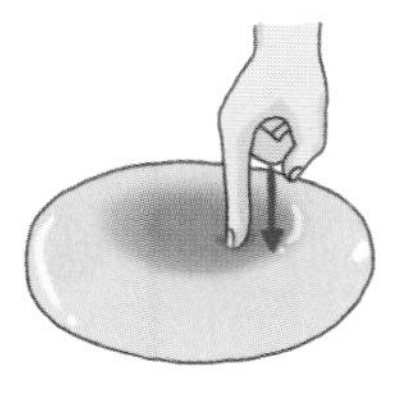

탄성	탄성력	탄성체	반대

(1) 변형된 고무공이 원래 모양으로 돌아가려는 성질을 ㉠(　　　　)이라 하고, 이러한 성질을 가진 물체를 ㉡(　　　　)라고 한다.

(2) 고무공을 눌렀을 때 원래 모양으로 되돌아가려는 힘은 ㉠(　　　　)이고, 이 힘은 누르는 힘의 방향과 ㉡(　　　　) 방향으로 작용한다.

04 그림과 같이 고무 밴드를 양손으로 늘일 때 고무 밴드의 양쪽 끝 A, B에 작용하는 탄성력의 방향을 옳게 짝 지은 것은?

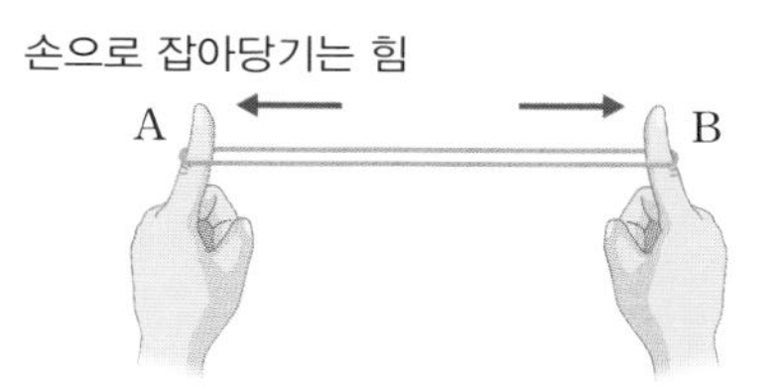

	A	B
①	→	←
②	←	→
③	←	←
④	↓	↑
⑤	→	→

05 그림과 같이 용수철에 50 N의 힘을 작용하여 왼쪽으로 잡아당겼다. 이때 손에 작용하는 용수철의 탄성력의 크기와 방향을 옳게 짝 지은 것은?

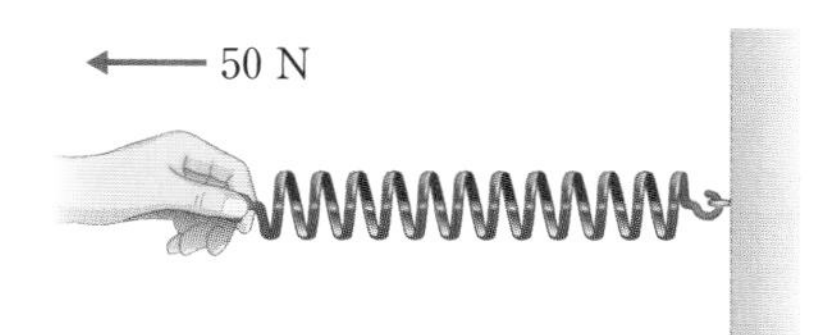

	크기	방향
①	50 N	왼쪽
②	50 N	오른쪽
③	100 N	왼쪽
④	150 N	오른쪽
⑤	200 N	왼쪽

06 주로 탄성력을 이용하는 예가 <u>아닌</u> 것은?

① 농구공　② 롤러코스터　③ 스테이플러　④ 컴퓨터 자판　⑤ 머리 묶는 고무줄

1일 교과서 핵심 정리 ②

개념 3 용수철을 이용한 물체의 무게 측정

1. **용수철저울의 무게 측정 원리** 용수철의 늘어난 길이는 용수철에 매다는 물체의 ❶ [ ] 에 비례

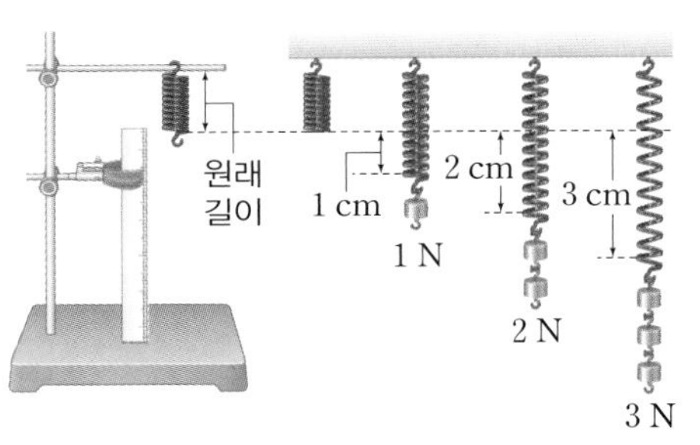

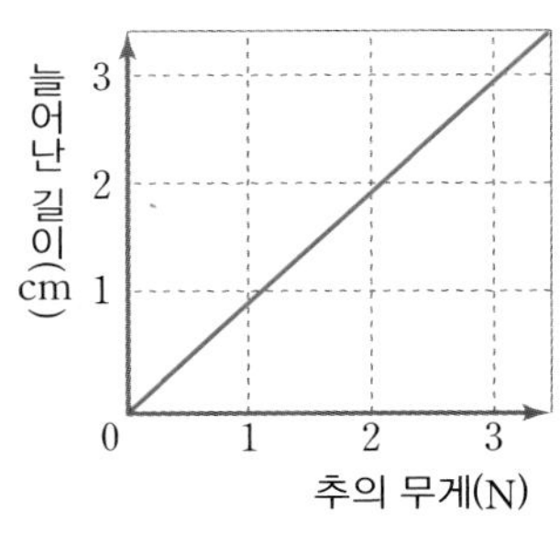

▲ 용수철을 당기는 힘과 용수철이 늘어난 길이 관계

- 추의 무게가 2배, 3배가 되면 용수철이 늘어난 ❷ [ ] 도 2배, 3배가 됨.
- 용수철이 늘어난 길이는 추의 무게에 ❸ [ ]

예 용수철이 늘어난 길이와 추의 무게 사이의 관계 그래프가 위와 같은 용수철에 어떤 물체를 매달았더니 4 cm 만큼 늘어났다면 이 물체의 무게는 ❹ [ ] N이다.

2. **무게를 측정하는 장치** ❺ [ ] 저울, 가정용 저울, 체중계 등

가정용 저울 ▶

개념 4 용수철이 늘어난 길이와 탄성력의 크기

1. **용수철을 당기는 힘** 추의 ❻ [ ]
2. **용수철이 작용하는 탄성력** 추의 무게와 같음.
3. **용수철이 늘어난 길이와 탄성력** 용수철을 당기는 힘의 크기는 ❼ [ ] 의 크기와 같기 때문에 탄성력은 용수철이 늘어난 길이에 비례함.

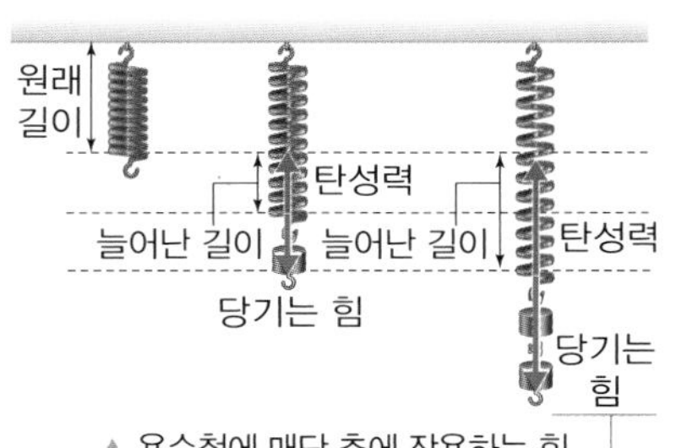

▲ 용수철에 매단 추에 작용하는 힘

용수철을 당기는 힘은 추에 작용하는 중력이다.

용수철이 늘어난 길이는 추의 무게에 비례
↓
용수철을 당기는 힘의 크기는 추의 무게와 같음
↓
용수철을 당기는 힘의 크기는 탄성력의 크기와 같음
↓
탄성력의 크기는 용수철이 늘어난 길이에 비례

예 용수철에 매단 추의 무게는 늘어난 용수철의 전체 길이에 비례하는 것이 아니고 용수철이 늘어난 길이, 즉 용수철이 변형된 길이(=늘어난 용수철의 전체 길이－용수철의 ❽ [ ] 길이)에 비례한다.

❶ 무게
❷ 길이
❸ 비례
❹ 4
❺ 용수철
❻ 무게
❼ 탄성력
❽ 원래

기초 확인 문제

정답과 해설 66쪽

07 용수철에 무게 1 N인 추를 1개, 2개, 3개 매달고 용수철이 늘어난 길이를 측정하는 실험을 한 후 그림과 같은 결과를 얻었다.

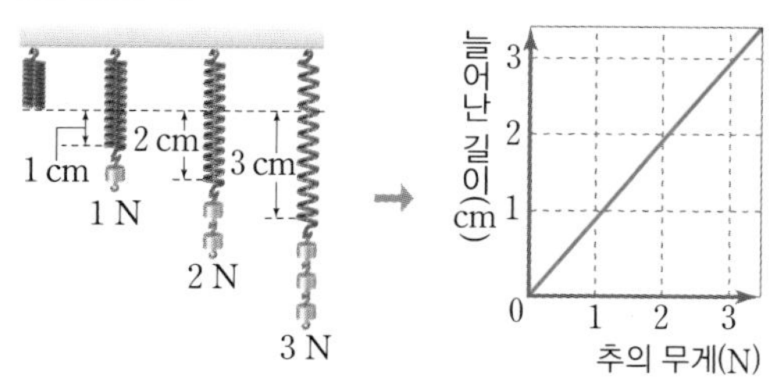

이에 대한 설명이다. (　　) 안에 알맞은 말을 고르시오.

(1) 용수철을 당기는 힘은 (중력, 탄성력)이다.

(2) 용수철이 늘어난 길이는 용수철에 매단 추의 (무게, 크기)에 비례한다.

(3) 추의 개수가 2배로 증가하면 용수철의 (전체 길이, 늘어난 길이)도 2배가 된다.

(4) 추에 작용하는 용수철의 (중력, 탄성력)의 크기는 매단 추의 무게와 같다.

08 그림과 같이 용수철에 무게가 10 N인 추를 매달았더니 용수철이 2 cm 늘어났다.

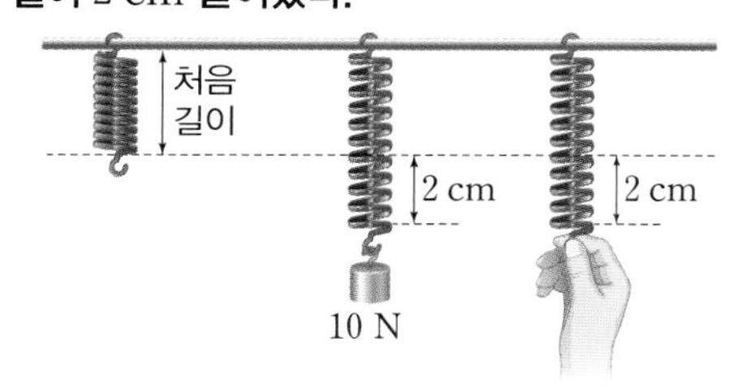

이 용수철을 손으로 당겨 용수철이 2 cm 늘어나게 할 때 손이 용수철을 당긴 힘의 크기는 얼마인가?

① 10 N　② 20 N　③ 30 N
④ 40 N　⑤ 50 N

[09~11] 그림과 같이 용수철에 무게가 같은 추를 1개씩 늘려가면서 매달고 용수철이 늘어난 길이를 측정하였다.

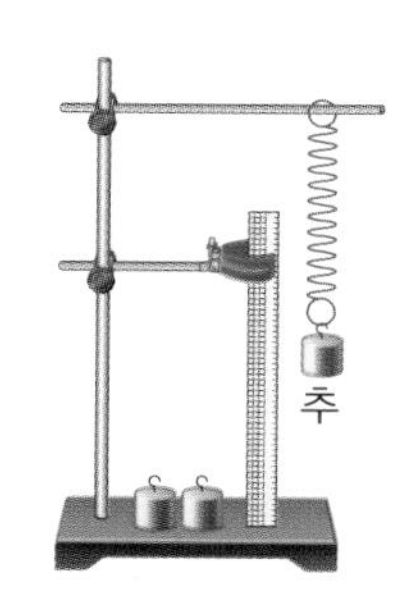

09 표는 용수철에 매단 추의 개수에 따른 용수철이 늘어난 길이를 나타낸 것이다. 표의 (가)에 알맞은 숫자를 쓰시오.

(　　　　　　)

추의 개수(개)	0	1	2	3	4
용수철이 늘어난 길이(cm)	0	4	8	(가)	16

10 이때 용수철이 늘어난 길이와 추의 무게와의 관계를 나타낸 그래프로 옳은 것은? (단, 모든 마찰은 무시한다.)

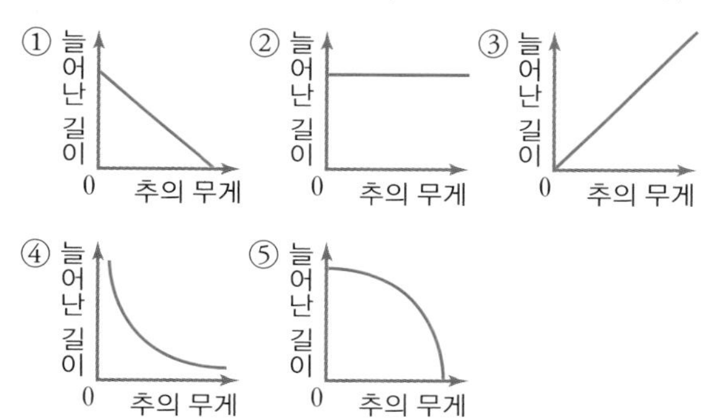

11 이 용수철에 힘을 가해 늘어난 길이가 20 cm이면, 이때 용수철에 가한 힘의 크기는? (단, 추 1개 무게는 5 N이다.)

① 5 N　② 10 N　③ 15 N
④ 20 N　⑤ 25 N

1일 내신 기출 베스트

대표 예제 1 탄성과 탄성력

탄성과 탄성력에 대한 설명 중 옳지 않은 것은?

① 탄성체란 탄성을 가진 물체이다.
② 자전거 안장은 용수철의 탄성력을 이용한다.
③ 탄성력의 크기는 탄성체의 변형 정도에 따라 다르다.
④ 용수철을 양손으로 잡아당길 때 탄성력의 방향은 작용한 힘과 같다.
⑤ 활을 많이 당길수록 커지는 탄성력을 이용하여 화살은 더 멀리 날아간다.

개념 가이드
용수철을 양쪽에서 잡아당길 때 각 부분에 작용하는 힘의 방향이 ☐이므로 양 끝에 작용하는 ☐의 방향도 반대이다.
답 반대, 탄성력

대표 예제 2 탄성력

탄성력에 대한 설명으로 옳은 것을 〈보기〉에서 모두 고른 것은?

보기
ㄱ. 변형된 물체가 원래대로 되돌아가려는 힘이다.
ㄴ. 활시위가 많이 당겨질수록 탄성력이 커진다.
ㄷ. 탄성체를 변형시킨 힘과 같은 방향으로 작용한다.

① ㄱ ② ㄴ ③ ㄷ
④ ㄱ, ㄴ ⑤ ㄴ, ㄷ

개념 가이드
탄성력이 작용하는 방향은 탄성체에 작용한 ☐의 방향과 ☐ 방향이다.
답 힘, 반대

대표 예제 3 탄성력의 방향

그림은 용수철의 한쪽 끝을 고정한 후 밀거나 당기는 경우이다. (가), (나)에서 탄성력의 방향을 옳게 짝 지은 것은?

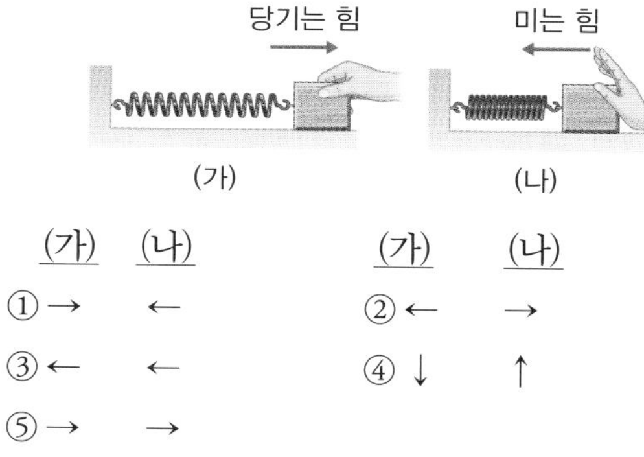

	(가)	(나)
①	→	←
②	←	→
③	←	←
④	↓	↑
⑤	→	→

개념 가이드
용수철을 잡아당기거나 압축할 때 탄성력의 방향은 용수철에 작용한 ☐의 방향과 ☐ 방향이다.
답 힘, 반대

대표 예제 4 탄성력의 크기

그림과 같이 용수철의 한쪽 끝을 고정하고 잡아당기거나 압축하였다. 탄성력의 크기를 옳게 비교한 것은?

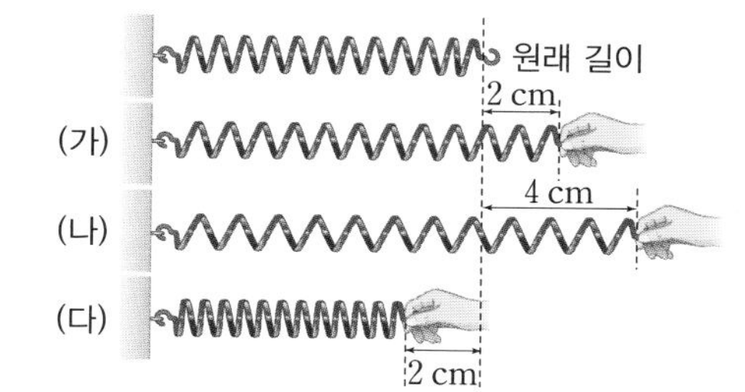

① (가)<(나)=(다) ② (가)=(다)<(나)
③ (나)<(가)<(다) ④ (다)<(가)<(나)
⑤ (다)<(나)<(가)

개념 가이드
용수철을 잡아당기거나 압축할 때 탄성력의 크기는 탄성체의 ☐ 정도가 클수록 ☐.
답 변형, 크다

대표 예제 5 탄성력의 이용

용수철을 늘이거나 압축하면 원래 모양으로 되돌아가려는 힘이 작용한다. 이와 같은 종류의 힘을 사용하는 경우로 옳은 것은?

① 컬링 ② 양궁 ③ 잠수함
④ 등산화 ⑤ 열기구

개념 가이드

[ ], 줄, 고무, 얇은 강철 등은 모양을 변형시켰을 때 원래 모양으로 되돌아가려는 성질을 가진 대표적인 [ ]이다.

답 용수철, 탄성체

대표 예제 6 용수철저울의 원리

용수철을 이용한 물체의 무게 측정에 대한 설명으로 옳은 것을 〈보기〉에서 모두 고르시오.

보기
ㄱ. 용수철이 늘어난 길이는 추의 무게에 비례한다.
ㄴ. 용수철저울은 '용수철의 늘어난 길이는 작용한 힘에 비례'하는 원리를 이용한다.
ㄷ. 용수철에 작용한 힘에 비례하여 용수철이 늘어나는 정도는 항상 일정하다.

( )

개념 가이드

용수철에 물체를 매달면 물체의 [ ]로 용수철을 당긴다. 이때 용수철의 늘어난 [ ]는 물체의 무게에 비례하며, 늘어난 길이를 이용하면 물체의 무게를 알 수 있다. 답 무게, 길이

대표 예제 7 용수철을 이용한 무게 측정

그림은 추의 무게에 따른 용수철의 길이 변화를 나타낸 것이다. 이 용수철에 무게가 4 N인 물체를 매달면 용수철의 늘어난 길이는 몇 cm인가?

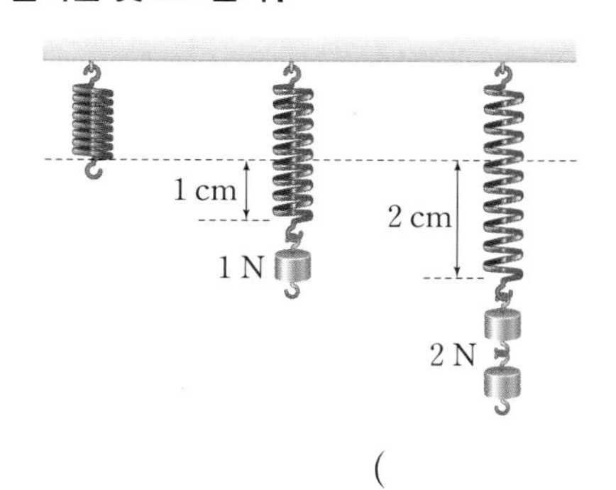

( )

개념 가이드

용수철에 물체를 매달면 용수철을 당기는 힘은 중력이다. 이때 용수철의 늘어난 [ ]는 물체의 [ ]에 비례한다.

답 길이, 무게

대표 예제 8 용수철을 이용한 무게 측정

그림과 같이 무게가 1 N인 물체를 매달았을 때 2 cm 늘어나는 용수철이 있다. 이에 대한 설명으로 옳은 것을 〈보기〉에서 모두 고르시오.

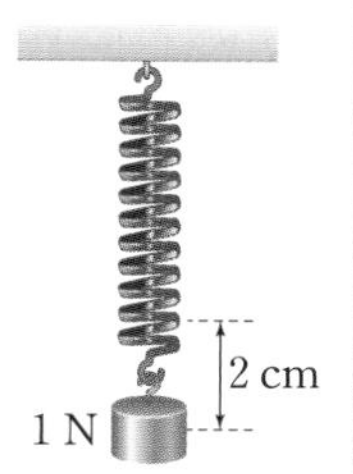

( )

보기
ㄱ. 용수철의 탄성력의 크기는 2 N이다.
ㄴ. 물체에 작용하는 힘은 중력과 탄성력이다.
ㄷ. 이 용수철에 무게가 2 N인 물체를 매달면 용수철은 4 cm 늘어난다.

개념 가이드

용수철에 추를 매달았을 때 용수철이 늘어난 길이와 비례하는 것은 추의 개수, 추의 [ ], 용수철을 잡아당긴 힘, 용수철의 [ ]이다.

답 무게, 탄성력

2일 마찰력과 부력

그림으로 개념 잡기

공부할 내용

❶ 마찰력
❷ 마찰력의 크기에 영향을 주는 요인
❸ 부력
❹ 부력의 크기 측정

Quiz

1. 두 물체의 접촉면에서 물체의 운동을 방해하는 힘은 ❶ (마찰력, 부력)이다.
2. 물에 잠긴 물체의 ❷ (부피, 무게)가 클수록 부력이 크게 작용한다.

답 ❶ 마찰력 ❷ 부피

2일 교과서 핵심 정리 ①

개념 1 마찰력

1. 마찰력 두 물체의 접촉면에서 물체의 운동을 방해하는 힘

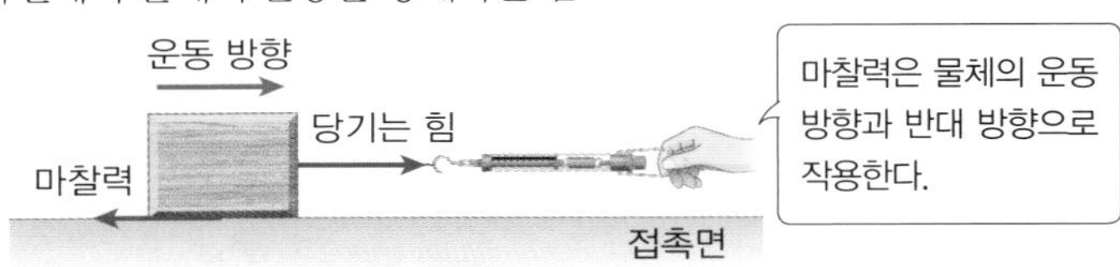

2. 마찰력의 방향 물체의 운동과 ❶ [ ] 방향, 또는 작용한 힘과 ❷ [ ] 방향

3. 마찰력의 크기 물체가 움직이기 직전까지는 작용한 ❸ [ ] 의 크기와 같음.

예 그림과 같이 수평면에서 물체를 왼쪽으로 당길 때 힘이 드는 까닭은 ❹ [ ] 이 작용한 힘과 반대 방향인 ❺ [ ] 으로 작용하기 때문이다.

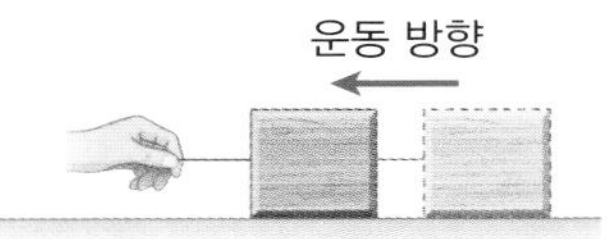

4. 마찰력의 이용 일상생활에서 마찰력을 크게 또는 작게 하여 이용함.

① 크게 이용하는 예 : 타이어 스노체인, 송진 가루, 미끄럼 방지 패드, 등산화 바닥 등

② 작게 이용하는 예 : 기계 접촉부 윤활유, 수영장의 ❻ [ ] 미끄럼틀 등

개념 2 마찰력의 크기에 영향을 주는 요인

1. 물체의 무게 무게가 클수록 마찰력의 크기가 크다. 마찰력의 크기 : (가)<(나)<(다)

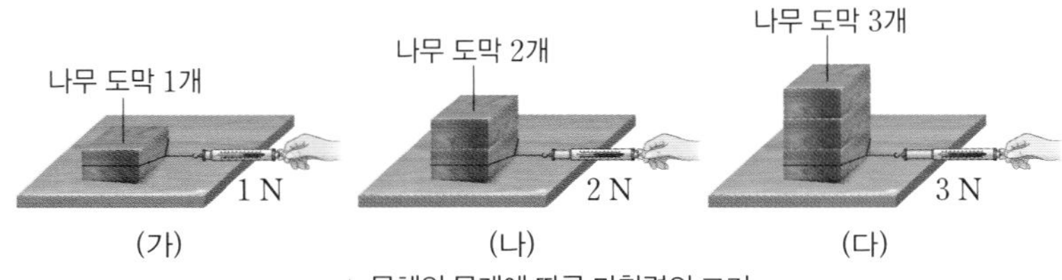

▲ 물체의 무게에 따른 마찰력의 크기

예 접촉면을 누르는 물체의 무게가 클수록 나무 도막이 움직이기 직전 용수철저울의 눈금이 커진다. → 운동을 방해하는 마찰력의 크기는 물체의 ❼ [ ] 가 클수록 크다.

2. 접촉면의 거칠기 접촉면이 거칠수록 마찰력의 크기가 크다. 마찰력의 크기 : (가)<(나)<(다)

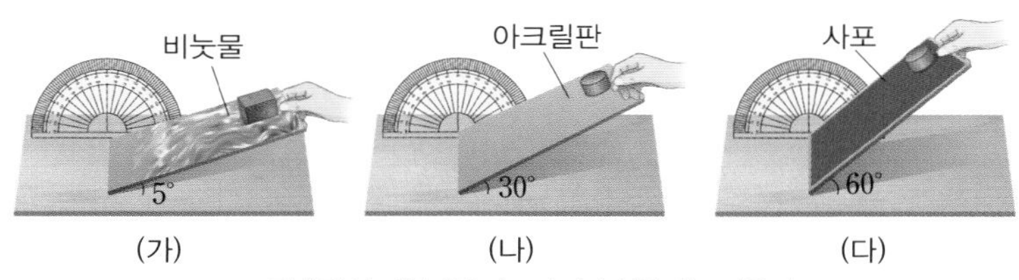

▲ 접촉면의 거칠기와 미끄러지기 시작하는 기울기

예 접촉면이 거칠수록 미끄러져 내려오는 순간의 기울기가 크다. 기울기가 클수록 마찰력의 크기가 크다. → 마찰력의 크기는 접촉면의 ❽ [ ] 가 클수록 크다.

❶ 반대 ❷ 반대 ❸ 힘 ❹ 마찰력 ❺ 오른쪽 ❻ 물 ❼ 무게 ❽ 거칠기

기초 확인 문제

정답과 해설 68쪽

01 마찰력에 대한 설명이다. 빈칸에 알맞은 말을 쓰시오.

(1) 물체의 접촉면에서 물체의 운동을 (　　　　　) 하는 힘을 마찰력이라고 한다.

(2) 마찰력은 물체의 운동 방향과 (　　　　　) 방향으로 작용한다.

(3) 물체의 (　　　　　)가 무거울수록 마찰력의 크기가 크다.

(4) 접촉면이 거칠수록 마찰력의 크기가 (　　　　　).

02 그림 (가)는 수평면에서 공이 굴러가는 모습이고, (나)는 빗면 위에 나무 도막이 정지해 있는 모습이다.

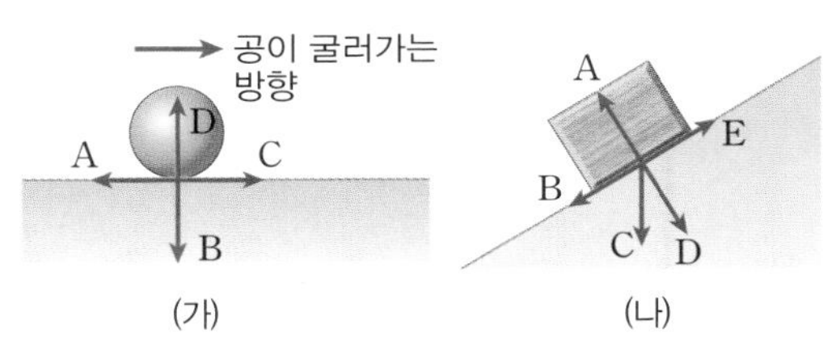

(가), (나)에서 마찰력의 방향을 옳게 짝 지은 것은?

	(가)	(나)		(가)	(나)
①	A	B	②	A	E
③	C	A	④	C	B
⑤	C	E			

03 마찰력의 크기에 영향을 주는 요인을 모두 고르면? (정답 2개)

① 물체의 무게
② 물체의 부피
③ 물체의 모양
④ 접촉면의 넓이
⑤ 접촉면의 거칠기

04 그림과 같이 크기와 종류가 같은 나무 도막을 아크릴판 위에 놓고 용수철저울로 끌어당기고 있다. (　) 안에 알맞은 말을 고르시오.

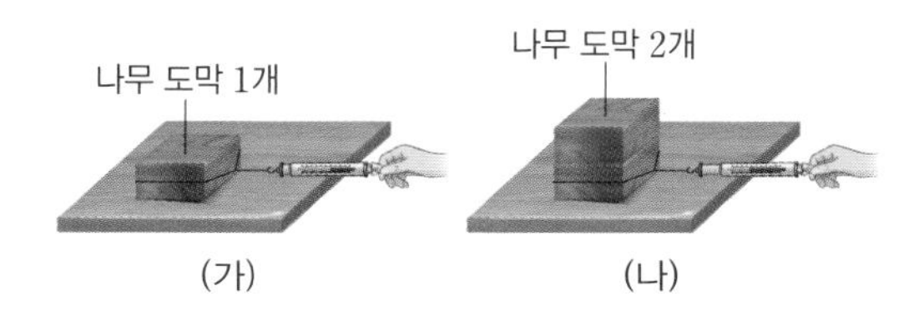

(1) 마찰력은 두 물체 사이의 접촉면에서 물체의 운동을 (방해하는, 도와주는) 힘이다.

(2) 마찰력은 물체의 무게가 무거울수록 ㉠(작기, 크기) 때문에 (가)와 (나) 중에서 마찰력이 더 크게 작용하는 것은 ㉡((가), (나))이다.

05 마찰력을 크게 하여 이용하는 경우와 작게 하여 이용하는 경우를 옳게 선으로 연결하시오.

(1) 자전거 체인에 기름을 칠한다. •
(2) 체조 선수가 손에 송진 가루를 묻힌다. •
(3) 미끄럼틀에 물을 흘려보낸다. •
(4) 목욕탕 입구에 매트를 깔아놓는다. •

• ㉠ 마찰력을 크게 하여 이용
• ㉡ 마찰력을 작게 하여 이용

2일 교과서 핵심 정리 ②

개념 3 부력

1. 부력 액체나 기체가 그 속에 들어 있는 물체를 위쪽으로 밀어 올리는 힘

→ 부력의 방향 : 중력과 ❶ [　　　] 방향, 위쪽으로 작용

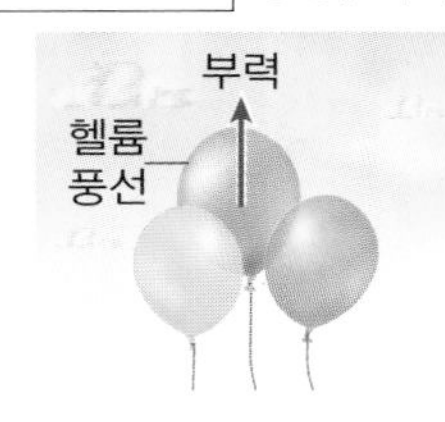

예 물이나 공기 중에서 물체가 뜨는 까닭은 중력과 반대 방향으로 ❷ [　　　]이 위쪽으로 작용하기 때문이다.

2. 부력과 중력의 크기 비교

부력>중력	부력 ❸ [　　　] 중력	부력<중력
열기구가 하늘로 올라간다.	배가 물 표면에 떠 있다.	쇠뭉치가 물속에 가라앉는다.

예 물에 떠 있는 배에 작용하는 부력은 ❹ [　　　]과 크기가 같고, 방향이 반대이며 물에 가라앉아 있는 돌에 작용하는 부력은 중력보다 크기가 작다.

개념 4 부력의 크기 측정

1. 부력의 크기 측정 용수철저울에 매단 물체를 물속에 넣을 때

부력의 크기=
물 밖에서 물체의 무게−물속에서 물체의 무게

10 N　6 N　4 N

예 물이 가득 들어 있는 수조에 물체를 넣었을 때 부력의 크기는 넘친 ❺ [　　　]의 무게와 같다. ❻ [　　　]=넘친 물의 무게
=(물 밖에서 물체의 무게)−(물속에서 물체의 무게)
=10 N−6 N=4 N

2. 부력의 크기에 영향을 주는 요인 물에 잠긴 물체의 ❼ [　　　]

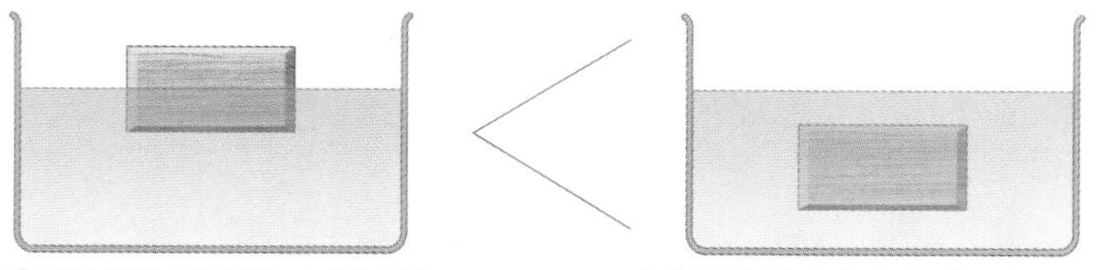

(가) 물에 반만 잠겨 있는 나무 도막　(나) 물에 완전히 잠겨 있는 나무 도막

→ 물에 잠긴 부분의 부피 : (가)< (나), 물체에 작용하는 부력의 크기 : ❽ [　　　]

3. 부력의 이용 구명조끼, 튜브, 잠수함, 부표, 풍등, 열기구 등

❶반대
❷부력
❸=
❹중력
❺물
❻부력의 크기
❼부피
❽(가)<(나)

기초 확인 문제

정답과 해설 68쪽

06 그림과 같이 기체나 액체 속에 있는 물체를 중력에 거슬러서 위로 밀어 올리는 힘을 무엇이라고 하는지 쓰시오.

(　　　　　　　　　　)

07 나무 막대의 양쪽에 무게가 같은 추를 매달아 수평을 맞춘 후 오른쪽 컵에만 물을 부어 추를 물에 잠기게 했다. (　　) 안에 알맞은 말을 고르시오.

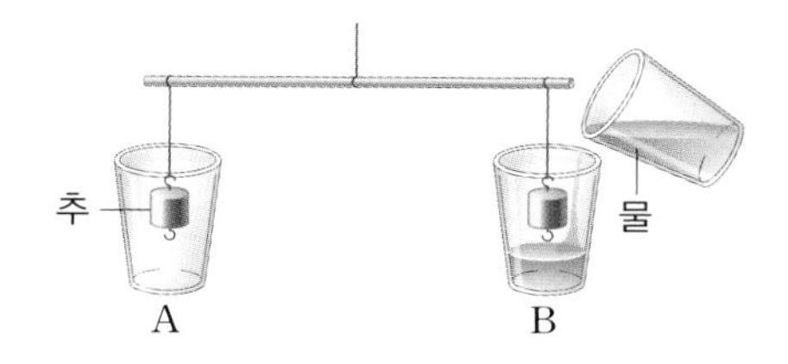

(1) 추의 무게가 가벼워지는 쪽은 (A, B)이다.

(2) 막대가 기울어지는 쪽은 (A, B)이다.

(3) 막대가 한쪽으로 기울어지는 까닭은 ㉠(A, B)쪽에 중력과 ㉡(같은, 반대) 방향으로 ㉢(중력, 부력)이 작용하기 때문이다.

08 그림과 같이 어린이 A, B가 수영장에 다른 자세로 있다. (　　) 안에 <, =, > 중 옳은 것을 사용하여 부력과 중력의 크기를 각각 비교하시오.

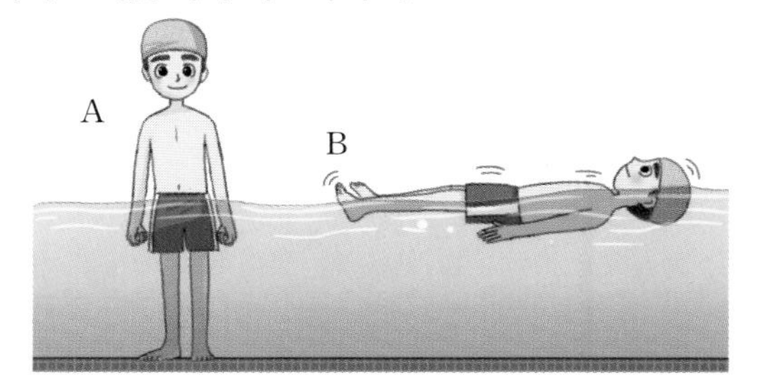

(1) A : 부력 (　　) 중력　(2) B : 부력 (　　) 중력

09 같은 크기의 두 물체가 그림 (가), (나)와 같이 물에 잠겨 있다. (　　) 안에 알맞은 말을 고르시오.

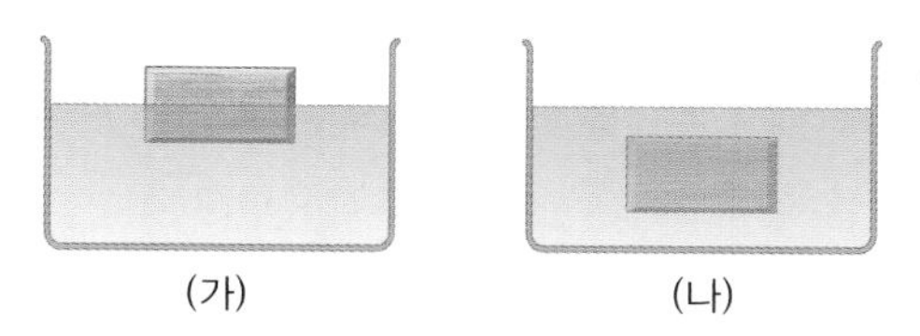

(1) 물에 잠긴 부피가 큰 물체는 ((가), (나))이다.

(2) 부력의 크기는 ((가) < (나), (나) < (가))이다.

(3) 중력이 더 큰 물체는 ((가), (나))이다.

10 그림과 같이 공기 중에서 무게가 10 N인 물체를 물속에 잠기게 했을 때 무게가 8 N이었다. 물에서 물체가 받는 부력의 크기는 얼마인지 쓰시오.

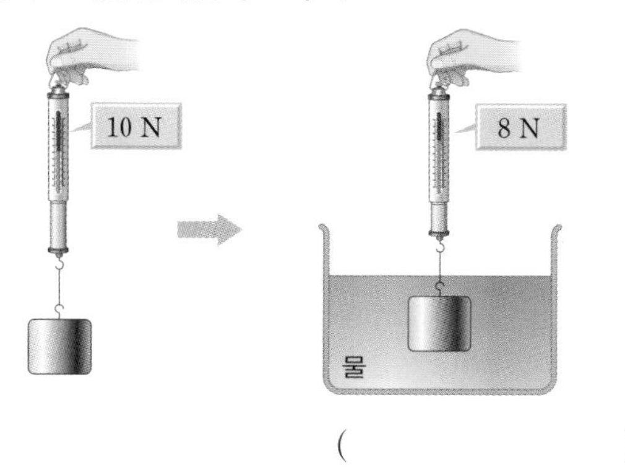

(　　　　　　　　　　)

11 부력을 이용한 예로 보기 어려운 것은?

① 풍등　② 열기구　③ 유조선
④ 고무 튜브　⑤ 컴퓨터 자판

2일 내신 기출 베스트

대표 예제 1 마찰력

마찰력에 대한 설명으로 옳지 않은 것은?

① 물체의 운동을 방해하는 힘이다.
② 물체가 무거울수록 크게 작용한다.
③ 접촉면이 거칠수록 크게 작용한다.
④ 물체의 운동 방향과 같은 방향으로 작용한다.
⑤ 마찰력을 크게 할수록 도움이 되는 경우도 있다.

개념 가이드

접촉면에서 물체의 운동을 방해하는 힘을 [ ]이라고 하며 마찰력은 물체의 운동 방향과 [ ] 방향으로 작용한다.

답 마찰력, 반대

대표 예제 2 마찰력의 방향

그림과 같이 빗면에서 상자를 위쪽으로 당겨 이동하였다. 상자에 작용하는 마찰력의 방향은?

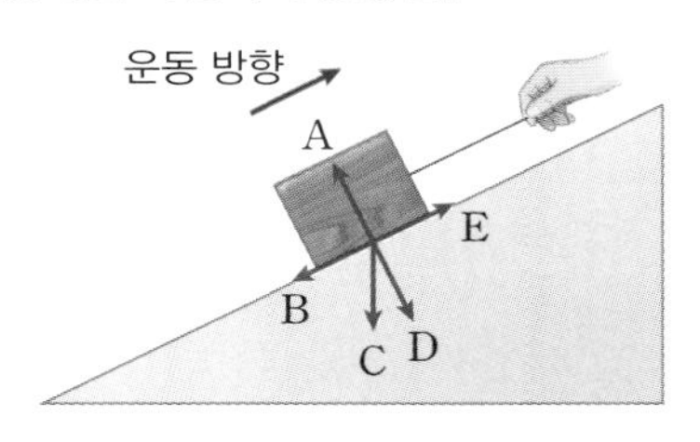

① A ② B
③ C ④ D
⑤ 마찰력이 작용하지 않는다.

개념 가이드

마찰력은 물체의 운동 방향과 [ ] 방향으로 작용한다. 예를 들어 운동 방향이 오른쪽이면 마찰력의 방향은 [ ]이다.

답 반대, 왼쪽

대표 예제 3 마찰력의 크기

그림 (가)~(다)와 같이 나무판과 유리판 위에서 크기와 재질이 같은 나무 도막을 끌어당기면서 나무 도막이 움직이는 순간 용수철저울의 눈금을 측정하였다. (가)~(다) 중 용수철저울의 눈금이 가장 큰 경우를 쓰시오.

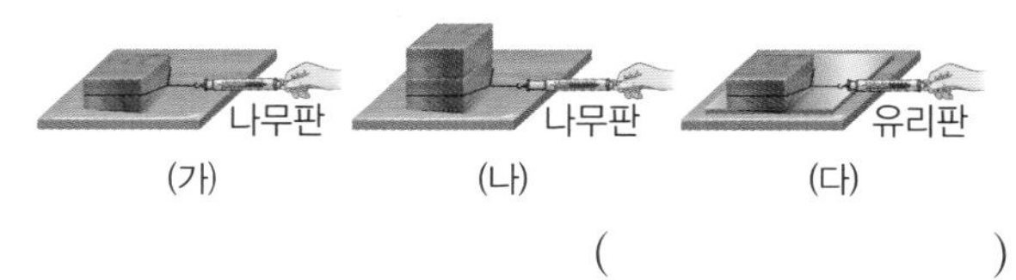

(가) (나) (다)

( )

개념 가이드

마찰력은 물체의 [ ]가 클수록, 접촉면이 [ ] 크게 작용하며, 물체가 움직이기 직전까지는 작용한 힘의 크기와 크기가 같다.

답 무게, 거칠수록

대표 예제 4 마찰력의 이용

생활에 편리하도록 마찰력의 크기를 작게 한 경우에 해당하는 것을 〈보기〉에서 모두 고른 것은?

보기
ㄱ. 창문에 작은 바퀴를 설치한다.
ㄴ. 계단에 미끄럼 방지 패드를 부착한다.
ㄷ. 체조 선수가 손에 송진 가루를 묻힌다.

① ㄱ ② ㄴ ③ ㄷ
④ ㄱ, ㄴ ⑤ ㄱ, ㄷ

개념 가이드

미끄럼틀에 [ ] 흘려보내기, 회전축에 베어링 사용, 자전거 체인에 윤활유 사용은 마찰력의 크기를 [ ] 하는 경우이다.

답 물, 작게

대표 예제 5 부력

부력에 대한 설명으로 옳지 않은 것은?

① 중력과 같은 방향으로 작용한다.
② 액체나 기체 속에 있는 물체에 모두 작용한다.
③ 액체나 기체 속에 잠긴 물체의 부피에 비례한다.
④ 잠수함은 부력을 이용해 물에 뜨거나 가라앉는다.
⑤ 강철로 만든 무거운 배가 물에 뜨는 것은 부력을 크게 받기 때문이다.

개념 가이드

부력은 액체나 기체가 물체를 [ ]로 밀어 올리는 힘으로, 중력과 [ ] 방향으로 작용한다. 답 위, 반대

대표 예제 6 부력의 크기

그림과 같이 용수철저울에 무게가 100 N인 추를 매달은 다음 추를 물이 든 비커에 넣었더니 용수철저울의 눈금이 70.5 N이 되었다. 이때 추에 작용한 부력의 크기를 쓰시오.

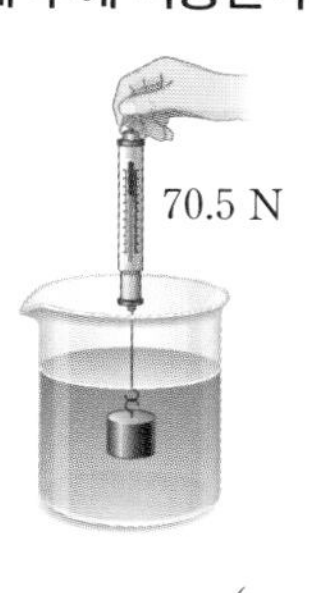

( )

개념 가이드

물에 잠겼을 때 추에 작용하는 [ ]의 크기=추가 물에 잠기기 [ ] 용수철저울의 눈금−추가 물에 잠겼을 때 용수철저울의 눈금 답 부력, 전

대표 예제 7 부력의 크기

그림은 부피가 같은 물체 A, B, C를 물속에 넣었을 때의 모습을 나타낸 것이다. 각 물체가 받는 부력의 크기를 부등호(<)로 비교하시오.

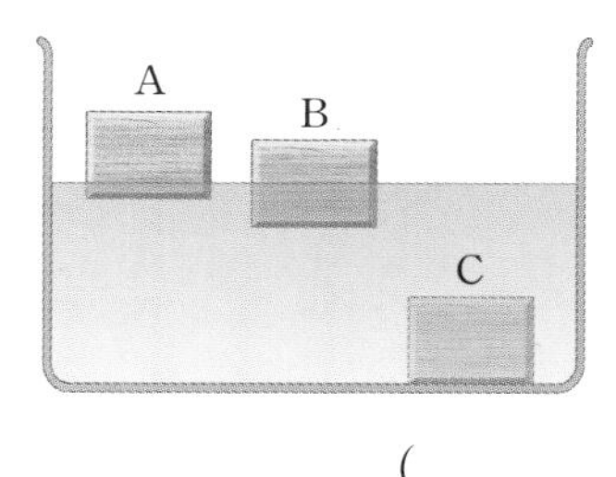

( )

개념 가이드

부력의 크기는 물체가 밀어낸 물의 [ ]이 많을수록 크게 작용한다. 즉 물에 잠긴 물체의 [ ]가 클수록 크게 작용한다. 답 양, 부피

대표 예제 8 부력의 이용

부력을 이용하는 예를 〈보기〉에서 모두 고른 것은?

보기
ㄱ. 하늘로 올라가고 있는 헬륨 풍선
ㄴ. 구명조끼를 입고 수영하는 어린이
ㄷ. 바다에 양식장의 위치를 표시해 놓은 스타이로폼 구

① ㄱ ② ㄷ ③ ㄱ, ㄴ
④ ㄴ, ㄷ ⑤ ㄱ, ㄴ, ㄷ

개념 가이드

헬륨 풍선에 작용하는 부력이 [ ]보다 클 때 하늘로 올라간다. 또 구명조끼를 입으면 몸의 [ ]가 커져서 부력을 크게 받기 때문에 물 위에 잘 뜨게 된다. 답 중력, 부피

3일 생물 다양성

그림으로 개념 잡기
나는 귀가 작고 몸집이 커서 열의 손실을 줄일 수 있어.
나는 귀가 크고 몸집이 작아 몸의 열을 방출하기 쉬워.
난 더운 사막에서 살아!
북극여우
난 추운 지역에서 살아!
툰드라
초원
사막여우
사막
열대 우림
초원

공부할 내용
❶ 생물 다양성
❷ 변이
❸ 환경과 생물 다양성

Quiz

1. 우리나라에는 강, 습지, 갯벌, 산림과 같은 ❶ (생태계, 유전자)가 다양하게 존재한다.
2. 환경에 적합한 변이를 가지는 생물은 점점 ❷ (번성, 멸종)한다.

답 ❶ 생태계 ❷ 번성

3일 교과서 핵심 정리 ①

개념 1 생물 다양성

1. 생물 다양성 일정한 지역 내에 서식하고 있는 ❶ [   ]의 다양한 정도로 생태계 다양성, 종 다양성, 유전자 다양성을 모두 포함한다. — 생물의 종류가 많고 여러 종이 고르게 분포할수록 생물 다양성이 높다.

두 지역의 생물 다양성 비교

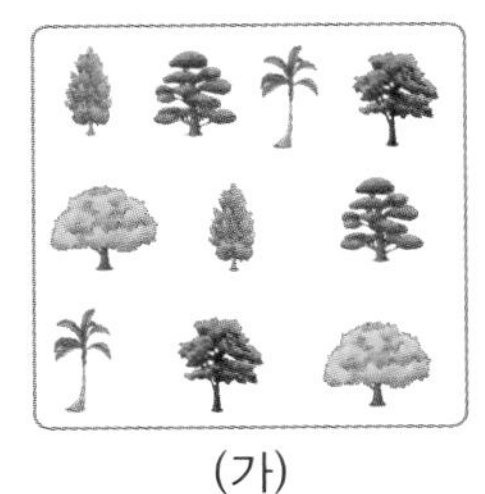

(가)

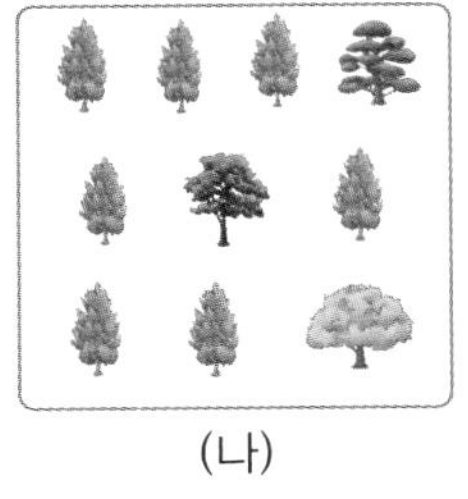

(나)

- (가)의 개체 수는 10개, (나)의 개체 수는 10개이다.
- (가)의 종 수는 5종, (나)의 종 수는 4종이다.
  → (가)와 (나) 중 생물 다양성이 더 높은 지역은 (가)이다. 그 까닭은 (가)와 (나)의 ❷ [   ]는 같지만, (가)의 ❸ [   ] 수가 더 많고 종이 고르게 분포하기 때문이다.

2. 생물 다양성의 세 범주 생태계 다양성, 종 다양성, 유전자 다양성이 높을수록 생물 다양성이 높다.

생태계 다양성	일정한 지역에 습지, 갯벌, 산림 등과 같은 ❹ [ ]가 다양하게 존재하는 정도 → 생태계의 종류마다 살고 있는 생물이 다르므로 생태계가 다양할수록 ❺ [ ]이 높다. (생태계: 강, 갯벌, 바다, 사막, 산림, 초원 등) 예 습지에는 습한 환경에 적응한 독특한 종류의 생물이 살고 있다.
종 다양성	일정한 지역에서 살아가는 ❻ [ ]의 다양한 정도 → 생물의 종류가 많을수록 생물 다양성이 높다. 예 벼만 재배하여 생물의 종류가 적은 논보다 다양한 종류의 생물이 살고 있는 숲의 생물 다양성이 더 높다.
유전자 다양성	같은 종에 속하는 생물이 서로 다른 ❼ [ ]를 가지고 있어 크기와 생김새 등의 특징이 다르게 나타나는 정도 → 유전자 다양성이 높을수록 전염병이나 급격한 환경 변화에도 살아남는 개체가 있어 ❽ [ ]의 위험이 낮다. 예 같은 종의 무당벌레의 겉 날개 무늬는 다양하다.

유전자: 생물의 생김새와 특징에 대한 정보를 담고 있는 것으로, 부모에서 자손으로 전해진다.

❶ 생물
❷ 개체 수
❸ 종
❹ 생태계
❺ 생물 다양성
❻ 생물종
❼ 유전자
❽ 멸종

기초 확인 문제

정답과 해설 70쪽

01 다음에서 설명하는 것이 무엇인지 쓰시오.

> 일정한 지역 내에 서식하고 있는 생물의 다양한 정도로 생태계 다양성, 종 다양성, 유전자 다양성을 모두 포함한다.

(   )

02 빈칸에 알맞은 말을 쓰시오.

(1) 일정한 지역에 습지, 갯벌, 산림 등과 같은 생태계가 다양하게 존재하는 정도를 (   ) 다양성이라고 한다.

(2) 일정한 지역에 살아가는 생물종의 다양한 정도를 (   ) 다양성이라고 한다.

(3) 같은 종에 속하는 생물이 서로 다른 유전자를 가지고 있어 크기와 생김새 등의 특징이 다르게 나타나는 정도를 (   ) 다양성이라고 한다.

03 다음 설명에 해당하는 것을 '생태계 다양성', '종 다양성', '유전자 다양성' 중에서 골라 쓰시오.

(1) 열대 우림에는 수많은 종류의 생물이 산다.

(   )

(2) 소는 몸 크기와 색깔, 뿔 크기 등의 특징이 다양하다. (   )

(3) 우리나라에는 강, 습지, 갯벌, 산림과 같은 다양한 생태계가 존재한다. (   )

[04~06] 그림은 어떤 두 지역에서 서식하고 있는 나무를 나타낸 것이다.

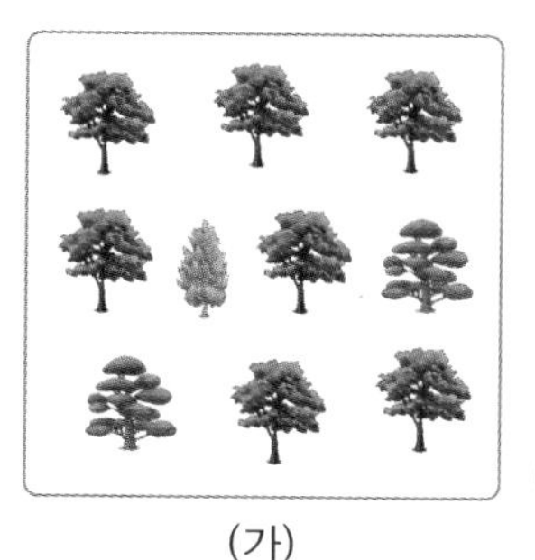

(가)

(나)

04 위 그림에 대한 설명으로 옳은 것을 〈보기〉에서 모두 고르시오.

> 보기
>
> ㄱ. (가)는 (나)보다 나무의 수가 많다.
>
> ㄴ. (가)는 (나)보다 나무의 종류가 많다.
>
> ㄷ. (가)보다 (나)에서 생물종이 고르게 분포한다.

(   )

05 (가)와 (나) 중 생물 다양성이 더 높은 곳을 고르시오.

(   )

06 05와 같이 답한 까닭을 옳게 말한 사람을 쓰시오.

생물의 종류가 적고 개체 수가 적을수록 생물 다양성이 높기 때문이야.

온유

생물의 종류가 많고 여러 종류의 생물이 고르게 분포할수록 생물 다양성이 높기 때문이야.

서율

(   )

교과서 핵심 정리 ②

개념 2 변이

1. **변이** 같은 ❶ [ ] 에 속하는 생물 사이에서 나타나는 서로 다른 특징 → 변이가 다양하면 급격한 환경 변화에도 살아남는 생물이 있어 멸종할 위험이 ❷ [ ].

구분	환경 차이에 따른 변이	유전자 차이에 따른 변이
예	눈잣나무는 높은 산 위와 같이 바람이 세게 부는 곳에서는 땅에 붙어서 옆으로 누워 자라고, 평지와 같이 바람이 약하게 부는 곳에서는 위로 곧게 자란다. ▲ 높은 산 위의 눈잣나무 ▲ 평지의 눈잣나무	한 종의 무당벌레의 겉 날개 색깔과 무늬가 조금씩 다르다. ▲ 무당벌레의 다양한 모습

• 유전자 차이에 따른 변이의 예 : 사람마다 생김새가 다르다. 얼룩말의 털 무늬가 조금씩 다르다. 바지락 껍데기의 무늬와 색깔이 조금씩 다르다. 달팽이 껍데기의 무늬와 색깔이 조금씩 다르다.

❶ 종
❷ 낮다

개념 3 환경과 생물 다양성

1. **환경과 생물 다양성** 생물은 빛, 물, 온도, 바람 등의 환경에 ❸ [ ] 하여 살아간다.

2. **환경에 적응한 예**

환경 요인	환경에 따라 다양한 생물	
온도	추운 북극에 사는 북극여우	더운 사막에 사는 사막여우
	북극여우는 귀가 ❹ [ ] 몸집이 커서 열의 손실을 줄일 수 있다. → 낮은 기온에 적응	사막여우는 귀가 ❺ [ ] 몸집이 작아 몸의 열을 방출하기 쉽다. → 높은 기온에 적응
물살 세기	물살이 센 곳에 사는 소라	물살이 약한 곳에 사는 소라
	껍데기에 뿔이 발달하여 물에 쉽게 떠내려가지 않는다. → 물살이 ❻ [ ] 곳에 적응	껍데기에 뿔이 없다. → 물살이 ❼ [ ] 곳에 적응

❸ 적응
❹ 작고
❺ 크고
❻ 센
❼ 약한

기초 확인 문제

정답과 해설 70쪽

07 다음에서 설명하는 것이 무엇인지 쓰시오.

같은 종에 속하는 생물 사이에서 나타나는 서로 다른 특징으로, 같은 종의 바지락 껍데기의 무늬와 색깔이 조금씩 다른 것은 그 예이다.

▲ 바지락

(　　　　　　　　)

08 그림은 북극여우와 사막여우의 모습이 다른 까닭에 대해 두 친구가 나눈 대화를 나타낸 것이다.

▲ 북극여우

▲ 사막여우

북극여우는 귀가 작고 몸집이 커서 열의 손실을 줄일 수 있어. 이는 낮은 기온에 (　　　　　　)한 결과라고 할 수 있어.

사막여우는 귀가 크고 몸집이 작아 몸의 열을 방출하기 쉬워. 이는 높은 기온에 (　　　　　　)한 결과라고 할 수 있어.

빈칸에 공통으로 들어갈 말을 쓰시오.

(　　　　　　　　)

09 그림은 한 종의 달팽이들이 나눈 대화를 나타낸 것이다. 빈칸에 알맞은 말을 쓰시오.

우리는 같은 종의 달팽이인데 왜 껍데기 무늬와 색깔이 다를까?

그건 부모로부터 물려받은 (　　　　　　)가 다르기 때문이야.

10 다음은 높은 산 위의 눈잣나무와 평지의 눈잣나무에 대한 내용이다. (　) 안에 알맞은 말을 고르시오.

높은 산 위에서 자라는 눈잣나무와 평지에서 자라는 눈잣나무의 모습이 다른 것과 가장 관계 깊은 환경 요인은 바람의 세기이다. 바람의 세기가 ㉠(약한, 강한) 높은 산 위의 눈잣나무는 바람에 견디기 유리한 형태로 땅에 붙어서 옆으로 자란다. 바람의 세기가 ㉡(약한, 강한) 평지의 눈잣나무는 바람의 영향을 적게 받아서 위로 곧게 자란다. 이처럼 생물은 환경 변화에 ㉢(적응, 반대)하며 살아간다.

▲ 높은 산 위의 눈잣나무

▲ 평지의 눈잣나무

3일 내신 기출 베스트

대표 예제 1 생물 다양성

생물 다양성에 대한 내용으로 옳지 않은 것은?

① 생물 다양성은 지역에 따라 달라진다.
② 한 생물이 멸종하면 생물 다양성이 높아진다.
③ 일정한 지역 내에 서식하는 생물의 다양한 정도이다.
④ 생태계 다양성, 종 다양성, 유전자 다양성을 모두 포함한다.
⑤ 일정한 지역 내에 갯벌, 습지, 산림과 같은 생태계가 다양하면 생물의 종 수는 증가한다.

개념 가이드

생물 다양성은 [ ] 다양성, [ ] 다양성, 유전자 다양성을 모두 포함한다.

답 생태계, 종

대표 예제 2 생물 다양성

다음은 (가)와 (나) 지역에 서식하고 있는 생물을 토대로 내용을 정리한 것이다. 빈칸에 알맞은 말을 쓰시오.

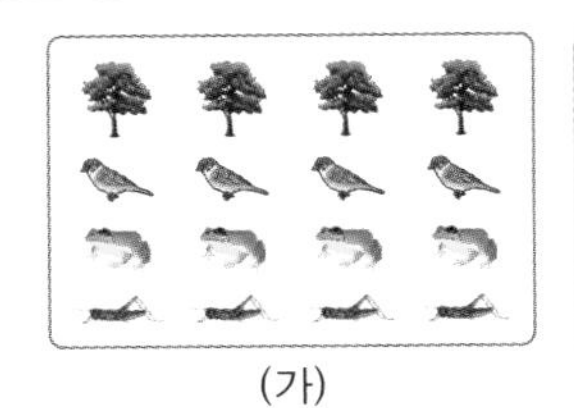
(가)

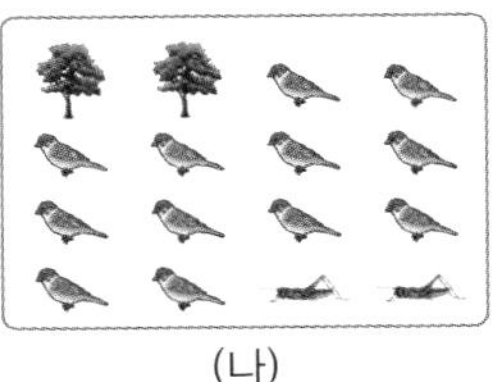
(나)

(가)에는 4종류의 생물 16개체가 고르게 분포하고, (나)에는 3종류의 생물 16개체가 고르지 않게 분포하므로, (　　　)의 생물 다양성이 (　　　) 보다 더 높다.

개념 가이드

생물 다양성은 생물의 종류가 [ ], 여러 종류의 생물이 [ ] 분포할 때 높다.

답 많고, 고르게

대표 예제 3 생물 다양성

그림은 생물 다양성에 대해 두 학생이 나눈 대화를 나타낸 것이다. 옳지 않게 말한 학생을 쓰시오.

(　　　　　)

개념 가이드

같은 종에 속하는 생물의 특징이 [ ]하면 급격한 환경 변화나 전염병에도 살아남는 생물이 있어 멸종할 위험이 [ ].

답 다양, 낮다

대표 예제 4 유전자 다양성

그림은 한 종의 무당벌레의 다양한 겉 날개 무늬와 색깔을 나타낸 것이다. 이처럼 같은 종에 속하는 생물이라도 개체 간의 특징이 다르게 나타나는 정도를 무엇이라고 하는지 〈보기〉에서 골라 쓰시오.

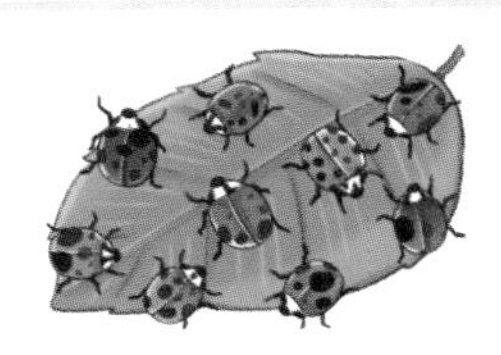

보기

종 다양성　　유전자 다양성
생태계 다양성

(　　　　　)

개념 가이드

같은 종에 속하는 생물이라도 [ ]가 다르기 때문에 크기나 생김새 등의 [ ]이 다르게 나타난다.

답 유전자, 특징

대표 예제 5 변이

변이의 예에 해당하는 것을 〈보기〉에서 모두 고르시오.

보기
ㄱ. 개와 호랑이의 생김새가 다르다.
ㄴ. 거미와 나비의 다리 개수가 다르다.
ㄷ. 같은 종의 무당벌레라도 개체마다 겉 날개 색깔과 무늬가 조금씩 다르다.

( )

개념 가이드

변이는 같은 [ ]에 속하는 생물 사이에서 나타나는 서로 [ ] 특징이다. 답 종, 다른

대표 예제 6 변이

그림은 같은 종의 다양한 달팽이 껍데기의 색깔과 무늬를 보고 두 친구가 나눈 대화를 나타낸 것이다. 옳게 말한 사람을 쓰시오.

( )

개념 가이드

같은 [ ]에 속하는 생물 사이에서 나타나는 서로 다른 특징을 [ ]라고 한다. 답 종, 변이

대표 예제 7 환경에 적응한 예

그림은 북극여우와 사막여우의 모습을 나타낸 것이다.

▲ 북극여우

▲ 사막여우

이에 대한 설명으로 옳은 것을 〈보기〉에서 모두 고르시오.

보기
ㄱ. 사막여우는 몸집이 작아 열 손실이 적다.
ㄴ. 북극여우의 작은 귀는 열을 방출하기에 유리하다.
ㄷ. 북극여우와 사막여우의 생김새가 달라지게 된 환경 요인은 온도이다.

( )

개념 가이드

북극여우와 사막여우의 생김새가 다른 것은 서로 다른 [ ]에 [ ]한 결과이다. 답 온도, 적응

대표 예제 8 환경과 생물 다양성

그림은 높은 산 위의 눈잣나무와 평지의 눈잣나무를 나타낸 것이다.

▲ 높은 산 위의 눈잣나무

▲ 평지의 눈잣나무

두 눈잣나무의 모습이 다른 것과 관계 깊은 환경 요인을 〈보기〉에서 골라 쓰시오.

보기
온도 물살의 세기 바람의 세기

( )

개념 가이드

생물은 환경 변화에 [ ]하며 살아간다. 답 적응

4일 생물의 분류

그림으로 개념 잡기
생물 분류
동물을 일정한 기준에 따라 비슷한 특징을 가진 무리로 나누어 볼까?
나는 동물을 사는 곳에 따라 분류했어.
육지에 사는 동물
물에 사는 동물
나는 동물을 새끼를 낳는지 알을 낳는지에 따라 분류했어.
새끼를 낳는 동물
알을 낳는 동물
이렇게 분류하면 다른 사람이 분류해도 분류 결과가 달라지지 않아.

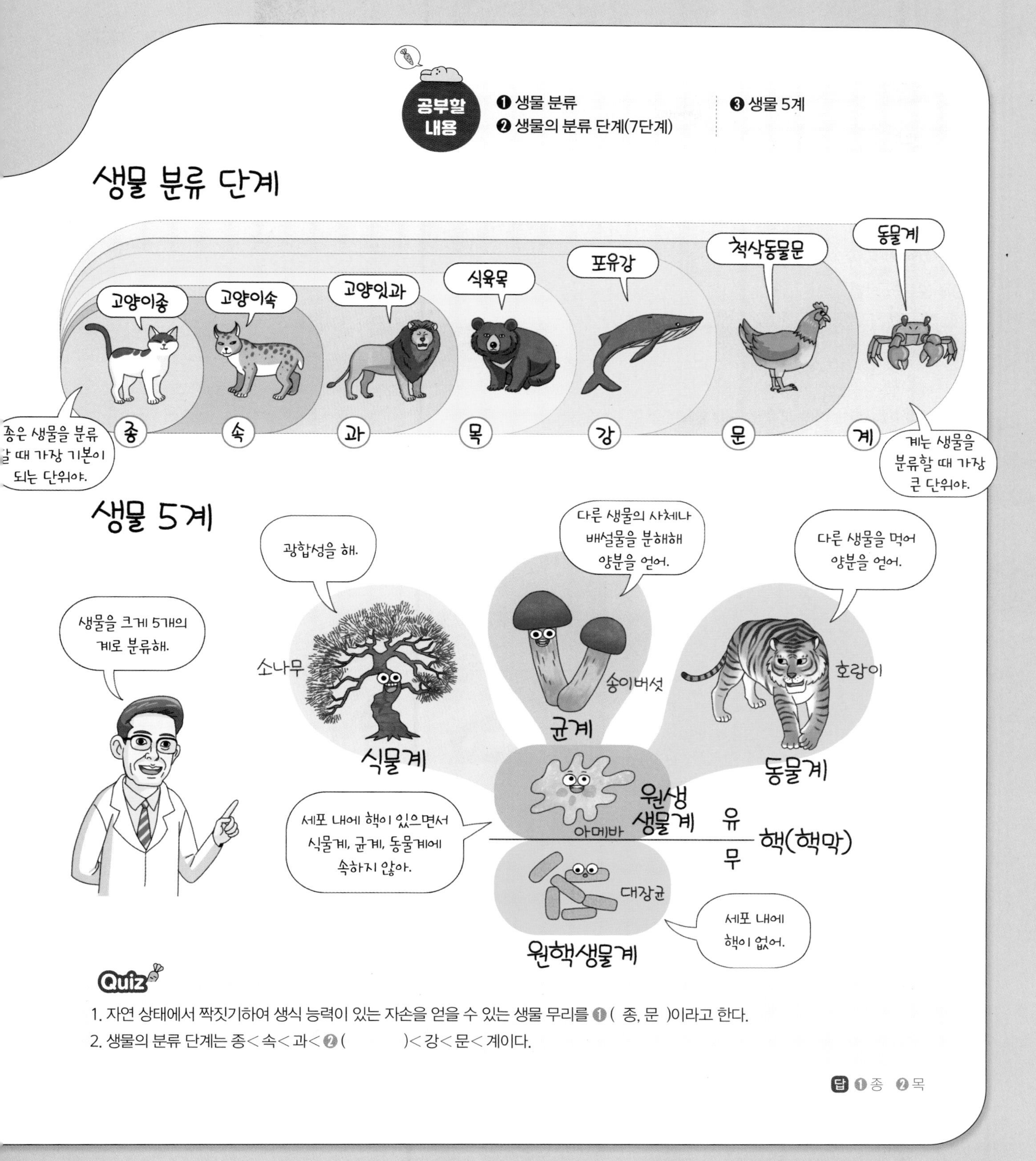

공부할 내용
❶ 생물 분류
❷ 생물의 분류 단계(7단계)
❸ 생물 5계
생물 분류 단계
고양이종
고양이속
고양잇과
식육목
포유강
척삭동물문
동물계
종
속
과
목
강
문
계
종은 생물을 분류
때 가장 기본이
되는 단위야.
계는 생물을
분류할 때 가장
큰 단위야.
생물 5계
광합성을 해.
다른 생물의 사체나
배설물을 분해해
양분을 얻어.
다른 생물을 먹어
양분을 얻어.
생물을 크게 5개의
계로 분류해.
소나무
송이버섯
호랑이
균계
식물계
동물계
원생
생물계
아메바
유
무
핵(핵막)
세포 내에 핵이 있으면서
식물계, 균계, 동물계에
속하지 않아.
대장균
세포 내에
핵이 없어.
원핵생물계
Quiz
1. 자연 상태에서 짝짓기하여 생식 능력이 있는 자손을 얻을 수 있는 생물 무리를 ❶ (종, 문)이라고 한다.
2. 생물의 분류 단계는 종 < 속 < 과 < ❷ (   ) < 강 < 문 < 계이다.
답 ❶ 종 ❷ 목

교과서 핵심 정리 ①

개념 1 생물 분류

1. **생물 분류** 생물을 일정한 ❶ [　　] 에 따라 비슷한 특징을 가진 무리로 나누는 것
2. **생물 분류의 목적** 생물 고유의 특징을 기준으로 생물을 종류별로 나누면 생물 사이의 멀고 가까운 관계를 알 수 있다.
3. **생물 분류의 방법**

구분	사람의 편의에 따른 분류	생물 고유의 특징에 따른 분류
의미	생물을 이용 목적, 서식지, 식성 등 사람의 편의에 따라 분류하는 방법 → 사람에 따라 분류 결과가 달라져 객관적이지 않기 때문에 과학적인 분류라고 할 수 ❸ [　　].	생물을 생김새, 내부 구조, 번식 방법 등 생물의 고유한 ❷ [　　] 을 기준으로 분류하는 방법 → 사람에 따라 분류 결과가 달라지지 않기 때문에 과학적인 분류라고 할 수 있으며, 생물 사이의 멀고 가까운 관계를 알 수 있다.
분류 기준	• 이용 목적 : 식용 식물, 약용 식물 • 서식지 : 수중 동물, 육상 동물 • 식성 : 초식 동물, 육식 동물, 잡식 동물	• 몸의 형태나 구조 : 척추동물, 무척추동물 • 번식 방법 : ┌ 종자식물, 포자식물 └ 새끼를 낳는 동물, 알을 낳는 동물

4. **종** 자연 상태에서 짝짓기하여 ❹ [　　] 능력이 있는 자손을 낳을 수 있는 무리로, 생물을 분류할 때 가장 기본이 되는 단위이다.

- 당나귀와 말은 몸의 구조와 생김새가 비슷하다.
- 당나귀와 말은 서로 짝짓기하여 자손을 낳을 수 있다.
- 수탕나귀와 암말 사이에서 태어난 노새는 생식 능력이 없어 자손을 낳을 수 없다. → 노새는 자손을 번식시킬 수 있는 생식 능력이 없으므로 당나귀와 말은 ❺ [　　] 종이다.

개념 2 생물의 분류 단계(7단계)

1. **생물의 분류 단계** 하나의 계에 속하는 생물 무리 가운데 공통적인 특징을 가진 생물을 조금 더 작은 단위로 나누어 ❻ [　　] 으로 분류 → 이와 같은 방법으로 점차 작은 단위인 강, 목, 과, 속, ❼ [　　] 으로 분류한다.

예 사람의 분류 단계 : ❽ [　　] → 척삭동물문 → 포유강 → 영장목 → 사람과 → 사람속 → 사람

❶ 기준
❷ 특징
❸ 없다
❹ 생식
❺ 다른
❻ 문
❼ 종
❽ 동물계

기초 확인 문제

정답과 해설 72쪽

01 빈칸에 알맞은 말을 쓰시오.

> 생물을 일정한 기준에 따라 비슷한 특징을 가진 무리로 나누는 것을 (　　　　　)라고 한다.

02 다음은 생물 분류에 대한 설명이다. (　) 안에 알맞은 말을 고르시오.

(1) 생물을 (사람의 편의, 생물 고유의 특징)에 따라 나누면 생물 사이의 멀고 가까운 관계를 알 수 있다.

(2) 식물을 식용 식물과 약용 식물로 분류한 것은 (사람의 편의, 생물 고유의 특징)에 따라 나눈 것이다.

(3) 동물을 척추동물과 무척추동물로 분류한 것은 (사람의 편의, 생물 고유의 특징)에 따라 나눈 것이다.

03 그림은 6종의 가상 생물을 나타낸 것이다.

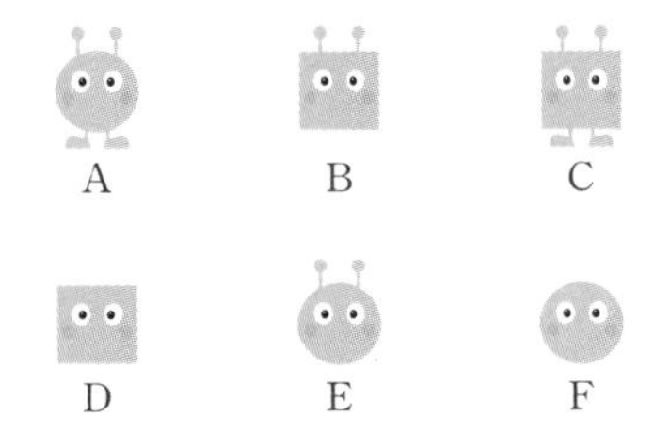

(1) 다리의 수를 기준으로 생물을 분류하시오.

(　　　　　　　/　　　　　　　)

(2) 더듬이의 수를 기준으로 생물을 분류하시오.

(　　　　　　　/　　　　　　　)

(3) 얼굴의 형태를 기준으로 생물을 분류하시오.

(　　　　　　　/　　　　　　　)

04 그림은 수탕나귀와 암말 사이에서 태어난 노새를 나타낸 것이다. 빈칸에 알맞은 말을 쓰시오.

(1) 생물을 분류할 때 가장 기본이 되는 단위는 (　　　　　)이다.

(2) 자연 상태에서 짝짓기하여 생식 능력이 있는 자손을 낳을 수 있는 무리를 (　　　　　)이라고 한다.

(3) 수탕나귀와 암말 사이에서는 생식 능력이 없는 노새가 태어나므로 당나귀와 말은 서로 다른 (　　　　　)이다.

05 그림은 생물의 분류 단계를 나타낸 것이다. ㉠, ㉡에 해당하는 분류 단위를 쓰시오.

- ㉠ : (　　　　　　　)
- ㉡ : (　　　　　　　)

교과서 **핵심 정리 ②**

개념 3 생물 5계

1. 생물 5계 다양한 생물종을 비교하여 일정한 분류 기준에 따라 서로 비슷한 특징을 지닌 것끼리 무리지은 것으로 ❶ [   ], 원생생물계, 식물계, 균계, 동물계의 5가지 계로 분류한다. – 핵(핵막)이나 세포벽의 유무, 광합성 여부, 기관의 발달 정도 등이 중요한 분류 기준이 된다.

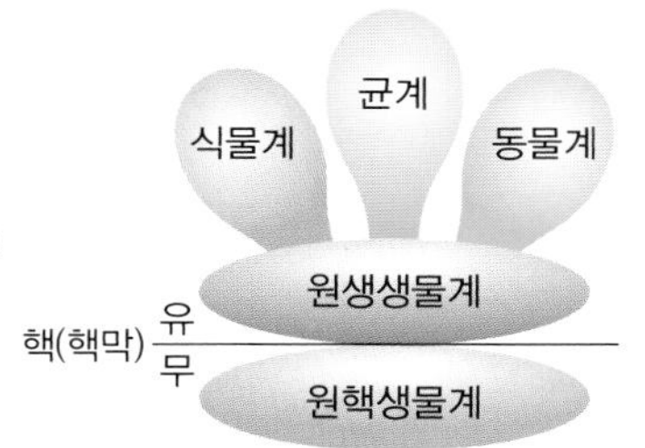

▲ 계 수준에서의 생물 분류

핵이 없다. — ① 원핵생물계
- ❷ [   ] 생물로, 모든 세균이 이 무리에 속한다.
- 대부분 광합성을 하지 않지만 남세균처럼 광합성을 하는 종류도 있다.

핵이 있다.

② 원생생물계
- 세포 내에 ❸ [   ]이 있는 생물 중 식물계, 균계, 동물계 어디에도 속하지 않는 생물 무리이다.
- 대부분 단세포 생물(아메바, 짚신벌레 등)이지만 다세포 생물(김, 미역, 다시마 등)도 있다. (아메바, 짚신벌레: 광합성을 하지 않는다. / 김, 미역, 다시마: 광합성을 한다.)

③ 식물계
- 광합성을 하여 스스로 ❹ [   ]을 만들고 뿌리, 줄기, 잎과 같은 기관이 발달하였다.
- 다세포 생물이며 세포벽이 있다.

④ 균계
- 버섯이나 곰팡이 등이 있으며 운동성이 없고, 광합성을 하지 못한다.
- 스스로 양분을 만들 수 없으며 죽은 생물이나 배설물을 분해하여 양분을 얻는다.
- 버섯이나 곰팡이의 몸은 ❺ [   ]라고 하는 실 모양의 구조로 이루어진다.

⑤ 동물계
- 다른 생물을 섭취하여 양분을 얻는 생물 무리
- 운동성이 있으며, 조직과 기관이 발달한 다세포 생물이다.

2. 생물 5계 비교

구분	원핵생물계	원생생물계	식물계	균계	동물계
핵(핵막)	❻ [ ]	있다	있다	있다	있다
기관	미발달	미발달	발달	미발달	발달
세포벽	있다	있는 생물도 있고 없는 생물도 있다.	❼ [ ]	있다	없다
광합성	대부분 안 한다	하는 생물도 있고, 안 하는 생물도 있다.	한다	안 한다	❽ [ ]
예	대장균, 남세균	아메바, 짚신벌레, 미역, 다시마	소나무, 우산이끼	곰팡이, 버섯, 효모	호랑이, 새, 붕어, 개구리

❶ 원핵생물계
❷ 단세포
❸ 핵
❹ 양분
❺ 균사
❻ 없다
❼ 있다
❽ 안 한다

기초 확인 문제

06 다음은 생물의 5가지 계에 대한 설명이다. 빈칸에 알맞은 말을 쓰시오.

(1) 다양한 생물종을 비교하여 일정한 (　　　　　) 에 따라 서로 비슷한 특징을 지닌 것끼리 무리지은 것이다.

(2) 생물을 원핵생물계, 원생생물계, 식물계, 균계, 동물계의 5가지 (　　　　　)로 분류할 수 있다.

(3) 핵(핵막)이나 세포벽의 유무, 광합성 여부, 기관의 발달 정도 등이 중요한 (　　　　　) 기준이 된다.

07 각 생물과 생물이 속하는 계를 선으로 옳게 연결하시오.

(1) 표고버섯 • 　　　　• ㉠ 원핵생물계

(2) 소나무 • 　　　　• ㉡ 원생생물계

(3) 대장균 • 　　　　• ㉢ 식물계

(4) 짚신벌레 • 　　　　• ㉣ 균계

(5) 호랑이 • 　　　　• ㉤ 동물계

08 다음은 생물 5계를 나타낸 것이다.

원핵생물계	원생생물계	식물계
균계	동물계	

다음의 특징을 갖는 생물 무리를 위에서 골라 쓰시오.

(1) 세포 내에 핵이 존재하지 않는 생물 무리이다. (　　　　　)

(2) 운동성이 있으며 다른 생물을 섭취하여 양분을 얻는 생물 무리이다. (　　　　　)

(3) 세포 내에 핵이 있는 생물 중 식물계, 균계, 동물계 어디에도 속하지 않는 생물 무리이다. (　　　　　)

(4) 광합성을 하여 스스로 양분을 만들고 뿌리, 줄기, 잎과 같은 기관이 발달한 생물 무리이다. (　　　　　)

(5) 스스로 양분을 만들 수 없으며 죽은 생물이나 배설물을 분해하여 양분을 얻는 생물 무리로, 버섯이나 곰팡이가 이에 속한다. (　　　　　)

09 그림은 생물 5계를 나타낸 것이다. 빈칸에 알맞은 말을 쓰시오.

4일 내신 기출 베스트

대표 예제 1 생물 분류

생물 분류에 대한 설명으로 옳은 것을 〈보기〉에서 모두 고르시오.

> 보기
> ㄱ. 생물을 일정한 기준에 따라 비슷한 특징을 가진 무리로 나누는 것이다.
> ㄴ. 생물을 사람의 편의에 따라 분류하는 것은 과학적 의미의 생물 분류 방법이다.
> ㄷ. 생물을 생물 고유의 특징을 기준으로 분류하면 생물 사이의 멀고 가까운 관계를 알 수 있다.

(　　　　　　　　)

개념 가이드

생물 [　　]는 지구상에 존재하는 다양한 생물들을 일정한 [　　]에 따라 비슷한 특징을 가진 무리로 나누는 것이다.

답 분류, 기준

대표 예제 2 생물 분류

생물을 분류할 때 생물 고유의 특징에 따라 분류한 것에 해당하는 것을 〈보기〉에서 모두 고르시오.

> 보기
> ㄱ. 척추가 있는 생물과 척추가 없는 생물
> ㄴ. 먹을 수 있는 생물과 먹을 수 없는 생물
> ㄷ. 세포 내에 핵이 있는 생물과 핵이 없는 생물
> ㄹ. 약으로 쓰이는 생물과 약으로 쓰이지 않는 생물

(　　　　　　　　)

개념 가이드

생물은 사람의 [　　]나 생물 고유의 [　　]에 따라 분류할 수 있다.

답 편의, 특징

대표 예제 3 가상의 생물 분류

그림은 가상의 생물 A~D를 나타낸 것이다.

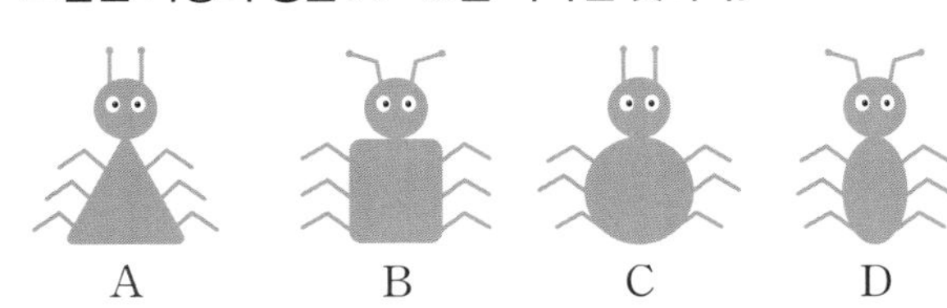

가상 생물을 다음과 같이 분류할 때 (　) 안에 알맞은 말을 고르시오.

> 가상의 생물을 〈A, C〉와 〈B, D〉로 분류할 때의 분류 기준은 (몸통, 더듬이) 모양이다.

개념 가이드

생물을 분류할 때는 먼저 생물 고유의 특징을 관찰하여 [　　]과 차이점을 찾고, 이를 바탕으로 분류 [　　]을 정한다.

답 공통점, 기준

대표 예제 4 종

그림은 수사자와 암호랑이 사이에서 태어난 라이거를 나타낸 것으로, 라이거는 자연 상태에서 태어날 수 없으며 생식 능력이 없다. 이에 대해 옳게 말한 사람을 쓰시오.

사자와 호랑이 사이에서 라이거가 태어났기 때문에 사자와 호랑이는 같은 종이라고 할 수 있어.

준우

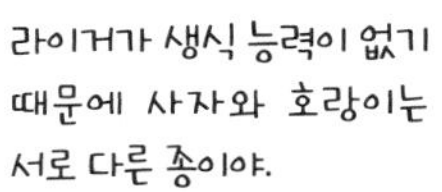

은송

(　　　　　　　　)

개념 가이드

종은 자연 상태에서 짝짓기하여 [　　] 능력이 있는 [　　]을 얻을 수 있는 생물 무리를 말한다.

답 생식, 자손

대표 예제 5 생물의 분류 단계

그림은 생물의 분류 단계를 나타낸 것이다.

(가) — 문 — 강 — 목 — 과 — 속 — (나)

이에 대한 설명으로 옳은 것을 〈보기〉에서 모두 고르시오.

보기
ㄱ. (가)는 종이다.
ㄴ. (나)는 생물을 분류할 때 가장 기본이 되는 단위이다.
ㄷ. (가)에서 (나) 단계로 갈수록 분류 기준은 세분화되고 범위가 좁아진다.

(　　　　　　　)

개념 가이드

생물의 분류 단계는 종<속<과<목<강<문<계로, 가장 작은 분류 단계는 □, 가장 큰 분류 단계는 □이다.

답 종, 계

대표 예제 6 생물 분류

그림은 생물을 두 무리로 분류한 것이다.

(가)

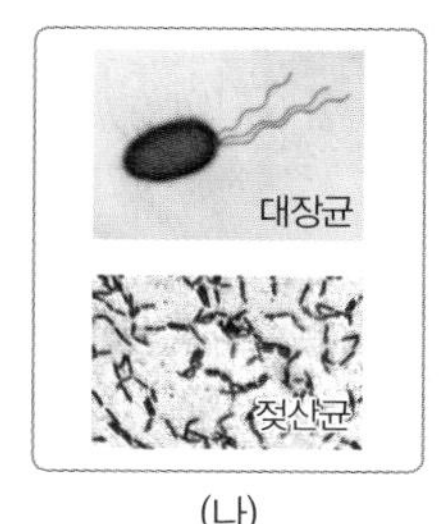

(나)

(가)에는 있지만 (나)에는 없는 구조로 옳은 것은?

① 핵　② 균사　③ 뿌리
④ 엽록체　⑤ 세포벽

개념 가이드

원핵생물계는 세포 내에 □이 없고 원생생물계, 식물계, 균계, □는 핵이 있다.

답 핵, 동물계

대표 예제 7 생물 5계

생물 5계에 대한 설명으로 옳지 않은 것은?

① 균계에 속하는 생물은 대부분 세균이다.
② 식물계에 속하는 생물은 양분을 스스로 만든다.
③ 원핵생물계에 속하는 생물은 세포 내에 핵이 없다.
④ 원생생물계에 속하는 생물은 세포 내에 핵이 있다.
⑤ 동물계에 속하는 생물은 다른 생물을 섭취하여 양분을 얻는다.

개념 가이드

뿌리, 줄기, 잎과 같은 □이 발달하고 광합성을 하여 양분을 얻는 생물 무리를 □계라고 한다.

답 기관, 식물

대표 예제 8 생물 5계

그림은 생물 5계와 각 계의 대표적인 생물을 나타낸 것이다. (가)~(마) 중 고래가 속하는 생물 무리의 기호와 그 무리의 이름을 쓰시오.

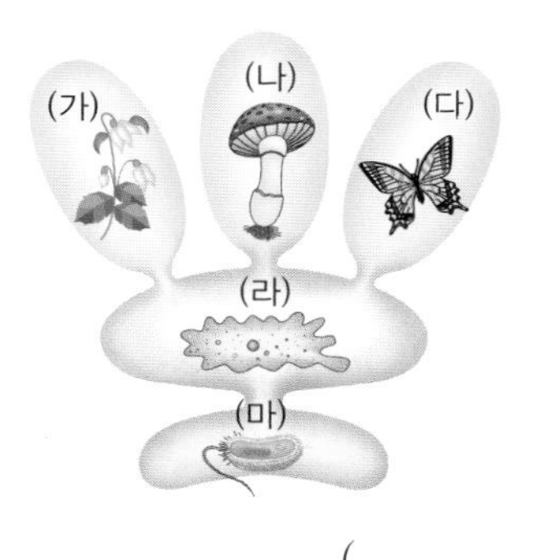

(　　　　　　　)

개념 가이드

세포 내에 □이 있는 생물 중 다른 생물을 섭취하여 양분을 얻는 생물 무리를 □계라고 한다.

답 핵, 동물

5일 생물 다양성 보전

그림으로 개념 잡기
생물 다양성의 중요성
산소
이산화 탄소
나는 광합성을 해서 생물들이 호흡할 수 있게 해.
아, 상쾌한 공기~
내가 나는 모습을 모방해서 소형 비행기를 만들었다고?
생물 다양성이 높을수록 생태계가 안정적으로 유지돼.
나는 항암제의 원료가 되지.
주목나무

❶ 생물 다양성의 중요성
❷ 생물 다양성을 감소시키는 원인과 대책
❸ 생물 다양성 보전을 위한 노력

생물 다양성 보전을 위한 노력

생물 다양성을 감소시키는 원인

Quiz

1. 생물 다양성이 ❶ (낮은, 높은) 생태계는 더 안정적으로 유지된다.
2. 서식지 파괴, 외래종 유입, 남획, 환경 오염 등으로 인해 생물 다양성이 ❷ (감소, 증가)한다.

답 ❶ 높은 ❷ 감소

5일 교과서 핵심 정리 ①

개념 1 생물 다양성의 중요성

1. 생태계 유지 생물 ❶ [ ]이 높을수록 생태계가 안정적으로 유지된다.

생물 다양성이 낮은 생태계	생물 다양성이 높은 생태계
뱀 ↑ 개구리 ↑ 메뚜기 ↑ 풀	호랑이, 뱀, 부엉이, 매, 토끼, 쥐, 개구리, 사슴, 풀, 메뚜기
특정 종의 멸종 → 나머지 종들의 연쇄적 멸종 ➞ 생태계가 파괴될 가능성이 높다. 예 개구리가 멸종되면 메뚜기의 수가 크게 ❸ [ ]하고, 뱀의 수가 크게 감소할 것이다.	특정 종의 멸종 → 다른 생물이 멸종된 생물 대체 ➞ 생태계가 ❷ [ ]적으로 유지된다.─ 생태계 평형이 유지된다. 예 개구리가 멸종되어도 쥐가 메뚜기를 잡아먹으며 뱀은 토끼, 쥐를 잡아먹고 살 수 있다.

2. 인간에게 필요한 자원 제공 ─ 생물 다양성이 높은 생태계는 안정적으로 유지될 뿐만 아니라 사람에게 다양한 자원을 제공한다.

① 생물 자원 제공 : 사람은 식량, 의약품, 목재, 공산품 등 생존에 필요한 자원을 ❹ [ ]로부터 얻는다.

식량 자원	의약품 원료	공산품 원료
벼, 보리, 밀	주목나무(항암제), 푸른곰팡이(항생제)	누에고치(비단), 목화(면 섬유)

② 도구 발명의 원천 : 생물의 생김새, 생활 모습으로부터 아이디어를 얻어 유용한 ❺ [ ]를 개발한다.

예

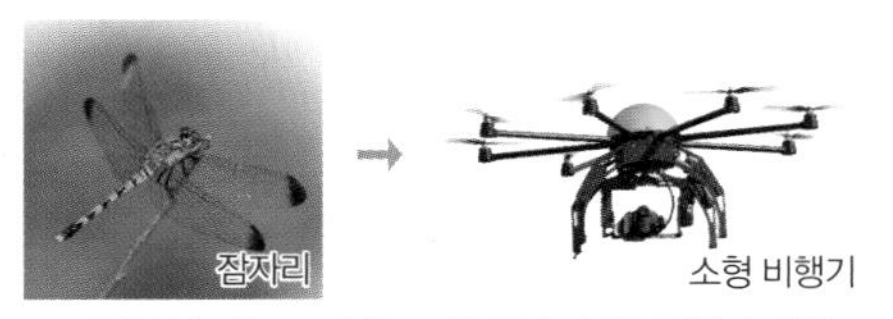

▲ 곤충의 나는 모습을 모방하여 소형 비행기 창안

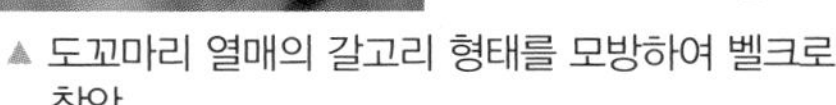

▲ 도꼬마리 열매의 갈고리 형태를 모방하여 벨크로 창안

3. 지구 환경의 유지 및 보전

① 광합성을 하여 대기의 이산화 탄소를 흡수하고 산소를 방출 ➞ 지구 ❻ [ ] 방지, 생물에게 ❼ [ ] 공급

② 버섯, 곰팡이, 세균 등은 죽은 동식물을 분해 ➞ 비옥한 토양 생성, 물질 순환

③ 토양이나 수중에 사는 미생물은 오염 물질을 분해 ➞ 깨끗한 ❽ [ ] 유지

❶ 다양성
❷ 안정
❸ 증가
❹ 생물
❺ 도구
❻ 온난화
❼ 산소
❽ 환경

기초 확인 문제

정답과 해설 74쪽

01 다음은 생물 다양성과 생태계의 관계에 대한 설명이다. (　　) 안에 알맞은 말을 고르시오.

> 생물 다양성이 ㉠(낮은, 높은) 생태계는 먹이 사슬이 ㉡(단순, 복잡)하여 한두 종의 생물이 사라지면 이를 대체할 생물이 없어 생태계가 파괴될 수 있다. 반면 생물 다양성이 ㉢(낮은, 높은) 생태계는 먹이 사슬이 ㉣(단순, 복잡)하기 때문에 한두 종의 생물이 사라져도 이를 대체할 수 있는 생물이 존재해 생태계가 안정적으로 유지된다.

[02~03] 그림은 두 종류의 생태계를 나타낸 것이다.

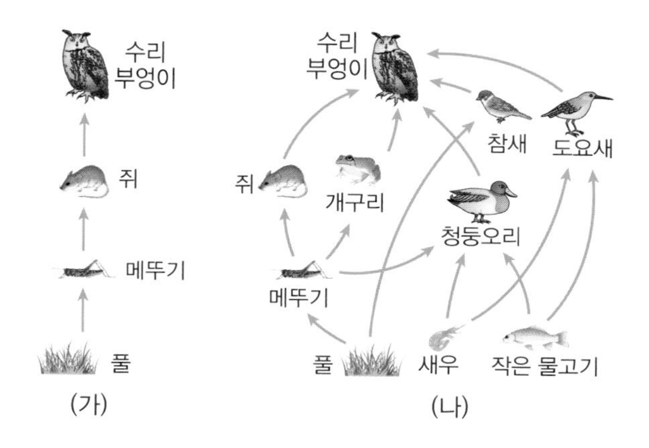

02 (가)와 (나) 중 생물 다양성이 더 높은 생태계를 고르시오.

(　　　　　　)

03 그림은 (가)와 (나) 생태계에서 쥐가 멸종되었을 때 일어나는 현상에 대해 두 학생이 대화를 나눈 것이다. 옳게 말한 학생을 쓰시오.

(　　　　　　)

04 생물 다양성이 주는 혜택에 대한 설명으로 옳지 <u>않은</u> 것은?

① 누에고치에서 비단을 얻는다.
② 맑은 공기, 비옥한 토양 등을 얻는다.
③ 벼, 보리, 밀 등의 식량 자원을 얻는다.
④ 주목나무에서 항암제의 원료를 얻는다.
⑤ 생물의 생김새나 생활 모습을 모방해서는 유용한 도구를 발명할 수 없다.

교과서 핵심 정리 ②

개념 2 생물 다양성을 감소시키는 원인과 대책

구분	감소 원인	대책
서식지 파괴	무분별한 개발은 생물의 서식지를 파괴하여 종 다양성을 급격히 감소시킨다. → 생물 다양성을 감소시키는 가장 심각한 원인이다. 예 열대 우림의 파괴	• 지나친 개발 자제 • ❶ ______ 보전 • 보호 구역 지정 • 생태 통로 설치
외래종 유입 기존 서식지가 아닌 새로운 곳으로 유입된 동식물	일부 외래종은 ❷ ______이 거의 없으므로 토종 생물종의 생존을 위협 → 외래종 유입은 먹이 사슬에 변화를 일으켜 생태계 평형을 파괴할 수 있다. 예 배스, 가시박, 뉴트리아, 붉은귀거북	• 외래종의 무분별한 유입 방지 • 외래종의 꾸준한 감시와 퇴치
남획 번식으로 개체 수를 회복하지 못할 정도로 특정 생물을 마구 잡는 것	특정 야생 생물종을 남획하여 생물의 개체 수 감소 예 코끼리, 코뿔소, 고래 등의 남획	• 법률 강화 • ❸ ______ 위기 생물 지정
환경 오염	환경이 ❹ ______되면 더 이상 생물이 살기 어려운 환경이 되어 생물의 개체 수 감소	• 쓰레기 배출량 줄이기 • 환경 정화 시설 설치

개념 3 생물 다양성 보전을 위한 노력

1. **국제적 노력** 나라 간에 생물 다양성 보전을 위한 ❺ ______을 맺고 실행한다.

사이테스	람사르 협약	생물 다양성 협약
멸종 위기에 처한 ❻ ______ 동식물의 국제 거래를 규제	물새 서식지로서 보전 가치가 높은 ❼ ______를 지정하여 의무적으로 보전하게 한다.	생물 다양성의 보전과 지속 가능한 이용, 그 이용으로 얻어지는 이익의 공정한 분배를 목적으로 한다.

2. **국가적 노력** 국립 공원, 습지 보호 지역 등 보호 지역 지정 및 관리, ❽ ______ 위기종 지정 및 관리, 환경 영향 평가 시행 등

3. **사회적 노력** 비오톱 설치, 생태 통로 건설, 환경 단체들의 서식지 보호 활동 등

4. **개인적 노력** 쓰레기 따로 거두기, 모피로 만든 제품 사지 않기, 옥상 정원과 같은 생물의 서식지 만들기, 희귀 동물을 애완용으로 기르지 않기 등

▲ 비오톱
최소한의 자연 생태계를 유지할 수 있는 작은 생물의 서식 공간

▲ 생태 통로
도로를 만들 때 개발로 단절된 서식지를 이어주어 야생 동물이 이동할 수 있도록 하는 구조물

❶ 서식지
❷ 천적
❸ 멸종
❹ 오염
❺ 협약
❻ 야생
❼ 습지
❽ 멸종

기초 확인 문제

정답과 해설 74쪽

05 다음은 생물 다양성을 감소시키는 원인에 대한 설명이다. 빈칸에 알맞은 말을 쓰시오.

(1) 무분별한 개발은 야생 동물의 (　　　　)를 파괴하여 종 다양성을 급격히 감소시킨다.

(2) 특정 야생 생물종을 (　　　　)하여 생물의 개체 수가 감소한다.

(3) 기존 서식지가 아닌 새로운 곳으로 유입된 일부 (　　　　)은 천적이 거의 없어 토종 생물종의 생존을 위협하기도 한다.

06 생물 다양성의 감소 원인과 그에 해당하는 대책을 선으로 옳게 연결하시오.

(1) 환경 오염	•	•	㉠ 지나친 개발 자제
(2) 외래종 유입	•	•	㉡ 외래종의 무분별한 유입 방지
(3) 서식지 파괴	•	•	㉢ 멸종 위기 생물을 지정하여 보호
(4) 남획	•	•	㉣ 환경 정화 시설 설치

07 다음에서 설명하는 것은 무엇인지 쓰시오.

도로 건설로 인하여 끊어진 야생 동식물의 서식지를 연결하는 통로로, 야생 동물의 이동을 돕기 위한 구조물이다.

(　　　　　　)

08 빈칸에 공통으로 들어갈 말을 〈보기〉에서 골라 쓰시오.

새로운 서식지로 유입된 동식물을 (　　　　)이라고 한다. 일부 (　　　　)은 천적이 거의 없어 토종 생물종의 생존을 위협한다.

▲ 가시박

▲ 배스

보기
외래종　　희귀종　　멸종 위기종

(　　　　　　)

09 다음은 생물 다양성을 보전하기 위한 다양한 노력에 대한 설명이다. 국제적 노력에 해당하는 예에는 '국제적', 국가적 노력에 해당하는 예에는 '국가적', 사회적 노력에 해당하는 예에는 '사회적', 개인적 노력에 해당하는 예에는 '개인적'이라고 쓰시오.

(1) 쓰레기 따로 거두기를 하거나 희귀 동물을 애완용으로 기르지 않는다. (　　　　)

(2) 국립 공원, 습지 보호 지역 등 보호 지역을 지정하고 관리한다. (　　　　)

(3) 비오톱을 설치하거나 생태 통로를 연결하여 생물 다양성을 보전한다. (　　　　)

(4) 국제 협약을 통해 멸종 위기에 처한 야생 동식물의 국제 거래를 규제함으로써 남획으로부터 생물종을 보호한다. (　　　　)

내신 기출 베스트

대표 예제 1 생태계 유지

그림은 두 종류의 생태계를 나타낸 것이다. (가)와 (나) 중에서 개구리가 사라져도 개구리를 대체할 수 있는 생물이 있어 비교적 안정적으로 유지되는 생태계를 쓰시오.

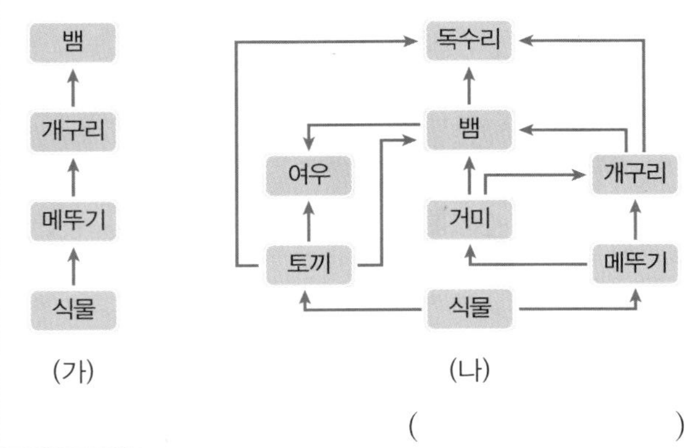

( )

개념 가이드

생물 다양성이 [ ] 생태계는 생물 다양성이 [ ] 생태계보다 더 안정적으로 유지된다. 답 높은, 낮은

대표 예제 2 생물 다양성이 높은 생태계

그림은 어떤 생태계를 나타낸 것이다. 이에 대해 옳게 말한 학생을 쓰시오.

매
뱀
여우
꿩
개구리
토끼
거미
쥐
메뚜기

은서: 쥐가 멸종하면 여우도 멸종할 거야.

서율: 쥐가 멸종해도 여우는 토끼나 꿩을 먹고 살 수 있기 때문에 멸종하지 않을 거야.

( )

개념 가이드

생물 다양성이 [ ] 생태계는 한두 종의 생물이 사라져도 이를 [ ]할 수 있는 생물이 존재한다. 답 높은, 대체

대표 예제 3 생물 다양성의 중요성

생물 다양성이 잘 보전된 생태계로부터 얻을 수 있는 혜택이 아닌 것은?

① 공산품의 원료를 얻을 수 있다.
② 벼, 보리, 밀 등의 식량을 얻을 수 있다.
③ 지구 온난화가 빠르게 진행되도록 한다.
④ 유용한 도구를 창안하는 데 도움을 주기도 한다.
⑤ 항생제, 항암제와 같은 의약품의 원료를 얻을 수 있다.

개념 가이드

사람은 다양한 [ ]에게서 살아가는 데 필수적인 [ ]을 얻는다. 답 생물, 자원

대표 예제 4 도구 발명의 원천

다음은 벨크로의 개발 사례를 나타낸 것이다.

도꼬마리의 열매는 갈고리 형태로 되어 있어 털 소재의 옷에 잘 달라붙는다. 이를 모방한 것이 벨크로이다.

생물 다양성의 중요성과 관련하여 위의 내용과 관계있는 것을 〈보기〉에서 골라 쓰시오.

보기
생태계 유지 생물 자원 제공 도구 발명의 원천

( )

개념 가이드

사람은 생물의 [ ]나 생활 모습을 보고 아이디어를 얻어 유용한 [ ]를 발명하기도 한다. 답 생김새, 도구

대표 예제 5 생물 다양성의 감소 원인

생물 다양성을 감소시키는 원인으로 옳지 않은 것은?

① 남획
② 환경 오염
③ 서식지 파괴
④ 외래종 유입
⑤ 비오톱 설치

개념 가이드

생물 다양성을 감소시키는 원인에는 남획, 환경 오염, ☐ 파괴, ☐ 유입 등이 있다. 답 서식지, 외래종

대표 예제 6 생물 다양성의 감소 원인

그림은 우리나라에 살고 있는 생물을 나타낸 것이다.

이에 대한 설명으로 옳은 것을 〈보기〉에서 모두 고르시오.

보기
ㄱ. 외래종에 해당한다.
ㄴ. 환경을 정화하는 생물이다.
ㄷ. 천적이 거의 없어 토종 생물종의 생존을 위협한다.

(　　　　　　　　)

개념 가이드

외래종의 유입은 ☐에 변화를 일으켜 생태계 ☐을 파괴할 수 있다. 답 먹이 사슬, 평형

대표 예제 7 생물 다양성의 감소 원인과 대책

생물 다양성의 감소 원인과 그에 따른 대책을 옳지 않게 짝지은 것은?

	감소 원인	대책
①	남획	멸종 위기 생물 지정
②	환경 오염	생태 통로 설치
③	외래종 유입	외래종의 무분별한 유입 방지
④	서식지 파괴	보호 구역 지정
⑤	서식지 파괴	지나친 개발 자제

개념 가이드

서식지 파괴에 대한 방지 대책에는 지나친 ☐ 자제, 보호 구역 지정, ☐ 설치 등이 있다. 답 개발, 생태 통로

대표 예제 8 생물 다양성 보전을 위한 노력

생물 다양성을 보전하기 위해 개인 차원에서 할 수 있는 노력으로 옳은 것을 〈보기〉에서 모두 고르시오.

보기
ㄱ. 쓰레기 따로 거두기
ㄴ. 국가 간에 여러 가지 협약 맺기
ㄷ. 희귀한 동물을 애완용으로 기르지 않기
ㄹ. 국립 공원과 같은 보호 지역 지정 및 관리하기

(　　　　　　　　)

개념 가이드

생물 다양성을 ☐하기 위해 개인적, 사회적, 국가적, ☐ 노력이 필요하다. 답 보전, 국제적

[범위] Ⅱ. 여러 가지 힘 ▶ 탄성력, 마찰력과 부력

6일 누구나 100점 테스트 1회

01 그림은 용수철에 질량이 1 kg인 추를 매단 모습이다. 늘어난 용수철이 원래 상태로 돌아가려는 힘에 대한 설명으로 옳지 않은 것은?

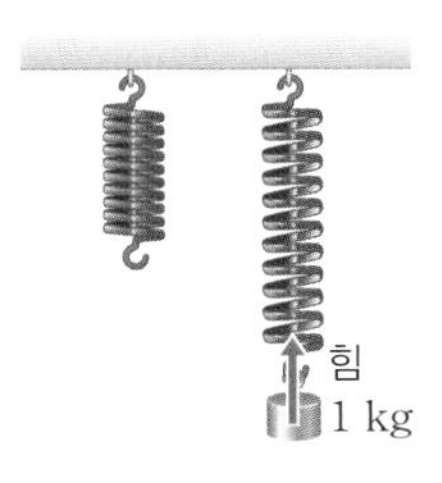

① 힘의 크기는 9.8 N이다.
② 힘의 크기는 용수철이 변형된 정도에 반비례한다.
③ 힘의 방향은 용수철의 길이가 늘어난 방향과 반대 방향이다.
④ 힘의 크기는 용수철을 당기는 힘의 크기와 같다.
⑤ 힘은 탄성력이고, 용수철과 같은 물체를 탄성체라고 한다.

02 주로 탄성력을 이용한 운동 분야로 옳은 것만을 〈보기〉에서 모두 고른 것은?

보기
ㄱ. 양궁의 활　　ㄴ. 스노보드
ㄷ. 장대높이뛰기　　ㄹ. 뜀틀 도약대

① ㄱ, ㄷ　② ㄱ, ㄹ　③ ㄱ, ㄷ, ㄹ
④ ㄴ, ㄷ, ㄹ　⑤ ㄱ, ㄴ, ㄷ, ㄹ

03 표는 매단 추의 개수에 따른 용수철이 늘어난 길이를 나타낸 것이다. 이 용수철에 힘을 가했을 때 늘어난 길이가 20 cm 였다면, 용수철에 가한 힘의 크기는? (단, 추 1개의 무게는 5 N이다.)

추의 개수(개)	0	1	2	3	4
늘어난 길이(cm)	0	4	8	12	16

① 5 N　② 10 N　③ 15 N
④ 20 N　⑤ 25 N

04 컬링 경기에서 빙판을 솔질하면 돌의 이동 거리와 방향이 바뀌는데 이때 빙판과 돌 사이에 작용하는 힘은?

① 중력　② 탄성력　③ 마찰력
④ 부력　⑤ 무중력

05 그림과 같이 용수철저울을 이용하여 물체를 천천히 끌어당기는 동안 용수철저울의 눈금이 50 N을 가리켰다. 이때 50 N은 어떤 힘의 크기를 나타내는가?

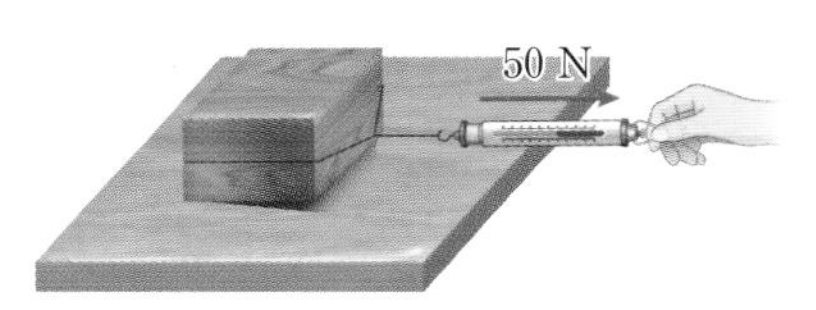

① 용수철저울의 무게
② 물체에 작용하는 중력
③ 물체와 용수철을 합한 무게
④ 물체와 책상 면 사이의 마찰력
⑤ 물체와 용수철저울 사이의 마찰력

06 어떤 물체를 물속에 넣을 때 일어나는 현상을 설명한 것이다. 빈칸에 알맞은 말을 옳게 짝 지은 것은?

물체를 물속에 넣으면 (　A　)지는데, 이것은 부력이 (　B　)으로 작용하기 때문이다.

	A	B
①	가벼워	위쪽
②	가벼워	아래쪽
③	무거워	위쪽
④	무거워	아래쪽
⑤	무거워	왼쪽

07 나무 도막이 움직이기 시작할 때 용수철저울의 눈금이 가장 큰 경우는? (단, 나무 도막의 무게는 모두 같다.)

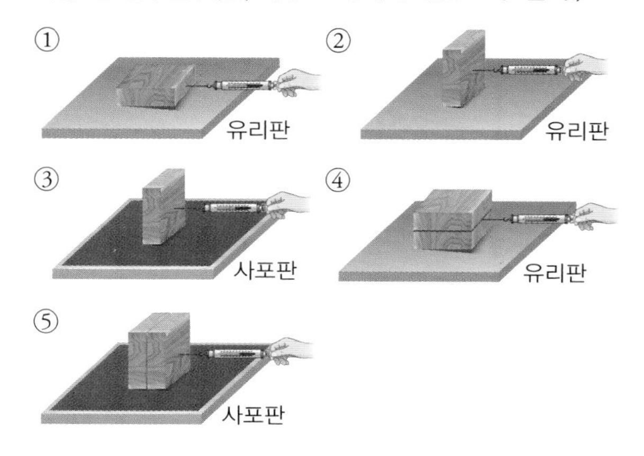

08 그림과 같이 물이 담긴 수조에 부피가 같은 두 물체 A, B를 넣었더니 A는 가라앉고, B는 물에 반쯤 잠긴 상태로 있었다.

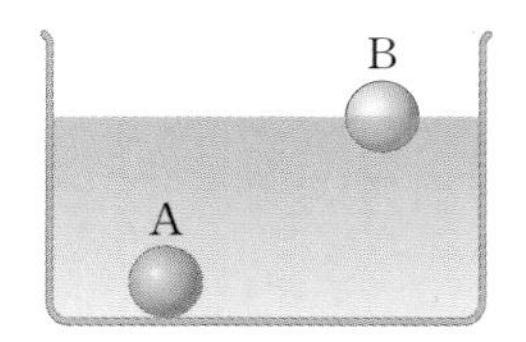

이에 대한 설명으로 옳지 않은 것은?

① 물체 A에도 부력이 작용한다.
② 물체의 무게는 A가 B보다 무겁다.
③ 물체 B에 작용하는 중력과 부력의 크기는 같다.
④ 물체에 작용하는 부력의 크기는 물체 A가 B보다 작다.
⑤ 물체 B에는 중력과 부력이 서로 반대 방향으로 작용한다.

09 무게가 10 N인 물체를 그림 (가), (나)와 같이 물에 잠기게 했을 때, 용수철저울의 눈금은 각각 9.5 N, 8 N이었다. (가), (나)에서 물체가 받는 부력의 크기를 옳게 짝 지은 것은?

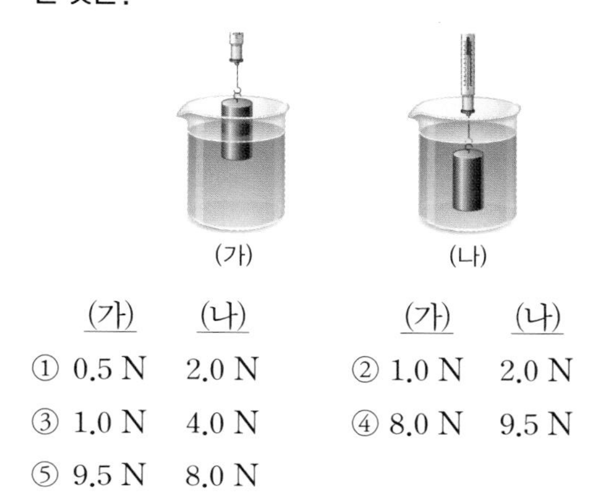

	(가)	(나)
①	0.5 N	2.0 N
②	1.0 N	2.0 N
③	1.0 N	4.0 N
④	8.0 N	9.5 N
⑤	9.5 N	8.0 N

10 무게가 같은 왕관과 순금을 양팔저울에 올려 수평을 이루게 한 다음 물속에 넣었더니 그림과 같이 순금 쪽으로 기울었다.

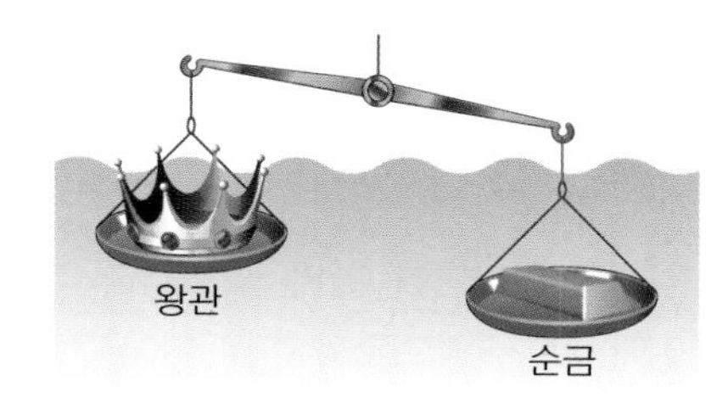

이에 대한 설명으로 옳은 것을 〈보기〉에서 모두 고른 것은?

보기
ㄱ. 부력이 큰 것은 순금이다.
ㄴ. 물속에서 무게가 무거운 것은 순금이다.
ㄷ. 물속에서 부피가 큰 것은 왕관이다.

① ㄱ　② ㄷ　③ ㄱ, ㄴ　④ ㄴ, ㄷ　⑤ ㄱ, ㄴ, ㄷ

[범위] III. 생물의 다양성

누구나 100점 테스트 2회

01 생물 다양성이 높은 경우에 대한 설명으로 옳은 것을 〈보기〉에서 모두 고른 것은?

보기
ㄱ. 생태계의 종류가 다양할수록 생물 다양성이 높아진다.
ㄴ. 일정한 지역에 여러 종의 생물이 분포할수록 생물 다양성이 높아진다.
ㄷ. 유전자 다양성이 낮은 생물종은 급격한 환경 변화가 일어날 때 살아남을 가능성이 높기 때문에 생물 다양성이 높아진다.

① ㄱ ② ㄴ ③ ㄷ
④ ㄱ, ㄴ ⑤ ㄴ, ㄷ

02 변이에 대한 설명으로 옳지 않은 것은?

① 변이는 생물의 생존에 영향을 줄 수 있다.
② 환경이 달라지면 생존에 유리한 변이도 달라진다.
④ 같은 종의 생물 사이에서 나타나는 서로 다른 특징이다.
③ 한 종의 조개껍데기의 무늬가 다른 것은 변이의 예이다.
⑤ 다양한 변이가 나타날수록 급격한 환경 변화가 일어날 때 생존할 가능성이 낮아진다.

03 그림은 북극여우와 사막여우를 나타낸 것이다.

▲ 북극여우

▲ 사막여우

북극여우와 사막여우의 생김새가 다른 것은 어떤 환경에 적응한 결과인지 다음에서 골라 쓰시오.

온도 바람 먹이 물살의 세기

( )

04 다음은 생물 분류의 목적을 설명한 것이다.

생물을 생물 고유의 특징에 따라 분류하면 생물 사이의 멀고 가까운 관계를 알 수 있다.

밑줄 친 분류 기준에 해당하지 않는 것은?

① 알을 낳는 동물과 새끼를 낳는 동물
② 꽃이 피는 식물과 꽃이 피지 않는 식물
③ 먹을 수 있는 생물과 먹을 수 없는 생물
④ 세포에 핵이 있는 생물과 핵이 없는 생물
⑤ 광합성을 하는 생물과 광합성을 하지 않는 생물

05 다음 설명에 해당하는 생물의 분류 단위로 옳은 것은?

생물을 분류할 때 가장 기본이 되는 단위로, 자연 상태에서 짝짓기하여 생식 능력이 있는 자손을 얻을 수 있는 생물 무리를 말한다.

① 종 ② 속 ③ 과
④ 목 ⑤ 계

[06~07] 그림은 생물을 5가지 계로 분류하여 나타낸 것이다.

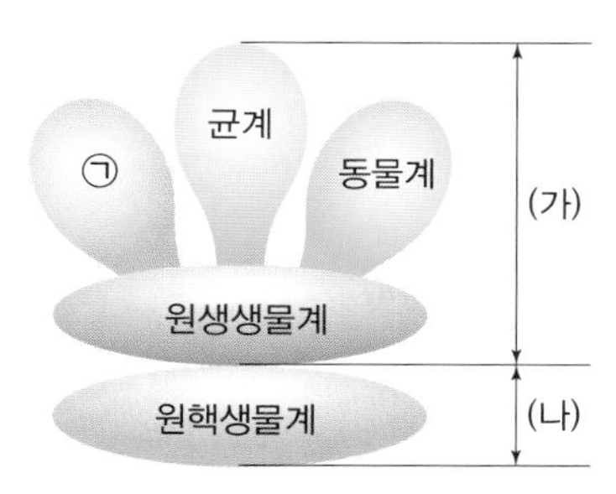

06 (가)와 (나)를 구분하는 분류 기준으로 옳은 것은?

① 핵의 유무
② 광합성 유무
③ 균사의 유무
④ 운동성의 유무
⑤ 기관의 발달 유무

07 ㉠에 해당하는 계의 특징으로 옳은 것은?

① 운동성이 있다.
② 세포에 핵이 없다.
③ 버섯이나 곰팡이가 이에 속한다.
④ 몸이 한 개의 세포로 이루어져 있다.
⑤ 광합성을 할 수 있어 양분을 스스로 만든다.

08 생물 다양성을 보전해야 하는 까닭으로 옳은 것을 〈보기〉에서 모두 고른 것은?

보기
ㄱ. 생활에 필요한 자원을 얻을 수 있다.
ㄴ. 생태계를 안정적으로 유지할 수 있다.
ㄷ. 생물이 살아가는 데 필요한 맑은 공기와 깨끗한 물, 비옥한 토양을 제공한다.

① ㄱ
② ㄴ
③ ㄷ
④ ㄱ, ㄴ
⑤ ㄱ, ㄴ, ㄷ

09 다음은 생물 다양성의 감소 원인인 외래종 유입에 대한 내용이다.

일부 외래종은 토종 생물종의 생존을 위협하여 생물 다양성을 감소시킨다.

이에 해당하는 외래종을 모두 고르면? (정답 2개)

①

②

③

④

⑤

10 다음은 생물 다양성을 보전하기 위한 노력에 대한 설명이다.

람사르 협약은 국경을 초월하여 이동하는 물새를 국제 자원으로 규정하여 가입국의 습지를 보전하는 정책을 이행할 것을 의무화하고 있다. 이는 생물 다양성 보전을 위한 ( ) 노력에 해당한다.

빈칸에 알맞은 것은?

① 개인적
② 사회적
③ 국가적
④ 국제적
⑤ 가정적

6일 서술형·사고력 테스트

01 그림 (가)는 용수철을 3 N의 힘으로 당겼을 때이고, (나)는 2 N의 힘으로 밀었을 때를 나타낸 것이다. ( ) 안에 알맞은 말을 고르시오.

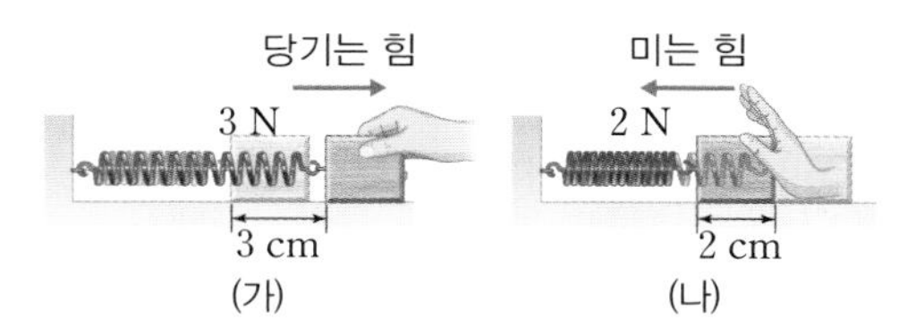

(1) (가)에서 탄성력의 방향은 ㉠(←, →), (나)에서 탄성력의 방향은 ㉡(←, →)이다.

(2) (가)에서 탄성력의 크기는 ㉠(3 N, 2 N)이고, (나)에서 탄성력의 크기는 ㉡(3 N, 2 N)이다.

(3) 탄성력의 크기는 (나)가 (가)보다 (작다, 크다).

(4) 탄성력과 용수철의 길이 변형과의 관계를 서술하시오.

02 그림과 같이 용수철을 5 N의 힘으로 압축하였더니 용수철의 길이가 줄어들었다.

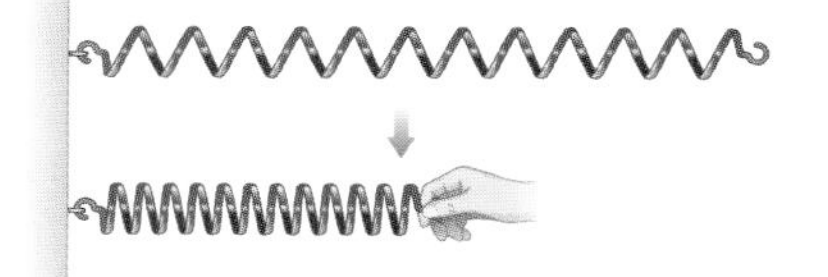

손에 작용하는 탄성력의 크기와 방향을 그림에 화살표로 표시하고, 그 까닭을 다음 용어를 포함하여 서술하시오.

탄성력	크기	방향

03 그림은 유리판과 사포 위에서 같은 나무 도막의 개수를 다르게 하여 당기면서 나무 도막이 움직이는 순간 용수철저울의 눈금을 측정한 것이다.

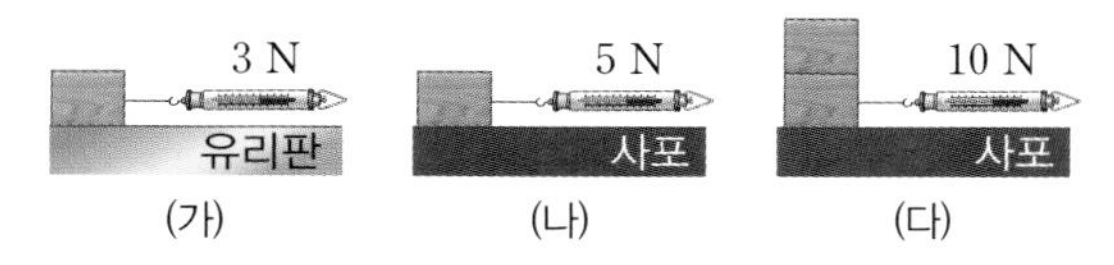

(1) (가)~(다) 중 마찰력이 가장 큰 것을 쓰시오.

(   )

(2) (가)와 (나)를 비교하여 마찰력의 크기에 영향을 주는 요인을 쓰시오.

(   )

(3) (나)와 (다)를 비교하여 마찰력의 크기에 영향을 주는 요인을 쓰시오.

(   )

(4) 마찰력의 크기는 무엇에 따라 커지는지 (2)~(3)의 답을 포함하여 서술하시오.

04 그림과 같이 스타이로폼 구와 연결된 용수철을 비커 바닥에 고정하고 용수철의 처음 길이를 표시한 다음 스타이로폼 구가 물속에 완전히 잠길 때까지 물을 채웠더니 용수철의 길이가 늘어났다. 이때 용수철의 길이가 늘어난 까닭을 서술하시오.

05 그림은 두 지역에서 서식하는 생물을 나타낸 것이다.

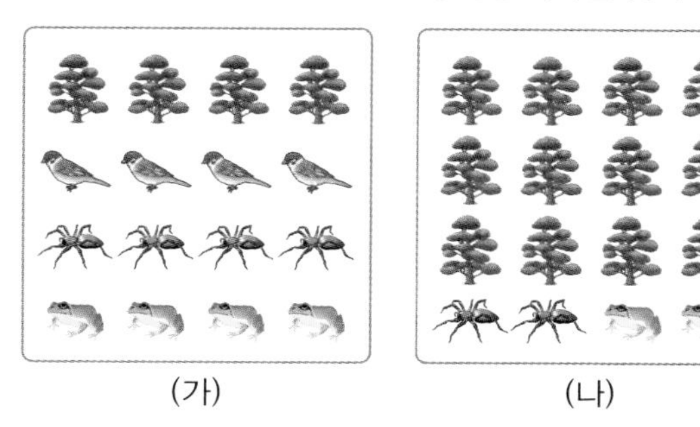

(1) (가)와 (나) 중 생물 다양성이 더 높은 곳을 쓰시오.

(2) (1)과 같이 답한 까닭을 서술하시오.

06 그림은 어떤 지역에 사는 얼룩말의 모습을 보고 두 학생이 대화한 내용을 나타낸 것이다. 빈칸에 들어갈 말을 서술하시오.

같은 종에 속하는 얼룩말의 털 무늬가 조금씩 다른 까닭은 무엇일까?

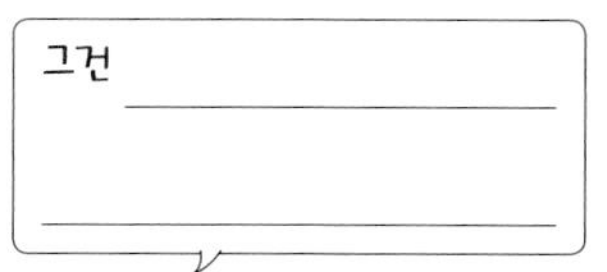

07 그림은 생물을 여러 기준에 따라 분류한 결과를 나타낸 것이다.

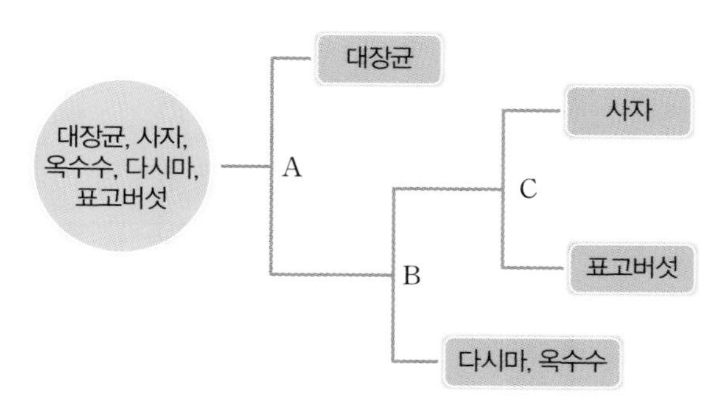

분류 기준 A~C에 해당하는 것을 〈보기〉에서 골라 각각 쓰시오.

보기
핵의 유무 운동성 여부 광합성 여부

- A : (   )
- B : (   )
- C : (   )

08 그림은 우리나라에 유입된 외래종을 나타낸 것이다.

▲ 가시박

▲ 뉴트리아

위의 외래종은 토종 생물종의 생존에 위협이 되는데 그 까닭을 서술하시오.

[범위] Ⅱ. 여러 가지 힘 ▶ 탄성력, 마찰력과 부력 ~ Ⅲ. 생물의 다양성

창의·융합·코딩 테스트

창의

01 **용수철을 이용하여 물체의 무게를 측정하는 실험 장치와 그 결과를 나타낸 그래프이다.**

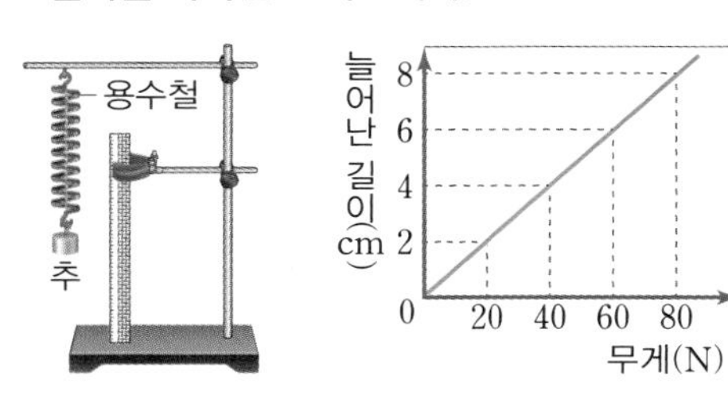

(1) 추에 작용하는 두 가지 힘을 쓰시오.

(　　　　　　　　)

(2) 이 용수철에 어떤 물체를 매달았더니 용수철이 10 cm가 늘어났다. 이 물체의 무게를 구하시오.

(　　　　　　　　)

(3) 용수철저울로 물체의 무게를 측정하는 원리를 설명하시오.

창의

02 **아크릴판에 사포, 도화지, OHP 필름을 붙여 경사면을 만들고 똑같은 나무 도막이 미끄러지기 시작하는 순간의 각도를 측정하였다. (　　) 안에 알맞은 말을 고르시오.**

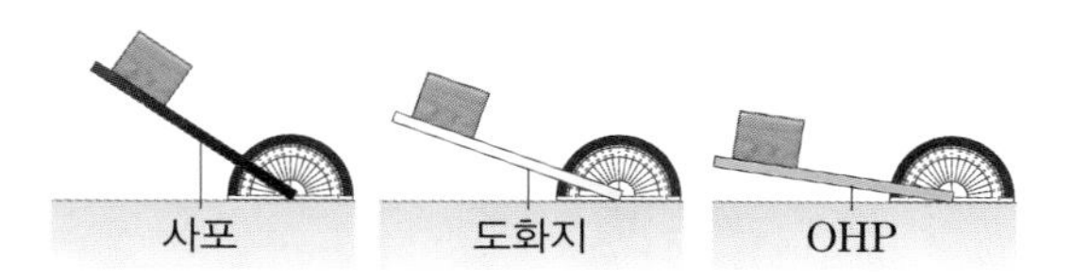

구분	사포	도화지	OHP
미끄러지기 시작하는 각도(°)	40	30	10

(1) 나무 도막이 미끄러지기 시작하는 순간 마찰력의 방향은 경사면 (아래쪽, 위쪽)이다.

(2) 마찰력이 크게 작용할수록 잘 (미끄러진다, 미끄러지지 않는다).

(3) 접촉면의 거칠기는 ㉠(사포 > 도화지 > OHP, 사포 < 도화지 < OHP)이고, 미끄러지기 시작한 순간의 기울기는 ㉡(사포 > 도화지 > OHP, 사포 < 도화지 < OHP)이다. 따라서 마찰력의 크기는 ㉢(사포 > 도화지 > OHP, 사포 < 도화지 < OHP)이다.

(4) 접촉면의 거칠기와 마찰력의 크기 관계를 다음 용어를 포함하여 설명하시오.

마찰력　기울기　거칠기

창의 융합

03 **그림과 같이 크기와 무게가 같은 배 (가)와 (나)에 짐의 양을 달리하여 실었더니 물에 잠긴 깊이가 달랐다. (　　) 안에 알맞은 말을 고르시오.**

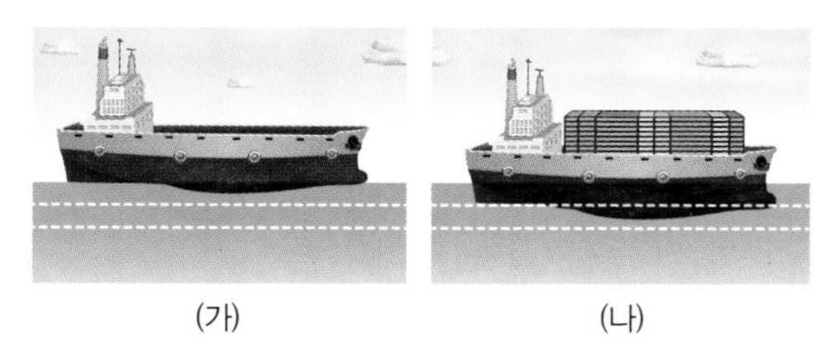

(가)　　　　(나)

(1) 배가 물에 떠 있는 까닭은 배를 위로 밀어 올리는 (중력, 부력)이 작용하기 때문이다.

(2) 물에 잠긴 부피가 더 큰 배는 ((가), (나))이다.

(3) (가), (나)에 작용하는 부력의 크기를 비교하고, 그 까닭을 다음 용어를 포함하여 서술하시오.

부력　　부피

창의

04 그림은 환경에 따른 다양한 생물을 나타낸 것이다.

(1) (가)에서 소라 껍데기에 있는 뿔의 발달 정도가 다른 것과 가장 관계 깊은 환경 요인은 무엇인지 쓰시오.

( )

(2) (나)에서 추운 지역에서 살기에 적합한 동물을 쓰고, 그렇게 생각한 까닭을 다음 용어를 포함하여 서술하시오.

귀	몸집	열의 손실

코딩

[05~06] 그림은 남세균, 짚신벌레, 고사리, 표고버섯, 붕어를 분류 기준에 따라 계 수준에서 분류한 것이다.

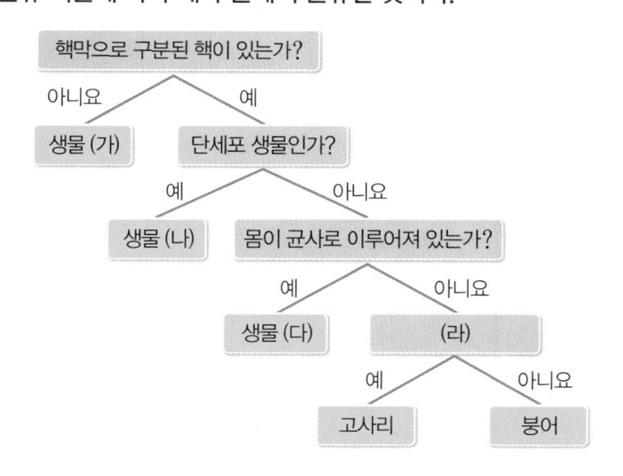

05 (가)~(다)에 해당하는 생물을 옳게 짝지은 것은?

	(가)	(나)	(다)
①	남세균	표고버섯	짚신벌레
②	남세균	짚신벌레	표고버섯
③	짚신벌레	남세균	표고버섯
④	짚신벌레	표고버섯	남세균
⑤	표고버섯	짚신벌레	남세균

06 (라)에 해당하는 분류 기준으로 옳은 것을 <보기>에서 골라 쓰시오.

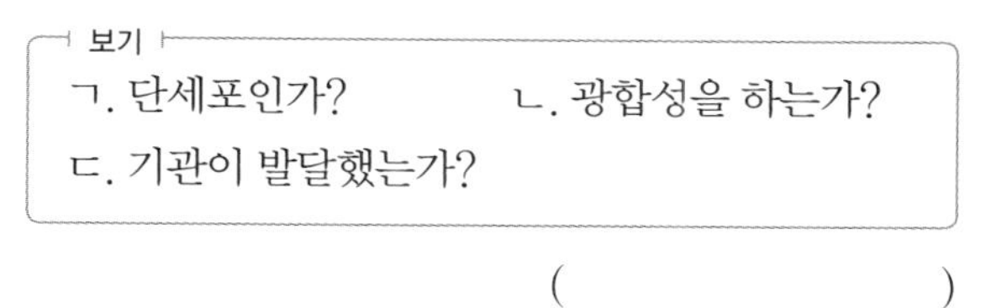
보기
ㄱ. 단세포인가?　　ㄴ. 광합성을 하는가?
ㄷ. 기관이 발달했는가?

( )

창의 융합

07 그림은 두 생태계 (가)와 (나)를 보고 세 학생이 대화를 나눈 것이다. 옳게 말한 학생을 쓰시오.

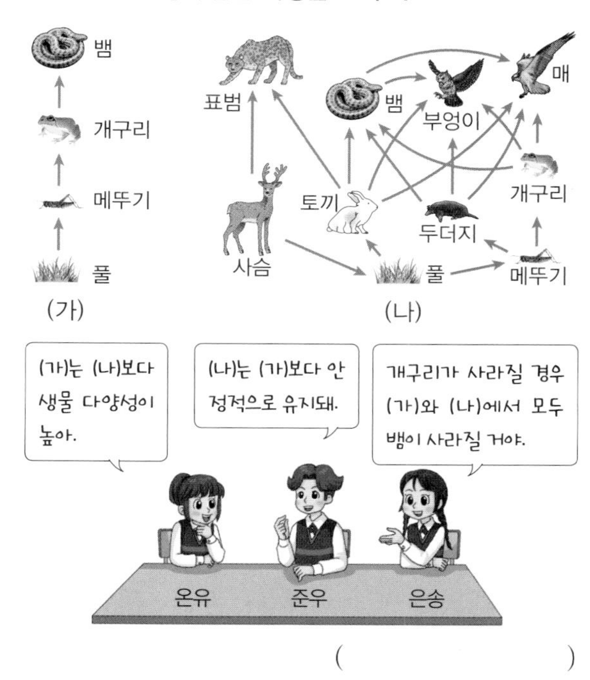

( )

7일 학교시험 기본 테스트 1회

[범위] Ⅱ. 여러 가지 힘 ▶ 탄성력, 마찰력과 부력 ~ Ⅲ. 생물의 다양성

01 우리 생활에서 탄성력을 이용한 예가 아닌 것은?

① 자전거의 안장 ② 볼펜 속 용수철
③ 장대높이뛰기 ④ 트램펄린
⑤ 구명조끼

02 그림과 같이 나무 도막을 밀어 용수철을 압축시켰다.

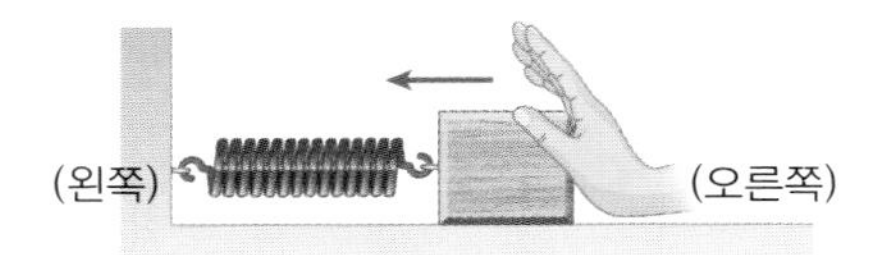

이때 용수철이 나무 도막에 작용하는 힘의 종류와 방향을 옳게 짝 지은 것은?

	힘의 종류	방향		힘의 종류	방향
①	중력	왼쪽	②	탄성력	왼쪽
③	중력	오른쪽	④	탄성력	오른쪽
⑤	중력	아래쪽			

03 그래프는 용수철에 질량이 1 kg인 추의 수를 늘이면서 매달 때, 용수철에 매단 추의 개수와 늘어난 길이의 관계를 나타낸 것이다. 이 용수철을 12 cm 늘이는 데 필요한 힘은? (단, 질량 1 kg인 물체의 무게는 9.8 N이다.)

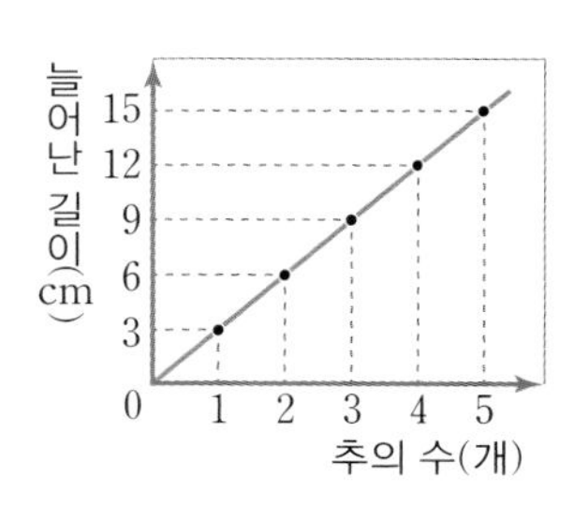

① 5 N ② 9.8 N ③ 12 N
④ 39.2 N ⑤ 49 N

04 마찰력의 크기에 영향을 미치는 요인을 〈보기〉에서 모두 고르시오. (   )

보기
ㄱ. 물체의 무게 ㄴ. 물체의 굳기
ㄷ. 물체의 부피 ㄹ. 접촉면의 거칠기

05 그림과 같이 무게가 30 N인 물체를 20 N의 힘으로 오른쪽으로 끌었지만 물체가 움직이지 않았다.

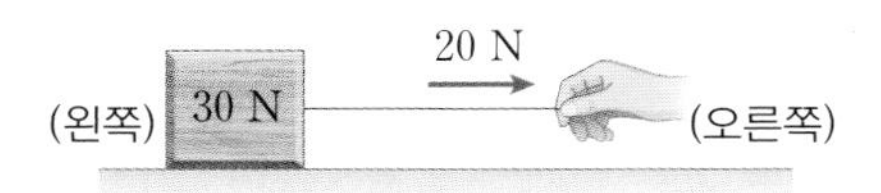

이때 물체에 작용한 마찰력의 크기와 방향은?

① 10 N, 왼쪽 ② 10 N, 오른쪽
③ 20 N, 왼쪽 ④ 20 N, 오른쪽
⑤ 30 N, 왼쪽

06 겨울철에는 그림과 같이 자동차 바퀴에 체인을 감아 눈길에 미끄러지지 않도록 한다. 마찰력을 이와 같은 방법으로 이용하는 경우는?

① 미끄럼틀에 물을 뿌린다.
② 자전거 체인에 윤활유를 뿌린다.
③ 기계 회전하는 부분에 기름을 칠한다.
④ 창문과 창문 틀 사이에 바퀴를 설치한다.
⑤ 페트병 뚜껑에 작은 홈들을 만들어 손 닿은 부분을 거칠게 만든다.

07 부력에 대한 설명으로 옳지 않은 것은?

① 기체나 액체가 물체를 위로 밀어 올리는 힘을 부력이라고 한다.
② 부력의 방향은 중력과 반대 방향인 위쪽으로 작용한다.
③ 구명조끼나 헬륨 풍선은 부력을 이용한 예이다.
④ 물속에 잠긴 물체에 작용하는 부력의 크기는 물체의 무게가 무거울수록 크다.
⑤ 화물을 실은 배에 작용하는 부력이 화물을 싣지 않은 배에 작용하는 부력보다 크다.

08 그림과 같이 알루미늄박으로 만든 배 A는 물 위에 떠 있고, 같은 무게의 알루미늄박을 작게 뭉친 B는 물속에 가라앉아 있다.

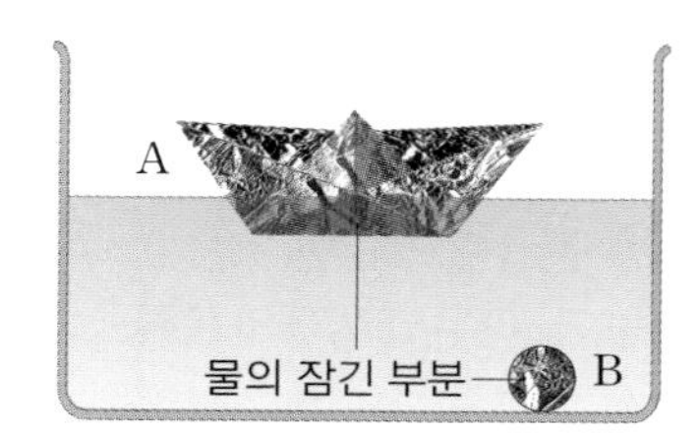

이에 대한 설명으로 옳은 것은?

① A에는 부력이 중력보다 작게 작용한다.
② A에 작용하는 부력은 B보다 크다.
③ A가 밀어낸 물의 양이 B보다 작다.
④ 물에 잠긴 부피는 A가 B보다 작다.
⑤ B는 부력이 중력보다 크게 작용하기 때문에 가라앉았다.

09 유리병을 물속에 넣어 부력의 크기를 측정하는 실험을 했을 때, 그 값이 같은 것을 〈보기〉에서 모두 고른 것은?

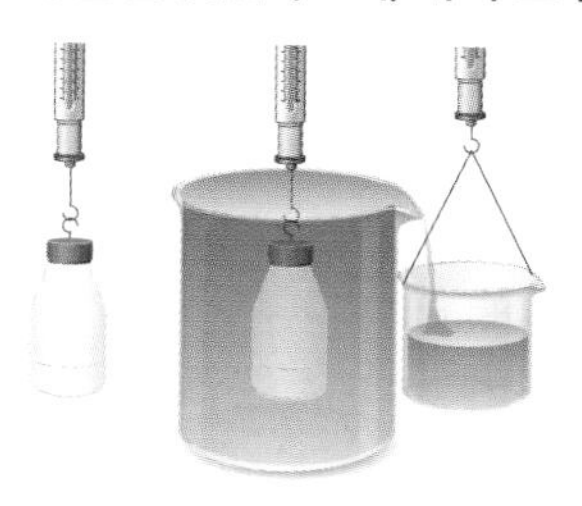

보기
ㄱ. 흘러넘친 물의 무게
ㄴ. 물속에서 유리병의 무게
ㄷ. 공기 중에서 유리병의 무게
ㄹ. 유리병이 받는 부력의 크기

① ㄱ, ㄴ ② ㄱ, ㄹ ③ ㄴ, ㄷ
④ ㄴ, ㄹ ⑤ ㄷ, ㄹ

10 무게 0.5 N인 추를 그림 (가)와 같이 물속에 반쯤 잠기게 하고, (나)와 같이 물속에 완전히 잠기게 하여 용수철저울의 눈금을 측정하였다.

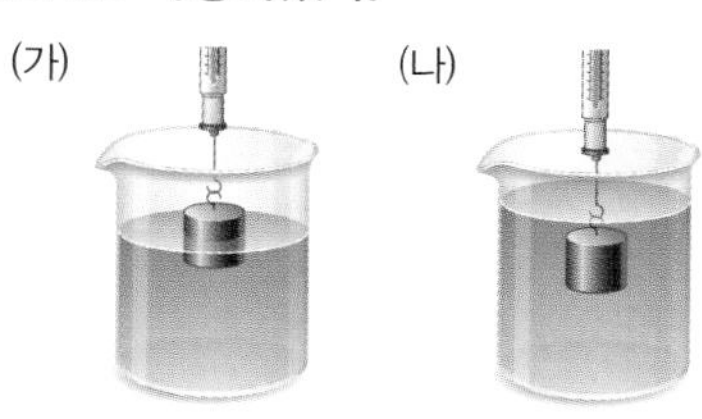

크기를 옳게 비교한 것은?

① 부력의 크기 : (가) > (나)
② 추가 밀어낸 물의 양 : (가) > (나)
③ 물속에 잠긴 추의 부피 : (가) = (나)
④ 물속에서의 추의 무게 : 0.5 N > (가) > (나)
⑤ 공기 중에서의 추의 무게 : (가) = (나) > 0.5 N

11 다음은 종 다양성, 생태계 다양성, 유전자 다양성을 나타낸 것이다.

구분	뜻
(가)	사막, 초원, 산림, 강, 습지 등의 생태계가 다양하게 존재하는 정도를 말한다.
(나)	일정한 지역에 살아가는 생물종의 다양한 정도를 말한다.
(다)	같은 종에 속하는 생물이라도 각 개체 간에 서로 다른 특징이 나타나는 것을 말한다.

(가) (나) (다)

(가)~(다)에 해당하는 것을 옳게 짝지은 것은?

	(가)	(나)	(다)
①	종 다양성	생태계 다양성	유전자 다양성
②	종 다양성	유전자 다양성	생태계 다양성
③	생태계 다양성	종 다양성	유전자 다양성
④	생태계 다양성	유전자 다양성	종 다양성
⑤	유전자 다양성	종 다양성	생태계 다양성

12 그림은 바지락 껍데기의 무늬와 색깔이 조금씩 다른 모습을 나타낸 것이다. 이와 같은 변이의 예에 해당하는 것을 한 가지만 서술하시오.

13 생물 분류에 대한 설명으로 옳지 않은 것은?

① '강'은 '과'보다 상위의 분류 단위이다.
② 가장 기본이 되는 분류 단위는 '종'이다.
③ 생물 고유의 특징에 따른 분류는 생물 사이의 멀고 가까운 관계를 알 수 없다.
④ 다양한 생물을 일정한 기준에 따라 비슷한 특징을 가진 무리로 나누는 것이다.
⑤ 사람의 편의에 따라 생물을 분류하면 분류하는 사람에 따라 결과가 달라질 수 있다.

14 그림은 동물을 (가)와 (나) 무리로 분류한 것이다.

(가) (나)

동물을 (가)와 (나) 무리로 분류한 기준으로 옳은 것은?

① 새끼를 낳는 동물과 알을 낳는 동물
② 날개가 있는 동물과 날개가 없는 동물
③ 다리가 있는 동물과 다리가 없는 동물
④ 육지에 사는 동물과 바다에 사는 동물
⑤ 먹을 수 있는 동물과 먹을 수 없는 동물

[15~16] 표는 개, 여우, 고양이의 분류 단계를 나타낸 것이다.

분류 단위	개	여우	고양이
계	동물계	동물계	동물계
문	척삭동물문	척삭동물문	척삭동물문
강	포유강	A	B
목	식육목	식육목	식육목
과	갯과	갯과	고양잇과
속	개속	여우속	고양이속
C	개	여우	고양이

15 앞의 표에 대한 설명으로 옳지 않은 것은?

① A는 포유강에 속한다.
② B는 포유강에 속한다.
③ C는 종이다.
④ 개, 여우, 고양이는 모두 동물계에 속한다.
⑤ 여우는 개보다 고양이와 더 가까운 관계이다.

16 C에 대한 설명으로 옳은 것을 〈보기〉에서 모두 고른 것은?

보기
ㄱ. 개와 여우는 같은 종에 속한다.
ㄴ. 생물을 분류하는 기본 단위이다.
ㄷ. 자연 상태에서 짝짓기하여 생식 능력이 있는 자손을 낳을 수 있는 생물 무리이다.

① ㄱ ② ㄴ ③ ㄷ
④ ㄱ, ㄴ ⑤ ㄴ, ㄷ

17 다음은 어떤 생물 무리에 대한 설명이다.

- 세포 내에 막으로 둘러싸인 핵이 있다.
- 짚신벌레, 아메바, 미역, 다시마 등이 속한다.
- 대부분 단세포 생물이지만 다세포 생물도 있다.

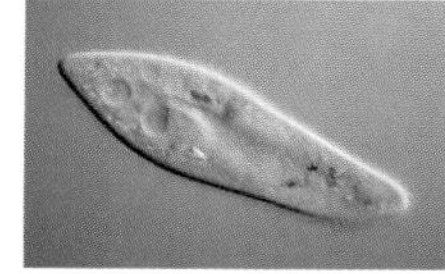
▲ 짚신벌레

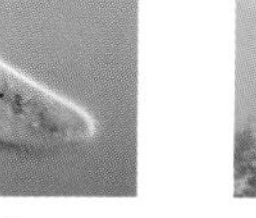

▲ 미역

이 생물 무리가 속한 계를 쓰시오.

( )

18 생물 다양성에 대한 설명으로 옳은 것을 모두 고르면? (정답 2개)

① 사람은 생물 다양성에서 다양한 혜택을 얻는다.
② 생물 다양성이 높을수록 생태계가 안정적으로 유지된다.
③ 생물 다양성이 높을수록 생물이 멸종할 가능성이 높아진다.
④ 외래종을 많이 들여와 생물 다양성이 높아지도록 해야 한다.
⑤ 생물 다양성이 높으면 다양한 야생 생물로부터 새로운 질병을 얻는다.

19 다음은 생물 다양성의 중요성과 관련된 내용이다.

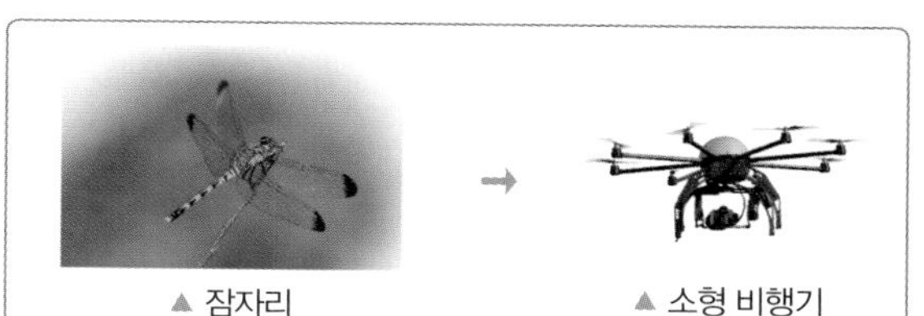
▲ 잠자리 ▲ 소형 비행기

곤충의 나는 모습을 모방하여 소형 비행기를 창안하였다.

위의 내용과 관계있는 것은?

① 생태계 유지 ② 의약품 원료
③ 식량 자원 제공 ④ 도구 발명의 원천
⑤ 지구 환경의 유지 및 보전

20 빈칸에 알맞은 말을 쓰시오.

최근 사람의 활동으로 생물 다양성이 급격히 감소하고 있다. 이러한 생물 다양성을 감소시키는 원인에는 서식지 파괴, 외래종 유입, 남획, 환경 오염 등이 있는데, 이 중 생물 다양성을 감소시키는 가장 심각한 원인은 ( )이다.

7일 학교시험 기본 테스트 2회

[범위] Ⅱ. 여러 가지 힘 ▶ 탄성력, 마찰력과 부력 ~ Ⅲ. 생물의 다양성

01 다음은 어떤 힘을 이용하는 예를 나열한 것이다. 이에 해당되는 힘으로 옳은 것은?

- 자전거 안장은 용수철에 의해 충격을 흡수한다.
- 장대높이뛰기 선수는 장대를 이용하여 높이 뛰어 오른다.
- 축구공을 발로 차면 축구공이 찌그러졌다가 다시 펴지며 날아간다.

① 중력 ② 무중력 ③ 부력
④ 마찰력 ⑤ 탄성력

02 그림과 같이 용수철에 추를 매달 때 용수철이 늘어난 길이와 추의 무게 사이의 관계가 표와 같았다.

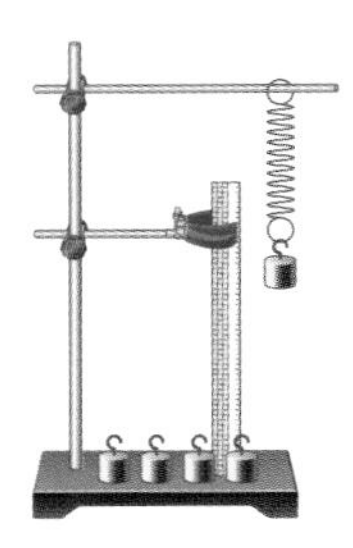

추의 개수 (개)	추의 무게 (N)	늘어난 길이 (cm)
1	1	2
2	2	4
3	3	6
4	4	8

이 용수철에 필통을 매달았더니 5 cm가 늘어났다면 이때 용수철에 작용하는 탄성력의 크기는?

① 0.5 N ② 1 N ③ 2 N
④ 2.5 N ⑤ 3 N

03 우리 생활에서 마찰력의 크기를 크게 하는 예로 옳은 것을 <보기>에서 모두 고르시오. (　　　　　　　　)

보기
ㄱ. 등산을 할 때 등산화를 신는다.
ㄴ. 자전거 체인에 윤활유를 뿌린다.
ㄷ. 수영장 미끄럼틀에 물을 흘려보낸다.
ㄹ. 눈 오는 날 출입구에 발 매트를 깔아둔다.

04 그림과 같이 용수철에 질량이 2 kg인 추를 매달았다. 이때 추에 작용하는 힘에 대한 설명으로 옳은 것은?

2 kg

① 탄성력의 크기는 196 N이다.
② 탄성력의 방향은 아래쪽이다.
③ 중력의 방향은 탄성력의 방향과 같다.
④ 달에 가져가면 추에 작용하는 중력은 0이다.
⑤ 달에 가져 가면 용수철이 지구에서보다 작게 늘어난다.

05 그림과 같이 무게와 바닥 재질이 다른 신발 (가), (나), (다)를 나무판에 올려놓고 나무판을 천천히 기울였더니 (다), (나), (가) 순으로 미끄러졌다. (단, 신발 무게는 (가)>(나)>(다)이다.)

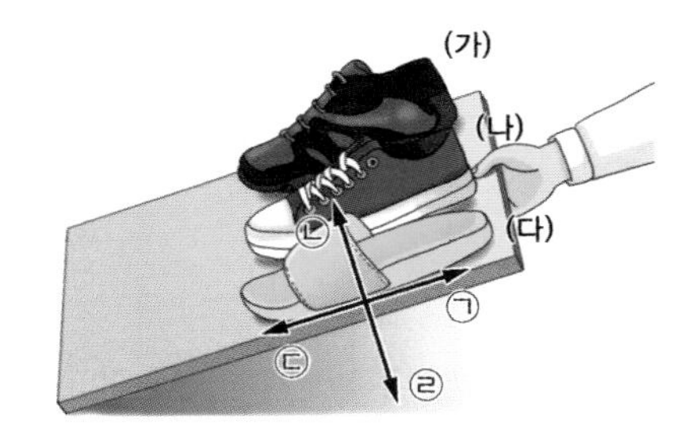

미끄러져 내려가는 순간에 대한 설명으로 옳은 것을 <보기>에서 모두 고른 것은?

보기
ㄱ. 마찰력이 가장 큰 신발 바닥은 (가)이다.
ㄴ. 신발 (다)에 작용하는 마찰력은 ㉠ 방향으로 작용한다.
ㄷ. 신발이 미끄러져 내려가는 순간부터 마찰력이 작용한다.

① ㄱ ② ㄱ, ㄴ ③ ㄱ, ㄷ
④ ㄴ, ㄷ ⑤ ㄱ, ㄴ, ㄷ

06 마찰력에 대해 학생들이 다음과 같이 대화하고 있다. 옳게 설명한 학생을 모두 고른 것은?

① 윤아, 유현 ② 유현, 은성
③ 윤아, 은성 ④ 은성, 재겸
⑤ 윤아, 유현, 재겸

07 부력에 대한 설명으로 옳지 <u>않은</u> 것은?

① 물체가 기체나 액체에서 받은 힘이다.
② 부력은 항상 중력과 반대 방향으로 작용한다.
③ 물에 뜨는 물체에는 중력이 작용하지 않는다.
④ 가라앉은 물체에 작용하는 중력은 부력보다 크다.
⑤ 해수욕장에서 안전 경계선으로 사용하는 부표는 부력을 이용한다.

08 그림과 같이 용수철에 스타이로폼 구를 연결하고 비커 바닥에 고정시킨 후 비커에 물을 가득 채웠다. 이때 스타이로폼 구에 작용하는 힘의 종류를 세 가지 쓰시오. (단, 모든 저항은 무시한다.)

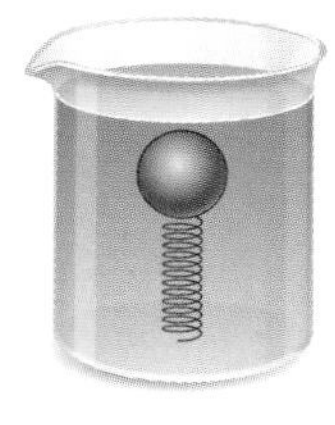

( )

09 그림과 같이 물이 들어 있는 수조에 빈 페트병을 물속에 반만 잠기게 밀어 넣을 때와 완전히 잠기게 밀어 넣을 때 힘의 크기를 비교하였더니, 완전히 잠기게 밀어 넣을 때가 힘이 더 많이 들었다.

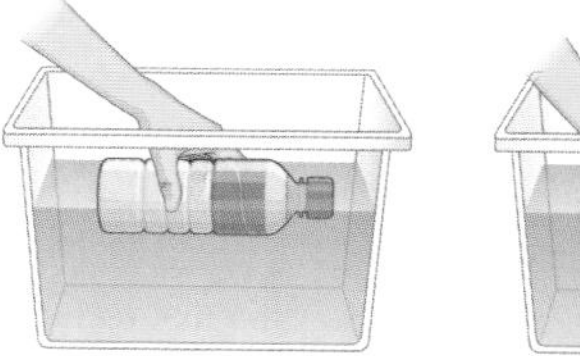
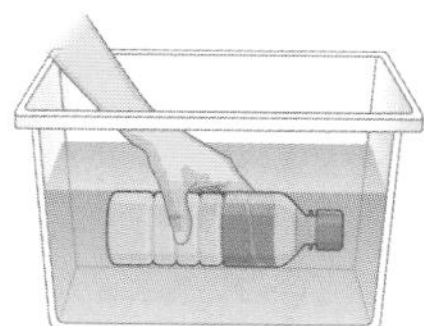

이 실험을 통해 알 수 있는 것을 모두 고르면? (정답 2개)

① 부력은 위쪽으로 작용한다.
② 부력은 물속에서만 작용하는 힘이다.
③ 무게는 물체에 작용하는 중력의 크기이다.
④ 물체의 무게가 무거울수록 부력의 크기가 크다.
⑤ 물속에 잠긴 부피가 클수록 부력의 크기가 크다.

10 그림과 같이 무게가 3 N인 추를 용수철저울에 매달아 물이 가득 담긴 비커에 넣으면서 넘친 물의 무게를 측정하였다. 넘친 물의 무게가 2 N일 때, 물에 잠긴 추의 무게와 추에 작용한 부력의 크기로 옳은 것은?

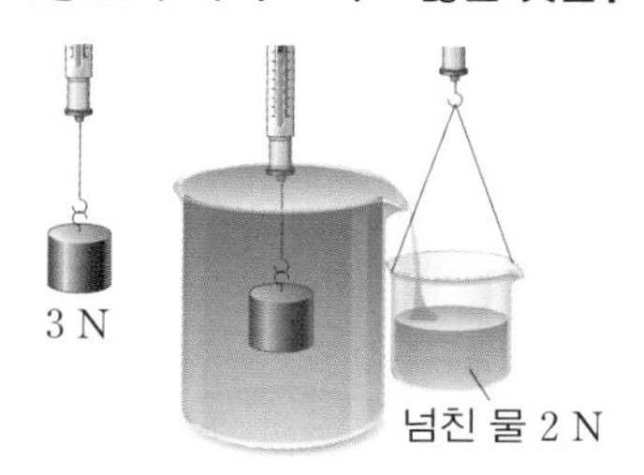

	물에 잠긴 추의 무게(N)	부력의 크기(N)
①	1	1
②	1	2
③	2	1
④	2	2
⑤	3	2

학교시험 기본 테스트 2회

11 생물 다양성에 대한 설명으로 옳지 않은 것은?

① 생태계 다양성이 높을수록 종 다양성은 높다.
② 생물 다양성에는 생태계 다양성, 종 다양성, 유전자 다양성이 포함된다.
③ 일정한 지역에 다양한 종의 생물이 고르게 분포할수록 생물 다양성은 낮다.
④ 일정한 지역 내에 서식하고 있는 생물의 다양한 정도를 생물 다양성이라고 한다.
⑤ 같은 종류에 속하는 생물의 특징이 다양하면 급격한 환경 변화에 의해 멸종할 위험이 낮다.

12 그림은 생물 다양성을 나타낸 것이다.

이에 대한 설명으로 옳은 것을 〈보기〉에서 모두 고른 것은?

보기
ㄱ. (가)는 같은 종 내에서 특징이 조금씩 다른 개체들이 나타나는 정도를 나타낸다.
ㄴ. (나)는 한 생태계 내에서 살아가는 생물종의 다양한 정도를 나타낸다.
ㄷ. (다)는 일정한 지역에 존재하는 생태계의 다양한 정도를 나타낸다.
ㄹ. (가), (나), (다)는 서로 영향을 주고받지 않는다.

① ㄱ, ㄴ ② ㄴ, ㄷ ③ ㄷ, ㄹ
④ ㄱ, ㄴ, ㄷ ⑤ ㄴ, ㄷ, ㄹ

13 그림은 각 위도별로 서식하는 여우의 종류와 생김새를 나타낸 것이다.

▲ 북극여우(한대)

▲ 북극여우(온대)

▲ 사막여우(난대)

각 위도별로 서식하는 여우의 생김새가 달라지게 된 환경 요인은?

① 습도 ② 온도 ③ 토양의 질
④ 바람의 세기 ⑤ 물살의 세기

14 변이의 예로 옳은 것을 〈보기〉에서 모두 고른 것은?

보기
ㄱ. 얼룩말의 털 무늬가 조금씩 다르다.
ㄴ. 늑대와 고양이의 생김새가 다르다.
ㄷ. 바지락의 껍데기의 무늬와 색깔이 조금씩 다르다.

① ㄱ ② ㄴ ③ ㄷ
④ ㄱ, ㄷ ⑤ ㄴ, ㄷ

15 그림은 수사자와 암호랑이 사이에서 태어난 라이거를 나타낸 것이다. 이때 사자와 호랑이는 같은 종으로 분류되지 않는데 그 까닭으로 옳은 것을 〈보기〉에서 모두 고른 것은?

수사자

암호랑이

라이거

보기
ㄱ. 라이거가 생식 능력이 없기 때문이다.
ㄴ. 라이거가 태어나는 빈도가 낮기 때문이다.
ㄷ. 사자와 호랑이의 서식지가 다르기 때문이다.

① ㄱ ② ㄴ ③ ㄷ
④ ㄱ, ㄴ ⑤ ㄴ, ㄷ

16 생물을 5계로 분류할 때 다음 생물들이 속해 있는 계에 대한 설명으로 옳지 않은 것은?

표고버섯 누룩곰팡이

① 균계에 속한다.
② 세포 내에 핵이 있다.
③ 광합성을 하지 못한다.
④ 스스로 양분을 만들 수 있다.
⑤ 버섯과 곰팡이의 몸은 균사로 이루어진다.

17 그림은 두 생태계의 먹이 관계를 나타낸 것이다.

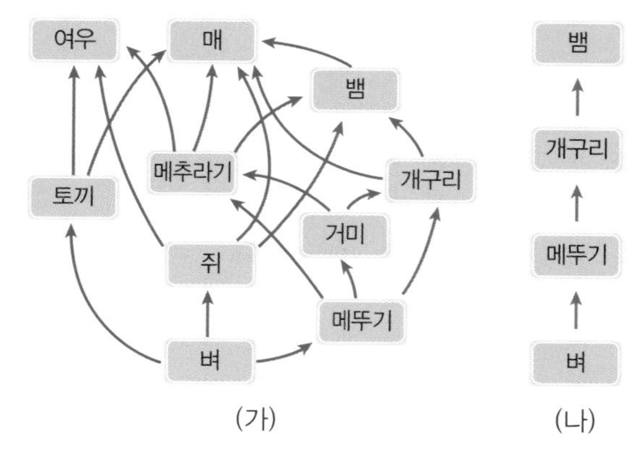

이에 대한 설명으로 옳은 것을 〈보기〉에서 모두 고른 것은?

보기
ㄱ. (가)는 (나)보다 생물 다양성이 높다.
ㄴ. (가)보다 (나)의 생태계가 더 안정하다.
ㄷ. (가)에서 개구리가 멸종하면 뱀도 멸종할 것이다.
ㄹ. (나)에서 개구리가 멸종하면 뱀도 멸종할 것이다.

① ㄱ, ㄴ ② ㄱ, ㄹ ③ ㄴ, ㄷ
④ ㄴ, ㄹ ⑤ ㄴ, ㄷ, ㄹ

18 그림은 생물 다양성의 중요성에 대해 세 학생이 나눈 대화이다. 옳지 않게 말한 학생을 쓰고, 대화 내용을 옳게 고치시오.

19 다음은 생물 다양성 보전을 위한 노력에 대한 내용이다.

1973년 코끼리와 같은 야생 동물을 돈으로 사고파는 행위를 금지하는 국제 협약이 체결되었다. 이 협약은 멸종 위기의 생물을 보존하기 위한 국가 간 약속으로, 우리나라는 1993년에 가입하였다.

이에 해당하는 국제 협약은 무엇인지 쓰시오.

( )

20 생물 다양성을 보전하기 위한 노력에 해당하지 않는 것은?

① 종자 은행을 설립한다.
② 쓰레기 배출량을 줄인다.
③ 국가 간 국제 협약을 맺고 이행하려고 노력한다.
④ 야생 동식물이 많이 서식하는 지역을 국립 공원으로 지정한다.
⑤ 멸종 위기에 있는 생물종을 되도록 많이 잡아들여 애완용으로 기른다.

memo

기말 대비

정답과 해설

1일 탄성력

기초 확인 문제 19, 21쪽

01 ④ 02 (1) 반대 (2) 같다 (3) 커 03 (1) ㉠ 탄성, ㉡ 탄성체 (2) ㉠ 탄성력, ㉡ 반대 04 ① 05 ② 06 ② 07 (1) 중력 (2) 무게 (3) 늘어난 길이 (4) 탄성력 08 ① 09 12 10 ③ 11 ⑤

01 용수철을 늘이거나 압축할 때 원래 모습으로 되돌아가려는 힘이 나타나는데 이러한 힘을 탄성력이라고 한다.

02 (1) 탄성력의 방향은 작용한 힘과 반대 방향이다.
(2) 탄성력의 크기는 작용한 힘의 크기와 같다.
(3) 용수철을 더 많이 늘일수록 탄성력의 크기는 커진다.

03 (1) 변형된 물체가 원래 모양으로 되돌아가려는 성질을 탄성, 이러한 성질을 가진 물체를 탄성체라고 한다.
(2) 변형된 물체가 원래 모양으로 되돌아가려는 힘을 탄성력이라고 하며, 탄성력은 작용한 힘과 반대 방향으로 작용한다.

04 탄성력의 방향은 작용한 힘의 방향과 반대이다.

자료 분석+ 고무 밴드에 작용하는 탄성력의 방향

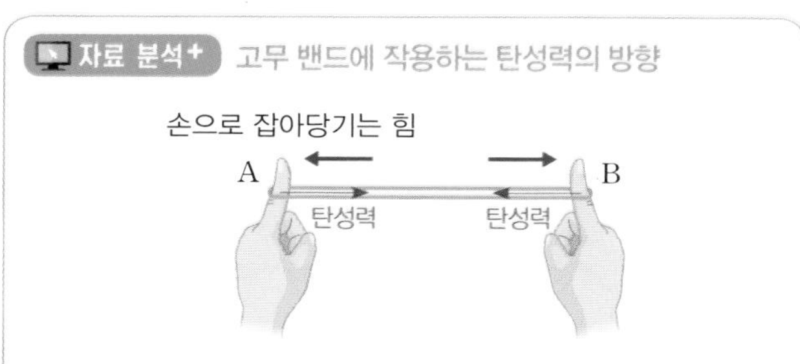

• A, B에 작용하는 힘의 방향이 반대이므로 탄성력의 방향도 반대이다.

05 탄성력의 크기는 작용한 힘의 크기와 같고 방향은 용수철이 원래 모양으로 되돌아가려는 방향이다. 즉 탄성력의 방향은 작용한 힘과 반대 방향이다.

자료 분석+ 벽에 고정된 용수철에 작용하는 탄성력의 크기와 방향

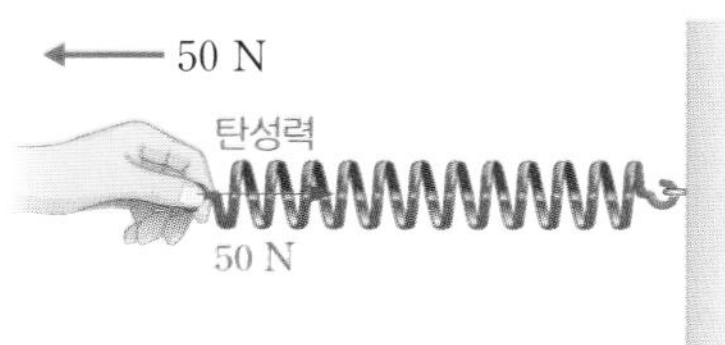

• 탄성력의 크기는 작용한 힘의 크기와 같고 방향은 작용한 힘과 반대 방향이다.

06 농구공은 고무와 공기의 탄성력을 이용하고 스테이플러, 컴퓨터 자판은 용수철의 탄성력을 이용하고 머리 묶는 고무줄은 고무의 탄성력을 이용한다.

07 (1) 용수철을 당기는 힘은 중력이다.
(2) 용수철이 늘어난 길이는 용수철에 매단 추의 무게에 비례한다.
(3) 추의 개수가 2배로 증가하면 용수철이 늘어난 길이도 2배가 된다.
(4) 추에 작용하는 용수철의 탄성력의 크기는 용수철에 매단 추의 무게와 같다.

자료 분석+ 용수철이 늘어난 길이와 추의 무게

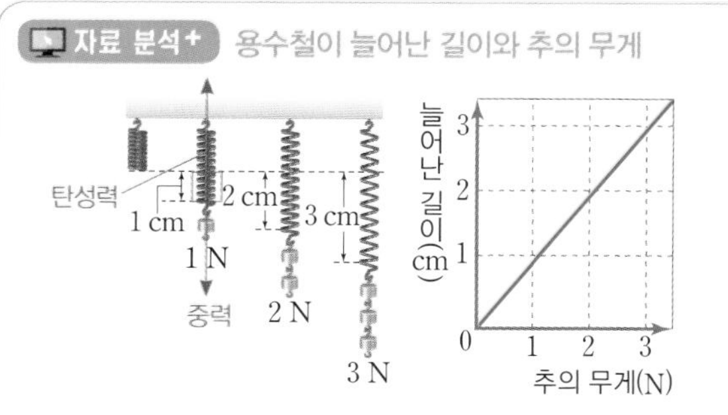

• 용수철에 매단 추의 무게가 2배, 3배로 증가하면 용수철이 늘어난 길이도 2배, 3배가 된다.
• 용수철을 당기는 힘=추에 작용하는 중력=추의 무게=용수철의 탄성력

08 용수철을 2 cm만큼 늘이는 데 작용한 힘이 10 N이므로 같은 용수철을 2 cm 늘어나게 잡아당기는 데 드는 힘의 크기는 10 N이다.

자료 분석+ 탄성력의 크기

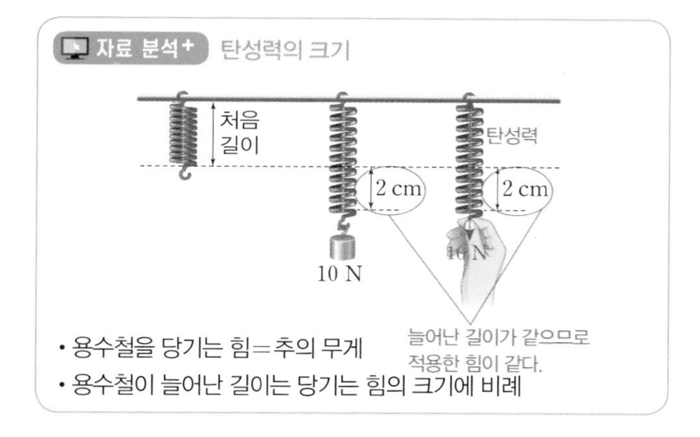

- 용수철을 당기는 힘 = 추의 무게
- 용수철이 늘어난 길이는 당기는 힘의 크기에 비례

09 용수철이 늘어난 길이는 추의 무게에 비례한다. 용수철에 매단 추의 개수가 1개씩 증가하면 용수철이 늘어난 길이가 4 cm씩 늘어나므로 추를 3개 매달면 용수철이 늘어난 길이는 12 cm가 된다.

10 용수철이 늘어난 길이는 추의 무게에 비례한다.

11 추의 개수가 1개씩 증가하면 용수철이 늘어난 길이가 4 cm씩 늘어나는 용수철이므로 비례식을 사용한다. $1:4=x:20$, $x=5$, 추 1개의 무게가 5 N이므로 가한 힘의 크기는 $5\times5=25$(N)이다.

내신 기출 베스트 22~23쪽

1 ④ 2 ④ 3 ② 4 ② 5 ② 6 ㄱ, ㄴ
7 4 cm 8 ㄴ, ㄷ

1 용수철을 양손으로 잡아당길 때 탄성력의 방향은 작용한 힘과 반대 방향이다.

2 탄성력이 작용하는 방향은 탄성체에 작용한 힘의 방향과 반대 방향이다.

3 탄성력의 방향은 외부에서 작용한 힘의 방향과 반대이다.

자료 분석+ 탄성력의 방향

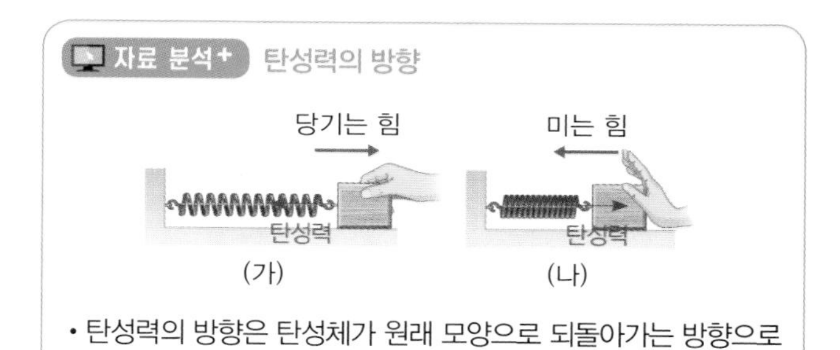

- 탄성력의 방향은 탄성체가 원래 모양으로 되돌아가는 방향으로 작용한다.

4 탄성력의 크기는 용수철의 변형 정도에 비례한다. 따라서 탄성력의 크기는 (나) > (가) = (다)이다.

자료 분석+ 탄성력의 크기

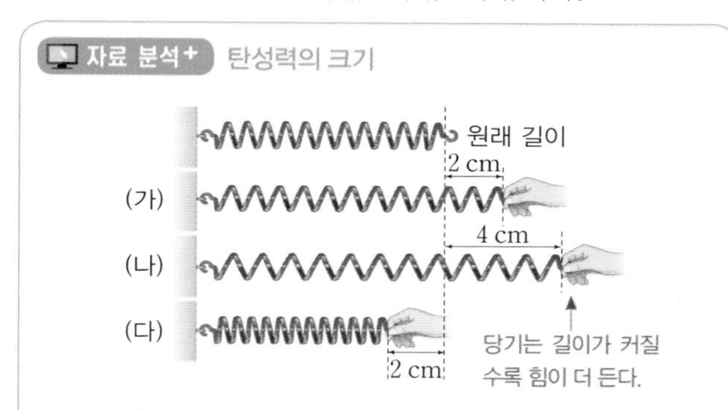

- 탄성력은 원래 모양으로 되돌아가려는 힘으로 변형의 정도가 클수록 크다.
- (가)는 원래 길이보다 2 cm 늘어났고 (나)는 4 cm 늘어났으므로 작용한 힘은 (나)가 (가)보다 크다.
- (다)는 원래 길이보다 2 cm 압축하였으므로 탄성력의 크기는 (가)와 같고 방향은 반대이다.

5 용수철을 잡아 늘이거나 압축할 때 원래 모양으로 되돌아가려는 힘은 탄성력이다. 양궁은 줄을 잡아당겼다가 놓으면 원래 모양으로 되돌아가려는 힘으로 화살이 날아가는 스포츠이다.

6 용수철에 작용한 힘이 탄성 한계를 넘어서면 늘어난 길이가 작용한 힘에 비례하지 않는다.

7 용수철의 늘어난 길이는 작용한 힘에 비례한다. 작용한 힘이 1 N일 때 늘어난 길이는 1 cm이므로 작용한 힘이 4 N이면 늘어난 길이는 4 cm가 된다.

자료 분석+ 용수철이 늘어난 길이와 물체 무게

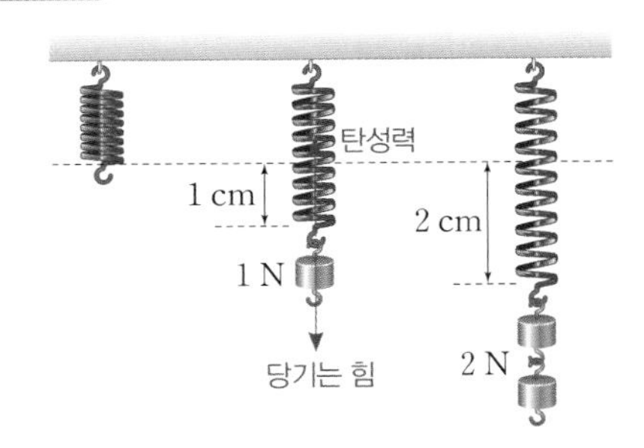

- 용수철을 당기는 힘, 즉 추의 개수가 커질수록 용수철이 늘어난 길이가 커진다.
- 용수철이 늘어난 길이를 알면 용수철을 당기는 힘의 크기(물체의 무게)를 알 수 있다.
- 늘어난 길이는 당기는 힘에 비례하므로 비례식을 쓴다.
  늘어난 길이 : 당기는 힘 $=1:1=x:4$, $x=4$ N

8 용수철에 추를 매달 때 용수철의 탄성력의 크기는 작용한 추의 무게와 같은 크기이다.

오답 풀이

ㄱ. 용수철에 무게 1 N짜리 추를 매달았으므로 용수철의 탄성력은 작용한 힘=(추의 무게)과 같은 크기인 1 N이다.

2일 마찰력과 부력

기초 확인 문제 19, 21쪽

01 (1) 방해 (2) 반대 (3) 무게 (4) 크다 02 ② 03 ①, ⑤
04 (1) 방해하는 (2) ㉠ 크기, ㉡ (나) 05 (1)-㉡ (2)-㉠ (3)-㉡ (4)-㉠ 06 부력 07 (1) B (2) A (3) ㉠ B, ㉡ 반대, ㉢ 부력 08 (1) < (2) = 09 (1) (나) (2) (가)<(나) (3) (나) 10 2 N 11 ⑤

01 마찰력은 운동을 방해하는 힘으로 운동 방향과 반대 방향으로 작용하며, 마찰력의 크기는 무게가 무거울수록 접촉면이 거칠수록 크다.

02 마찰력은 운동 방향과 반대 방향, 작용한 힘과 반대 방향으로 작용한다. (가)에서 운동과 반대 방향은 A, (나)에서 미끄러져 내려가지 않고 정지해 있는 것은 작용한 힘(B)과 반대 방향(E)으로 마찰력이 작용하기 때문이다.

자료 분석+ 마찰력의 방향

공이 굴러가는 방향
A B C D
(가)
A B C D E
(나)

- (가)에서 공의 운동 방향은 C이므로 운동을 방해하는 마찰력의 방향은 A이다.
- (나)에서 물체에 빗면 아래 방향(B)으로 미끄러져 내려가려는 힘이 작용하지만 물체가 미끄러지지 않는 것은 미끄러짐을 방해하는 마찰력이 빗면 위 방향(E)으로 작용하기 때문이다.

03 마찰력의 크기는 면을 누르는 힘, 즉 물체의 무게가 클수록, 접촉면의 거칠기가 클수록 크다.

04 (1) 마찰력은 두 물체의 접촉면에서 물체의 운동을 방해하는 힘이다.
(2) 마찰력은 물체의 무게가 무거울수록 크게 작용한다.

05 물체 사이의 접촉면을 거칠게 만들면 마찰력의 크기가

커지고 접촉면을 매끈하게 하면 마찰력의 크기가 작아진다.

06 액체나 기체가 물체를 위로 밀어 올리는 힘을 부력이라고 한다.

07 (1) 추가 물에 잠기면 물이 밀어 올리는 부력을 받기 때문에 가벼워진다.
(2) 막대는 추가 무거운 쪽으로 기운다.
(3) 물에 잠긴 추의 무게가 중력과 반대 방향으로 부력을 받아 가벼워졌다.

08 물에 떠 있는 상태는 부력=중력, 물속 바닥을 딛고 서 있을 때는 중력>부력이다.

자료 분석+ 부력과 중력

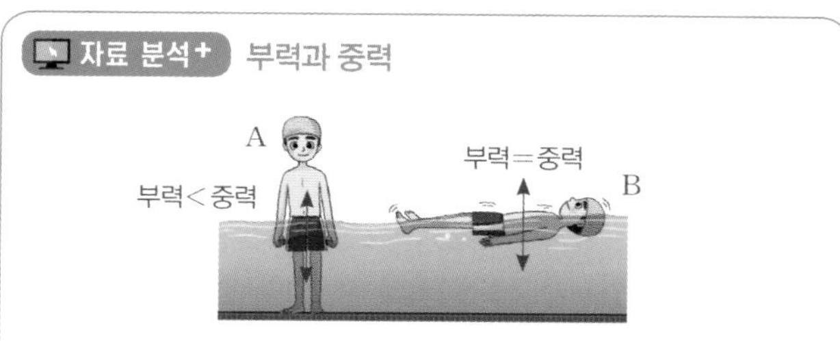

- 물에 바닥을 딛고 서 있는 상태 A는 부력의 크기<중력의 크기
- 물에 떠 있는 상태 B는 부력의 크기=중력의 크기

09 (1) 물에 (가) 물체는 반만 잠겼고 (나) 물체는 전체가 다 잠겼으므로 물에 잠긴 부피가 큰 물체는 (나)이다.
(2) 물에 잠긴 부피가 클수록 부력을 크게 받는다. 따라서 부력의 크기는 (나)>(가)이다.
(3) (가) 물체의 부력=중력, (나) 물체의 부력=중력이므로 부력이 큰 (나)에 작용하는 중력이 더 크다.

자료 분석+ 물에 잠긴 부피와 부력

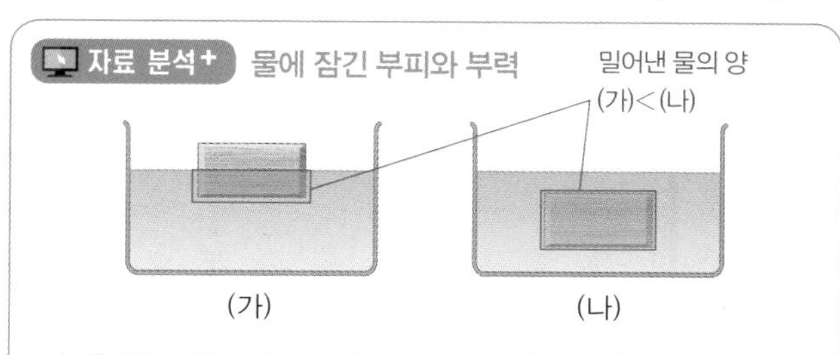

- (가)물체에 작용하는 부력의 크기=중력의 크기
- (나)물체에 작용하는 부력의 크기=중력의 크기
- (가)는 (나)보다 물에 잠긴 부피가 작기 때문에 부력은 (가)<(나)
- 물에서 중력의 크기는 (가)<(나)

10 물속에 잠긴 추가 물을 밀어낸 부피만큼 부력을 받는다. 추가 받는 부력은 추가 밀어낸 부피에 해당하는 물의 무게이다. 부력의 크기=물 밖에서 물체의 무게−물속에서 물체의 무게=10 N−8 N=2 N

11 풍등, 열기구, 유조선, 고무 튜브는 모두 부력을 이용하는 예이다.

오답 풀이

컴퓨터 자판은 자판을 눌렀다가 떼면 자판 아래에 있는 작은 용수철이 원래 모습으로 되돌아오는 탄성력을 이용해 원래 모습으로 되돌아온다.

내신 기출 베스트

14~15쪽

1 ④	2 ②	3 (나)	4 ①	5 ①	6 29.5 N
7 A<B<C	8 ⑤				

1 마찰력은 물체의 운동을 방해하는 힘으로, 운동 방향과 반대 방향으로 작용한다.

2 마찰력의 방향은 물체의 운동 방향과 반대 방향이다.

3 마찰력의 크기는 물체의 무게가 클수록, 접촉면이 거칠수록 크다.

자료 분석+ 마찰력의 크기

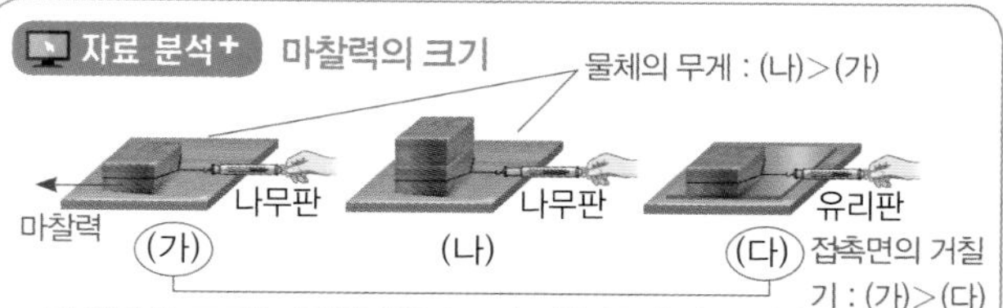

- 마찰력의 크기는 접촉면을 누르는 힘, 물체의 무게가 클수록, 접촉면이 거칠수록 크다.
- 나무판은 유리판보다 거칠고, 나무 도막을 2개 쌓아올린 때가 1개인 때보다 면을 누르는 힘

4 마찰력의 크기를 작게 하는 경우는 접촉면을 부드럽게 만드는 경우이다.

5 부력은 액체나 기체 속에 있는 물체를 중력과 반대 방향으로 밀어 올리는 힘이다.

6 부력의 크기= 물 밖에서 물체의 무게−물속에서 물체

의 무게=100 N−70.5 N=29.5 N

7 부력의 크기는 물에 잠긴 물체의 부피에 비례한다. 물에 잠긴 부피가 가장 큰 물체는 C이다.

자료 분석+ 부력의 크기

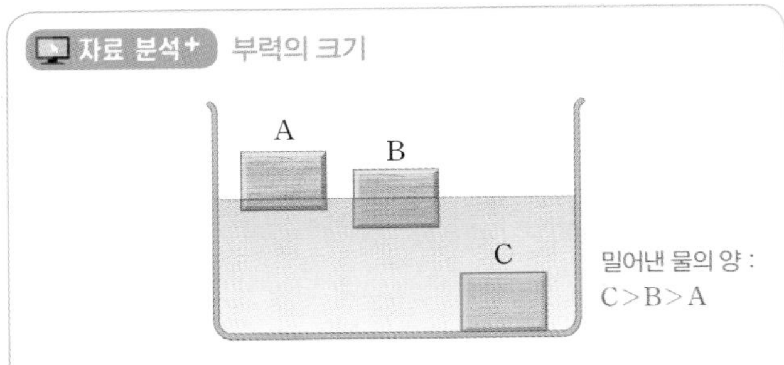

- 물에 잠긴 부분의 부피는 A<B<C
- 물을 밀어낸 양은 A<B<C
- 물이 밀어올리는 부력은 밀어낸 물의 무게이므로 부력의 크기는 A<B<C

8 헬륨 풍선은 공기가 위로 밀어 올리는 부력을 이용하여 올라가고, 수영할 수 있는 까닭은 물이 몸을 위로 밀어 올리는 부력 때문이고, 바다에 떠 있는 스타이로폼 구도 부력을 이용한다.

3일 생물 다양성

기초 확인 문제 27, 29쪽

01 생물 다양성 02 (1) 생태계 (2) 종 (3) 유전자
03 (1) 종 다양성 (2) 유전자 다양성 (3) 생태계 다양성
04 ㄷ 05 (나) 06 서울 07 변이 08 적응
09 유전자 10 ㉠ 강한, ㉡ 약한, ㉢ 적응

01 생물 다양성은 일정한 지역 내에 서식하고 있는 생물의 다양한 정도로 생태계 다양성, 종 다양성, 유전자 다양성을 모두 포함한다.

02 (1) 일정한 지역에 습지, 갯벌, 산림 등과 같은 생태계가 다양하게 존재하는 정도를 생태계 다양성이라고 한다.
(2) 일정한 지역에 살아가는 생물종의 다양한 정도를 종 다양성이라고 한다.
(3) 같은 종에 속하는 생물이 서로 다른 유전자를 가지고 있어 크기와 생김새 등의 특징이 다르게 나타나는 정도를 유전자 다양성이라고 한다.

03 (1) 열대 우림에서 수많은 종류의 생물이 살아가는 것은 종 다양성에 해당한다.
(2) 소에서 몸 크기와 색깔, 뿔 크기 등의 특징이 다양하게 나타나는 것은 유전자 다양성에 해당한다.
(3) 우리나라에는 강, 습지, 갯벌, 산림과 같은 다양한 생태계가 존재한다.

04 (가)에는 3종류의 나무가 10그루 있고, (나)에는 5종류의 나무가 10그루 있다. (가)는 한 종류의 나무가 개체수의 대부분을 차지하고, (나)는 5종류의 나무가 고르게 분포한다.

05 생물 다양성은 생물의 종류가 많고 여러 종류의 생물이 고르게 분포할 때 높아진다. 그러므로 여러 종류의 나무가 고르게 분포하는 (나)의 생물 다양성이 (가)보다 더 높다.

06 생물의 종류가 많고 여러 종류의 생물이 고르게 분포할수록 생물 다양성이 높다.

07 변이는 같은 종에 속하는 생물 사이에서 나타나는 서로 다른 특징이다.

08 낮은 기온에 적응한 북극여우는 귀가 작고 몸집이 커서 열의 손실을 줄일 수 있다. 높은 기온에 적응한 사막여우는 귀가 크고 몸집이 작아 몸의 열을 방출하기 쉽다.

09 한 종의 달팽이의 껍데기 무늬와 색깔이 다른 것은 부모로부터 물려받은 유전자가 다르기 때문이다.

10 바람의 세기가 강한 높은 산 위의 눈잣나무는 바람에 견디기 유리한 형태로 땅에 붙어서 옆으로 자라지만, 바람의 세기가 약한 평지의 눈잣나무는 바람의 영향을 적게 받아서 위로 곧게 자란다. 이처럼 생물은 환경 변화에 적응하며 살아간다.

내신 기출 베스트 30~31쪽

1 ②	2 (가), (나)	3 민아	4 유전자 다양성
5 ㄷ	6 지나	7 ㄷ	8 바람의 세기

1 생물 다양성은 일정한 지역 내에 서식하는 생물의 다양한 정도로 생태계 다양성, 종 다양성, 유전자 다양성을 모두 포함한다.

오답 풀이

② 한 생물이 멸종하면 생물 다양성은 낮아진다.

2 생물 다양성은 생물의 종류가 많고 여러 종류의 생물이 고르게 분포할 때 높아지므로, (가)가 (나)보다 생물 다양성이 높다.

자료 분석+ 생물 다양성

(가)	(나)
4종류의 생물이 서식한다.	3종류의 생물이 서식한다.
4종류의 생물이 고르게 분포한다.	한 종류의 생물(참새)이 개체 수의 대부분을 차지한다.

→ 서식하는 생물의 종류가 많고 여러 종류의 생물이 고르게 분포하는 (가) 지역이 (나) 지역보다 생물 다양성이 높다.

3 같은 종에 속하는 생물의 특징이 다양하면 급격한 환경 변화나 전염병에도 살아남는 생물이 있어 멸종할 위험이 낮다. 그러므로 같은 종에 속하는 생물의 특징이 다양하면 생물 다양성은 높아진다.

4 같은 종에 속하는 생물이라도 개체 간의 특징이 다르게 나타나는 정도를 유전자 다양성이라고 한다.

5 변이는 같은 종에 속하는 생물 사이에서 나타나는 서로 다른 특징이다.

오답 풀이

ㄱ. 개와 호랑이는 서로 다른 종이다.
ㄴ. 거미와 나비는 서로 다른 종이다.

6 같은 종에 속하는 생물 사이에서 나타나는 서로 다른 특징을 변이라고 한다. 변이는 환경의 차이나 부모로부터 물려받은 유전자의 차이에 따라 나타날 수 있다.

7 북극여우와 사막여우의 생김새가 달라지게 된 환경 요인은 온도이다.

오답 풀이

ㄱ. 사막여우는 귀가 크고 몸집이 작아 높은 기온의 사막에서 몸의 열을 쉽게 방출할 수 있다.
ㄴ. 북극여우는 귀가 작고 몸집이 커서 추운 북극에서 열의 손실을 줄일 수 있다.

8 높은 산 위에서 자라는 눈잣나무와 평지에서 자라는 눈잣나무의 모습이 다른 것과 가장 관계 깊은 환경 요인은 바람의 세기이다. 바람의 세기가 강한 높은 산 위의 눈잣나무는 바람에 견디기 유리한 형태로 땅에 붙어서 옆으로 자란다. 바람의 세기가 약한 평지의 눈잣나무는 바람의 영향을 적게 받아 위로 곧게 자란다.

4일 생물의 분류

기초 확인 문제 35, 37쪽

01 생물 분류 02 (1) 생물 고유의 특징 (2) 사람의 편의 (3) 생물 고유의 특징 03 (1) A, C / B, D, E, F (2) A, B, C, E / D, F (3) A, E, F / B, C, D 04 (1) 종 (2) 종 (3) 종 05 ㉠ 과, ㉡ 계 06 (1) 분류 기준 (2) 계 (3) 분류 07 (1) ㉣ (2) ㉢ (3) ㉠ (4) ㉡ (5) ㉤ 08 (1) 원핵생물계 (2) 동물계 (3) 원생생물계 (4) 식물계 (5) 균계 09 동물계

01 생물을 일정한 기준에 따라 비슷한 특징을 가진 무리로 나누는 것을 생물 분류라고 한다.

02 (1) 생물을 생물 고유의 특징에 따라 나누면 생물 사이의 멀고 가까운 관계를 알 수 있다.
(2) 식물을 식용 식물과 약용 식물로 분류한 것은 사람의 편의에 따라 나눈 것이다.
(3) 동물을 척추동물과 무척추동물로 분류한 것은 생물 고유의 특징에 따라 나눈 것이다.

03 생물을 분류할 때는 먼저 생물의 특징을 관찰하여 공통점과 차이점을 찾은 후 분류 기준을 정하여 비슷한 생물끼리 나누어 분류한다.

자료 분석+ 가상의 생물 분류

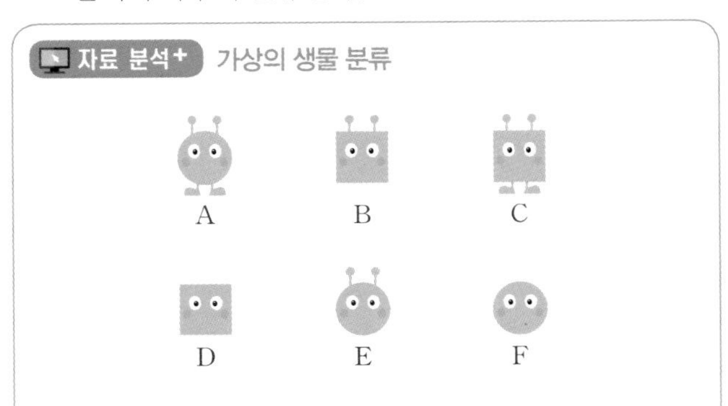

(1) 다리 수
- 2개 : A, C
- 없음 : B, D, E, F

(2) 더듬이 수
- 2개 : A, B, C, E
- 없음 : D, F

(3) 얼굴 형태
- 원 형태 : A, E, F
- 사각형 형태 : B, C, D

구분	A	B	C	D	E	F
다리 수	2	·	2	·	·	·
더듬이 수	2	2	2	·	2	·
얼굴 형태	○	□	□	□	○	○

04 자연 상태에서 짝짓기하여 생식 능력이 있는 자손을 낳을 수 있는 무리를 종이라고 한다. 종은 생물을 분류할 때 가장 기본이 되는 단위이다.

05 생물의 분류 단계는 종< 속< 과< 목< 강< 문< 계이다.

06 (1) 생물 5계는 다양한 생물종을 비교하여 일정한 분류 기준에 따라 서로 비슷한 특징을 지닌 것끼리 5개의 계로 무리를 지은 것이다.
(2) 생물을 원핵생물계, 원생생물계, 식물계, 균계, 동물계의 5가지 계로 분류할 수 있다.
(3) 핵(핵막)이나 세포벽의 유무, 광합성 여부, 기관의 발달 정도 등이 중요한 분류 기준이 된다.

07 표고버섯은 균계, 소나무는 식물계, 대장균은 원핵생물계, 짚신벌레는 원생생물계, 호랑이는 동물계에 속한다.

08 (1) 세포 내에 핵이 존재하지 않는 생물 무리는 원핵생물계이다.
(2) 운동성이 있으며 다른 생물을 섭취하여 양분을 얻는 생물 무리는 동물계이다.
(3) 세포 내에 핵이 있는 생물 중 식물계, 균계, 동물계 어디에도 속하지 않는 생물 무리는 원생생물계이다.
(4) 광합성을 하여 스스로 양분을 만들고 뿌리, 줄기, 잎과 같은 기관이 발달한 생물 무리는 식물계이다.
(5) 스스로 양분을 만들 수 없으며 죽은 생물이나 배설물을 분해하여 양분을 얻는 생물 무리는 균계이다. 균계에는 버섯이나 곰팡이가 속한다.

09 생물 5계는 다양한 생물종을 비교하여 일정한 분류 기준에 따라 서로 비슷한 특징을 지닌 것끼리 무리지은 것으로 원핵생물계, 원생생물계, 식물계, 균계, 동물계의 5가지 계로 분류한다.

내신 기출 베스트 38~39쪽

1 ㄱ, ㄷ　2 ㄱ, ㄷ　3 더듬이　4 은송
5 ㄴ, ㄷ　6 ①　7 ①　8 (다), 동물계

1 오답 풀이

ㄴ. 생물을 사람의 편의에 따라 분류하면 분류하는 사람에 따라 결과가 달라질 수 있으므로 과학적 의미의 생물 분류 방법이 아니다.

2 생물 고유의 특징에 따라 분류하는 것은 과학적 의미의 생물 분류 방법이다. 사람의 편의에 따라 생물을 분류하는 것은 사람에 따라 분류 결과가 달라서 객관적이지 않기 때문에 과학적인 분류라고 할 수 없다.

오답 풀이

ㄴ. 생물을 먹을 수 있는 생물과 먹을 수 없는 생물로 분류하는 것은 사람의 편의에 따른 분류이다.
ㄹ. 생물을 약으로 쓰이는 생물과 약으로 쓰이지 않는 생물로 분류하는 것은 사람의 편의에 따른 분류이다.

3 A와 C는 더듬이가 곧고, B와 D는 더듬이가 꺾여 있다. 따라서 〈A, C〉와 〈B, D〉 생물은 더듬이 모양을 기준으로 분류한 것이다.

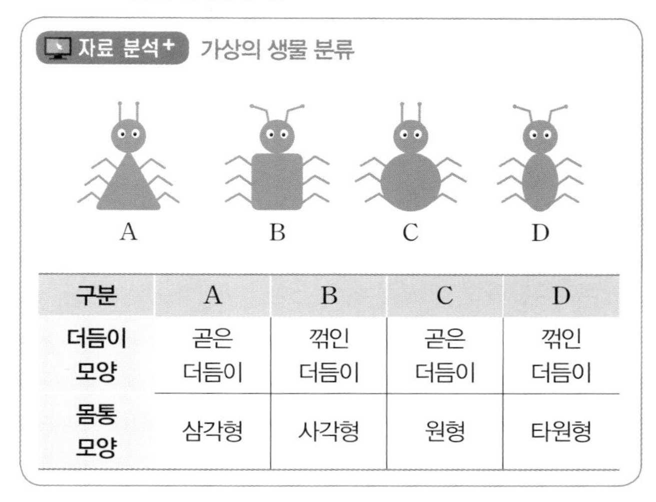

구분	A	B	C	D
더듬이 모양	곧은 더듬이	꺾인 더듬이	곧은 더듬이	꺾인 더듬이
몸통 모양	삼각형	사각형	원형	타원형

4 종은 자연 상태에서 짝짓기를 하여 생식 능력이 있는 자손을 얻을 수 있는 무리를 말한다. 수사자와 암호랑이 사이에서 태어난 라이거는 자손을 번식시킬 수 있는 생식 능력이 없기 때문에 사자와 호랑이는 같은 종이라고 할 수 없다.

5 생물의 분류 단계는 종<속<과<목<강<문<계로, 종은 생물을 분류할 때 가장 기본이 되는 단위이다. 계에서 종 단계로 갈수록 분류 기준은 세분화되고 범위가 좁아진다.

오답 풀이

ㄱ. (가)는 계이고, (나)는 종이다.

6 (가)의 소나무는 식물계, 호랑이는 동물계, 표고버섯은 균계이다. (나)의 대장균과 젖산균은 모두 원핵생물계에 속한다. 원핵생물계에 속하는 생물은 세포 내에 핵이 없고, 원핵생물계를 제외한 나머지 원생생물계, 식물계, 균계, 동물계는 핵이 있다.

7 오답 풀이

① 세균은 원핵생물계에 속한다. 균계에 속하는 생물에는 버섯, 곰팡이 등이 있다.

8 (가)는 식물계, (나)는 균계, (다)는 동물계, (라)는 원생생물계, (마)는 원핵생물계이다. 고래는 동물계 (다)에 속한다.

생물 다양성 보전

기초 확인 문제 43, 45쪽

01 ㉠ 낮은, ㉡ 단순, ㉢ 높은, ㉣ 복잡 02 (나) 03 용하
04 ⑤ 05 (1) 서식지 (2) 남획 (3) 외래종 06 (1) ㉣ (2) ㉡ (3) ㉠ (4) ㉢ 07 생태 통로 08 외래종
09 (1) 개인적 (2) 국가적 (3) 사회적 (4) 국제적

01 생물 다양성이 높은 생태계일수록 먹이 사슬이 복잡하여 한두 종의 생물이 사라져도 이를 대체할 수 있는 생물이 존재하기 때문에 생태계가 안정적으로 유지된다.

02 생물종의 수가 많은 (나) 생태계가 생물종의 수가 적은 (가) 생태계보다 생물 다양성이 더 높다.

03 생물 다양성이 낮은 (가) 생태계에서는 어떤 한 생물이 멸종되면 그 생물과 먹이 관계를 맺고 있는 생물이 직접 영향을 받아 생태계가 쉽게 파괴된다. 따라서 쥐가 멸종되면 수리부엉이도 멸종될 가능성이 크다. 생물 다양성이 높은 (나) 생태계에서는 쥐가 멸종되어도 수리부엉이는 개구리, 청둥오리, 참새, 도요새를 잡아먹고 살 수 있기 때문에 수리부엉이는 멸종되지 않는다.

04 사람은 생물로부터 식량, 의약품, 섬유, 목재 등 다양한 재료를 얻고, 생물을 모방하여 벨크로와 같은 새로운 도구를 만들 수도 있다.

오답 풀이

⑤ 사람은 다양한 생물의 생김새, 생활 모습으로부터 아이디어를 얻어 유용한 도구를 발명할 수 있다. 그 예로 곤충의 나는 모습을 모방하여 만든 소형 비행기, 도꼬마리 열매의 갈고리 형태를 모방하여 만든 벨크로가 있다.

05 (1) 무분별한 개발은 야생 동물의 서식지를 파괴하여 종 다양성을 급격히 감소시킨다.

(2) 특정 야생 생물종을 남획하여 생물의 개체 수가 감소한다.

(3) 기존 서식지가 아닌 새로운 곳으로 유입된 일부 외래종은 천적이 거의 없어 토종 생물종의 생존을 위협하기도 한다.

06

감소 원인	대책
서식지 파괴	• 지나친 개발 자제 • 서식지 보전 • 보호 구역 지정 • 생태 통로 설치
외래종 유입	• 외래종의 무분별한 유입 방지 • 외래종의 꾸준한 감시와 퇴치
남획	• 법률 강화 • 멸종 위기 생물 지정
환경 오염	• 쓰레기 배출량 줄이기 • 환경 정화 시설 설치

07 생태 통로는 도로 건설로 인하여 야생 동식물의 서식지가 단절되는 것을 방지하기 위하여 설치하는 인공 구조물로, 도로 건설로 인하여 끊어진 야생 동식물의 서식지를 연결하여 야생 동물이 이동할 수 있게 한다.

08 원래 살던 곳이 아닌 새로운 서식지로 유입된 동식물을 외래종이라고 한다. 일부 외래종은 천적이 거의 없어 토종 생물종의 생존을 위협할 수 있다. 이러한 외래종의 유입은 생물 다양성을 감소시키는 원인이다.

09 (1) 쓰레기 따로 거두기를 하거나 희귀 동물을 애완용으로 기르지 않는 것은 개인적 노력에 해당한다.

(2) 국립 공원, 습지 보호 지역 등 보호 지역을 지정하고 관리하는 것은 국가적 노력에 해당한다.

(3) 비오톱을 설치하거나 생태 통로를 연결하여 생물 다양성을 보전하는 것은 사회적 노력에 해당한다.

(4) 국제 협약을 통해 멸종 위기에 처한 야생 동식물의 국제 거래를 규제함으로써 남획으로부터 생물종을 보호하는 것은 국제적 노력에 해당한다.

내신 기출 베스트 46~47쪽

1 (나)	2 서율	3 ③	4 도구 발명의 원천
5 ⑤	6 ㄱ, ㄷ	7 ②	8 ㄱ, ㄷ

1 생물 다양성이 낮은 (가) 생태계에서는 개구리가 사라지면 개구리와 먹이 관계를 맺고 있는 생물이 직접 영향을 받아 생태계가 쉽게 파괴된다. 반면 생물 다양성이 높은 (나) 생태계에서는 개구리가 사라져도 개구리를 대체할 수 있는 생물이 존재해 생태계가 비교적 안정적으로 유지된다.

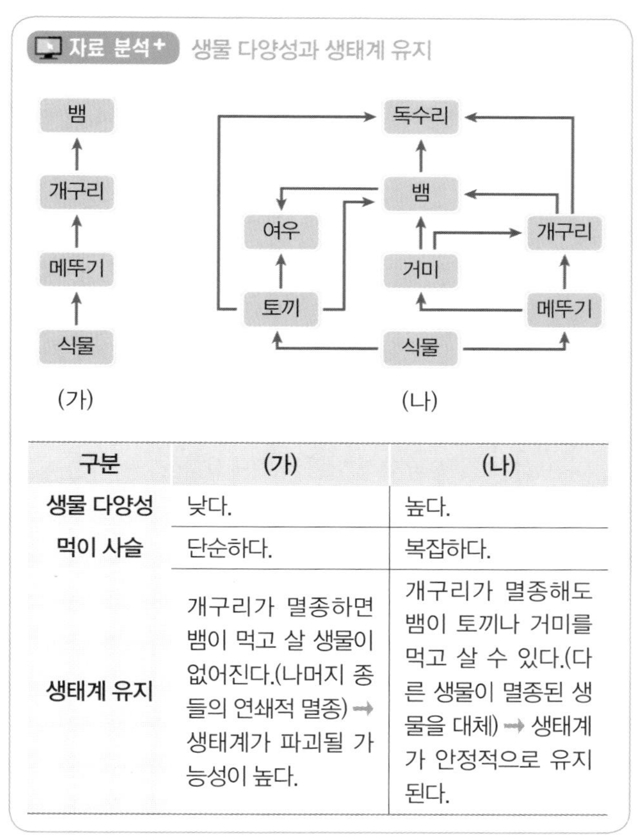

구분	(가)	(나)
생물 다양성	낮다.	높다.
먹이 사슬	단순하다.	복잡하다.
생태계 유지	개구리가 멸종하면 뱀이 먹고 살 생물이 없어진다.(나머지 종들의 연쇄적 멸종) → 생태계가 파괴될 가능성이 높다.	개구리가 멸종해도 뱀이 토끼나 거미를 먹고 살 수 있다.(다른 생물이 멸종된 생물을 대체) → 생태계가 안정적으로 유지된다.

2 쥐가 멸종해도 여우는 토끼나 꿩을 먹고 살 수 있기 때문에 멸종하지 않는다.

3 오답 풀이

③ 생물 다양성이 잘 보전된 생태계의 울창한 숲에서는 광합성이 일어나 대기의 이산화 탄소를 흡수하고 산소를 방출하여 지구 온난화를 방지하고 생물에게 산소를 공급한다.

4 사람은 생물의 생김새나 생활 모습을 보고 아이디어를 얻어 유용한 도구를 발명하기도 한다. 이처럼 생물 다양성은 도구 발명의 원천으로서 가치를 가진다.

5 생물 다양성을 감소시키는 원인에는 환경 오염, 서식지 파괴, 외래종 유입, 남획 등이 있다. 비오톱은 야생 생물이 서식하고 이동하는 데 도움이 되는 숲, 가로수, 습지, 하천, 화단 등 도심에 존재하는 다양한 인공물이나 자연물로, 지역 생태계 향상에 기여하는 작은 생물의 서식 공간이다. 도심 곳곳에 만들어지는 비오톱은 단절된 생태계를 연결하는 역할을 한다.

6 가시박, 뉴트리아와 같은 외래종은 천적이 거의 없어 과도하게 번식하여 토종 생물의 생존을 위협하고 먹이 사슬에 변화를 일으켜 생태계 평형을 파괴할 수 있다.

7 도로로 인해 야생 동물의 서식지가 단절되는 것을 방지하기 위해 생태 통로를 설치한다.

8 생물 다양성을 보전하기 위해서는 개인적, 사회적, 국가적, 국제적 노력이 필요하다.

오답 풀이

ㄴ. 국가 간에 여러 가지 협약을 맺고 이행하려고 노력하는 것은 국제적 노력에 해당한다.

ㄹ. 국립 공원과 같은 보호 지역 지정 및 관리는 국가적 노력에 해당한다.

누구나 100점 테스트 1회 48~49쪽

01 ② 02 ③ 03 ⑤ 04 ③ 05 ④ 06 ①
07 ⑤ 08 ④ 09 ① 10 ④

01 용수철을 당기는 힘=용수철의 탄성력, 탄성력은 용수철이 변형된 정도에 비례하며, 용수철의 길이가 늘어난 방향과 반대 방향으로 작용한다.

02 양궁의 활, 장대높이뛰기, 뜀틀 도약대는 탄성력을 이용한다. 스노보드는 마찰력을 이용한다.

03 추 1개의 무게가 5 N이므로 용수철에 5 N의 힘이 작용할 때 4 cm 늘어난다. 5 N : 4 cm $= F$: 20 cm
$\therefore F = 25$ N

04 컬링은 마찰력을 이용하는 경기로, 빙판을 솔질하면 얼음이 녹아 돌과 얼음 사이에 마찰력이 줄어든다.

05 물체가 움직이기 시작하여 일정한 빠르기로 이동할 때 작용한 힘 50 N은 물체와 책상 면 사이에서 운동을 방해하는 마찰력의 크기와 같다.

자료 분석+ 마찰력

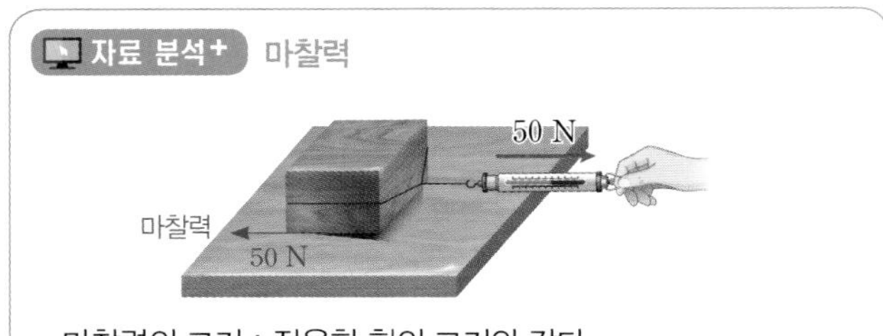

• 마찰력의 크기 : 작용한 힘의 크기와 같다.
• 마찰력의 방향 : 작용한 힘과 반대 방향

06 물체를 물속에 넣으면 물이 물체를 위로 밀어 올리기 때문에 가벼워진다. 위로 밀어 올리는 힘은 부력이다.

07 나무 도막이 움직이는 순간 용수철저울의 눈금은 마찰력의 크기와 같다. 마찰력의 크기는 물체의 무게가 클수록, 접촉면이 거칠수록 크고, 접촉면의 넓이와 관계없다.

08 A에도 부력이 작용한다. A에 작용하는 부력의 크기보

다 중력의 크기가 크기 때문에 가라앉는다. 물속에서 물을 밀어낸 부피가 클수록 크다. 따라서 부력의 크기는 A > B이다.

자료 분석+ 물에서 중력과 부력

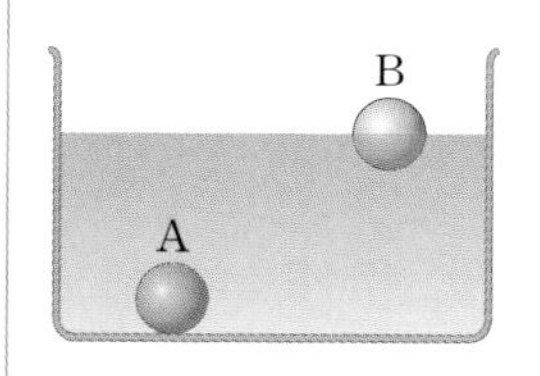

• 물에 잠긴 물체의 부피 : A > B
• 밀어낸 물의 무게 : A > B

• 물에 잠긴 물체가 밀어낸 물의 무게만큼 부력을 받는다.
• 물 표면에 떠 있는 물체에 작용하는 중력(무게) = 부력
• 바닥에 가라앉은 물체에 작용하는 중력 > 부력

09 부력의 크기 = 물 밖에서 물체의 무게 − 물속에서 물체의 무게, (가)의 부력 = 10 N − 9.5 N = 0.5 N, (나)의 부력 = 10 N − 8 N = 2 N

10 물속에서 무거운 쪽이 가라앉으므로 무거운 것은 순금이다. 부력이 클수록 위로 떠오르기 때문에 왕관의 부력이 크다.

자료 분석+ 물에서 물체의 부피와 부력

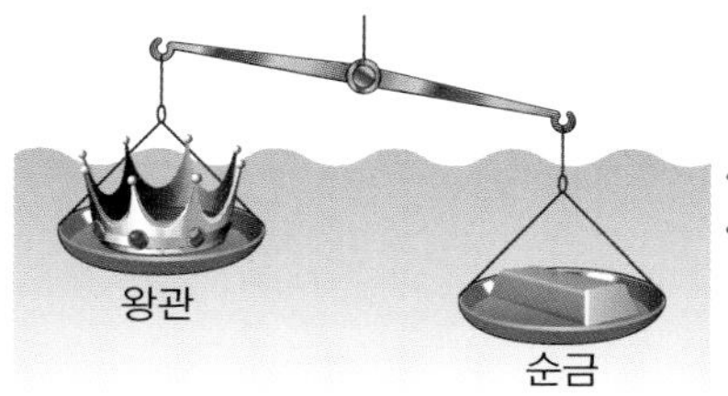

• 부력의 크기 : 왕관 > 순금
• 부피 : 왕관 > 순금

• 무게가 같은 왕관과 순금을 물속에 잠기게 할 때 순금 쪽으로 기운 것은 물속에서 순금이 왕관보다 무겁기 때문이다.
• 같은 무게의 왕관과 순금이 물속에서 순금 쪽으로 기운 것은 왕관에 작용하는 부력이 순금에 작용하는 부력보다 크기 때문이다.
• 왕관이 순금보다 더 큰 부력을 받는 것은 순금보다 왕관의 부피가 크기 때문이다.

누구나 100점 테스트 2회 50~51쪽

01 ④	02 ⑤	03 온도	04 ③	05 ①
06 ①	07 ⑤	08 ⑤	09 ②, ④	10 ④

01 **오답 풀이**

ㄷ. 유전자 다양성이 높은 생물종은 급격한 환경 변화가 일어날 때 살아남을 가능성이 높기 때문에 생물 다양성이 높아진다.

02 변이는 같은 종에 속하는 생물 사이에서 나타나는 서로 다른 특징으로, 유전자 차이에 의한 변이는 자손에 전해진다. 한 종의 조개껍데기의 무늬가 다른 것은 변이의 예이다.

오답 풀이

⑤ 다양한 변이가 나타날수록 급격한 환경 변화가 일어날 때 생존할 가능성이 높아진다.

03 북극여우는 귀가 작고 몸집이 커서 열의 손실을 줄일 수 있기 때문에 추운 북극 환경에서 살기에 적합하다. 사막여우는 귀가 크고 몸집이 작은 편이어서 몸의 열을 방출하기 쉽기 때문에 더운 사막 환경에서 살기에 적합하다. 이러한 북극여우와 사막여우의 생김새는 온도에 따라 적응한 결과이다.

04 생물을 생물 고유의 특징을 기준으로 분류하는 것은 사람에 따라 분류 결과가 달라지지 않기 때문에 생물 사이의 멀고 가까운 관계를 알 수 있다.

오답 풀이

③ 생물을 사람이 먹을 수 있는 생물과 먹을 수 없는 생물로 분류하는 것은 사람의 편의에 따른 분류로, 사람에 따라 분류 결과가 달라질 수 있기 때문에 객관적인 분류라고 할 수 없어 생물 사이의 멀고 가까운 관계를 알기 힘들다.

05 생물을 분류할 때 가장 기본이 되는 단위는 종으로, 종은 자연 상태에서 짝짓기하여 생식 능력이 있는 자손을 낳을 수 있는 생물 무리이다.

06 원핵생물계는 핵(핵막)이 없고, 나머지 생물계는 핵(핵막)이 있으므로 (가)와 (나)를 구분하는 분류 기준은 핵(핵막)의 유무이다.

자료 분석+ 생물 5계

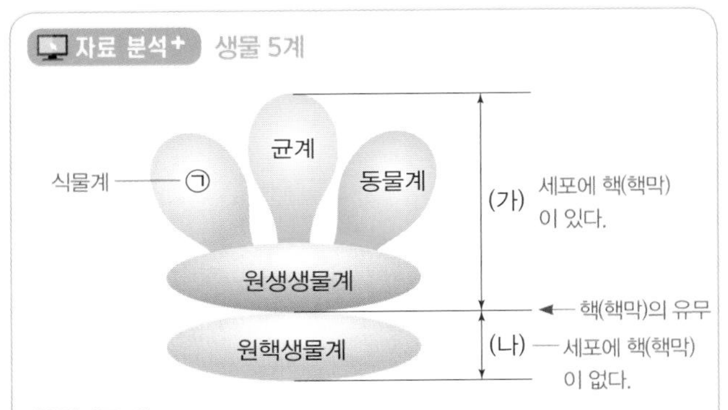

원핵생물계
- 세포 내에 막으로 둘러싸인 핵이 없는 생물 무리이다.
- 단세포 생물로, 모든 세균이 이 무리에 속한다.
- 대부분 광합성을 하지 않지만 남세균처럼 광합성을 하는 종류도 있다.

원생생물계
- 세포 내에 핵이 있는 생물 중 식물계, 균계, 동물계 어디에도 속하지 않는 생물 무리이다.
- 대부분 단세포 생물(짚신벌레, 아메바 등)이지만 다세포 생물(김, 미역, 다시마 등)도 있다.

식물계
- 세포 내에 핵이 있는 생물 중 광합성을 하여 스스로 양분을 만들고 뿌리, 줄기, 잎과 같은 기관이 발달한 생물 무리이다.
- 다세포 생물이다.

균계
- 세포 내에 핵이 있는 생물 중 스스로 양분을 만들 수 없으며, 죽은 생물이나 배설물을 분해하여 양분을 얻는 생물 무리이다.
- 버섯이나 곰팡이의 몸은 균사라고 하는 실 모양의 구조로 이루어진다.

동물계
- 세포 내에 핵이 있는 생물 중 다른 생물을 섭취하여 양분을 얻는 생물 무리이다.
- 운동성이 있으며, 기관이 발달한 다세포 생물이다.

07 ㉠은 식물계로, 식물계는 세포 내에 핵이 있는 생물 중 광합성을 하여 스스로 양분을 만들고 뿌리, 줄기, 잎과 같은 기관이 발달한 생물 무리이다. 또한 다세포 생물이며 세포벽이 있다.

08 생물 다양성이 높은 생태계는 안정적으로 유지될 뿐만 아니라 인간이 살아가는 데 필요한 다양한 자원을 제공한다. 또한 생물이 살아가는 데 필요한 맑은 공기와 깨끗한 물, 비옥한 토양을 제공한다.

09 일부 외래종은 천적이 거의 없어 수가 크게 늘어나 토종 생물의 생존을 위협하고, 먹이 사슬에 변화를 일으켜 생태계 평형을 파괴할 수 있다. 뉴트리아, 배스, 가시박, 붉은귀거북 등은 모두 외래종이다.

10 생물의 서식지는 사람이 정한 국가 경계로 구분되지 않고 나라마다 살고 있는 생물의 종류가 다르기 때문에 생물 다양성을 보전하기 위해서는 국가 간의 협력이 필요하다. 생물 다양성 보전을 위한 국제적 노력에는 사이테스, 람사르 협약, 생물 다양성 협약 등이 있다.

사이테스	람사르 협약	생물 다양성 협약
멸종 위기에 처한 야생 동식물의 국제 거래를 규제함으로써 남획으로부터 생물종을 보호한다.	국경을 초월해 이동하는 물새를 국제 자원으로 규정하고, 보전 가치가 높은 습지를 지정하여 의무적으로 보전하게 한다.	멸종 위기의 생물을 보호하여 생물 다양성을 보전하고, 생물 자원을 이용하여 얻어지는 이익을 공평하게 분배하는 것을 목적으로 한다.

서술형·사고력 테스트 52~53쪽

01 (1) ㉠ ←, ㉡ → (2) ㉠ 3 N, ㉡ 2 N (3) 작다 (4) 해설 참조 **02** 해설 참조 **03** (1) (다) (2) 접촉면의 거칠기 (3) 물체의 무게 (4) 해설 참조 **04** 해설 참조 **05** (1) (가) (2) 해설 참조 **06** 해설 참조 **07** A : 핵의 유무, B : 광합성 여부, C : 운동성 여부 **08** 해설 참조

01 (1)~(3) 탄성력은 탄성체가 원래 모양으로 되돌아가려는 힘이다. 따라서 작용한 힘과 크기가 같고 방향은 반대이다. 이때 작용한 힘이 클수록 용수철의 길이가 늘어나거나 압축된 정도가 크다.

(4) 모범 답안 작용한 힘이 클수록 용수철의 길이가 변형된 정도가 크다.

채점 기준	배점(%)
탄성력과 변형 정도의 관계를 옳게 서술한 경우	100
탄성력과 변형 정도의 관계를 설명은 했으나 조금 미흡한 경우	50

02 모범 답안 

탄성력의 크기는 작용한 힘의 크기와 같고, 방향은 용수철이 원래 모양으로 되돌아가는 방향으로 작용하기 때문이다.

채점 기준	배점(%)
탄성력의 크기와 방향을 옳게 나타내고 그 까닭을 주어진 용어를 모두 포함하여 옳게 서술한 경우	100
탄성력의 크기와 방향만 옳게 나타낸 경우	50

03 (1) 나무 도막이 움직이는 순간 용수철저울의 눈금은 마찰력의 크기와 같다. 따라서 마찰력이 가장 큰 것은 (다)이다.
(2) (가)와 (나)는 같은 나무 도막에 접촉면의 성질만 다른 때로 (나)가 (가)보다 접촉면이 거칠고 마찰력의 크기가 크다.
(3) (나)와 (다)는 같은 접촉면에서 나무 도막을 2개 쌓아 올린 것을 당기는 때로 (다)가 (가)보다 면을 누르는 힘, 즉 무게가 크고 마찰력의 크기도 크다.
(4) 모범 답안 마찰력의 크기는 접촉면의 거칠기가 클수록 물체의 무게가 무거울수록 크다.

채점 기준	배점(%)
마찰력의 크기를 (2)~(3)의 답을 모두 포함하여 옳게 서술한 경우	100
마찰력의 크기를 (2)~(3)의 답 중 한 가지만 사용하여 서술한 경우	50

04 모범 답안 스타이로폼 구에 부력이 작용하여 스타이로폼 구를 위쪽으로 밀어 올리므로 용수철의 길이가 늘어난 것이다.
해설 | 물에 잠긴 스타이로폼 구의 부피에 해당하는 물의 무게만큼 부력이 작용하기 때문에 스타이로폼 구가 위쪽으로 떠오른다.

채점 기준	배점(%)
부력의 작용과 부력의 방향을 정확히 언급하여 서술한 경우	100
부력의 작용은 언급했으나 부력의 방향을 포함하지 않고 서술한 경우	50

자료 분석+ 부력

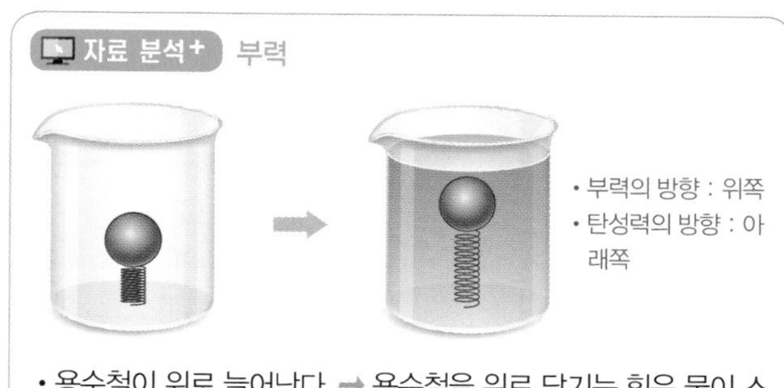

• 용수철이 위로 늘어난다. ➡ 용수철을 위로 당기는 힘은 물이 스타이로폼 구를 위쪽으로 밀어 올리는 힘이다.

05 생물의 종류가 많고 여러 종류의 생물이 고르게 분포할 때 생물 다양성이 높다. (가)에서는 4종류의 생물이 고르게 분포하지만, (나)에서는 3종류의 생물 중 나무가 개체 수의 대부분을 차지하고 있기 때문에 (나)보다 (가)의 생물 다양성이 더 높다.
(2) 모범 답안 (가)에서는 4종류의 생물이 고르게 분포하지만, (나)에서는 3종류의 생물이 고르지 않게 분포하기 때문이다.

채점 기준	배점(%)
생물종의 수와 고른 정도를 비교하여 옳게 서술한 경우	100
생물종의 수만 비교하여 서술한 경우	50

06 같은 종에 속하는 얼룩말의 털 무늬가 조금씩 다른 것은 같은 종이라도 부모로부터 물려받은 유전자가 다르기 때문이다. 이는 생물 다양성 중 유전자 다양성에 해당한다.
모범 답안 부모로부터 물려받은 유전자가 다르기 때문이야.

채점 기준	배점(%)
얼룩말의 털 무늬가 다른 까닭을 옳게 서술한 경우	100
얼룩말의 털 무늬가 다른 까닭을 옳지 않게 서술한 경우	0

07 대장균은 원핵생물계, 다시마는 원생생물계, 옥수수는 식물계, 표고버섯은 균계, 사자는 동물계에 속한다. 생물 5계 중 대장균이 속한 원핵생물계에만 핵이 없다(A). 다시마와 옥수수는 광합성을 하고, 표고버섯과 사자는 광합성을 하지 않는다(B). 사자는 운동성이 있고, 표고버섯은 운동성이 없다(C).

08 가시박과 뉴트리아와 같은 일부 외래종은 천적이 거의 없기 때문에 우리나라 토종 생물종의 생존을 위협한다.
모범 답안 천적이 거의 없기 때문이다.

채점 기준	배점(%)
천적이 거의 없기 때문이라고 서술한 경우	100
옳지 않게 서술한 경우	0

창의·융합·코딩 테스트 54~55쪽

01 (1) 중력, 탄성력 (2) 100 N (3) 해설 참조
02 (1) 위쪽 (2) 미끄러지지 않는다 (3) ㉠ 사포 > 도화지 > OHP 필름, ㉡ 사포 > 도화지 > OHP 필름
㉢ 사포 > 도화지 > OHP 필름 (4) 해설 참조
03 (1) 부력 (2) (나) (3) 해설 참조
04 (1) 물살의 세기 (2) 해설 참조 05 ② 06 ㄴ
07 준우

01 (1) 추에는 지구가 당기는 중력과 용수철이 당기는 탄성력이 작용한다. 중력은 아래쪽, 탄성력은 위쪽으로 작용한다.
(2) 무게와 늘어난 길이와의 비례 관계 그래프를 이용한다. 이 용수철은 무게가 10 N일 때 1 cm씩 늘어났으므로 10 cm 늘어났다면 무게 100 N인 물체가 매달렸을 때이다.
(3) 모범 답안 용수철이 늘어난 길이는 용수철을 당기는 힘, 즉 추의 무게에 비례한다.

채점 기준	배점(%)
용수철이 늘어난 길이와 당기는 힘의 관계를 옳게 서술한 경우	100
용수철의 길이와 힘의 관계를 설명했으나 조금 미흡한 경우	30

02 (1)~(3) 마찰력은 물체의 운동을 방해하는 방향, 즉 운동 방향과 반대 방향으로 작용한다. 또 빗면에서 물체가 미끄러지는 순간 마찰력의 크기는 빗면의 기울기가 클수록 크게 작용한다.
(4) 모범 답안 접촉면의 거칠기가 클수록 나무 도막이 미끄러지기 시작한 순간의 기울기가 크기 때문에 접촉면이 거칠수록 마찰력의 크기가 크다.

채점 기준	배점(%)
주어진 세 가지 용어를 모두 포함하여 옳게 서술한 경우	100
주어진 용어 중 두 가지만 포함하여 서술한 경우	50

03 (1) 배가 물에 떠 있는 까닭은 배를 위로 밀어 올리는 부력이 작용하기 때문이다. 물에 잠긴 배의 부피가 클수록 밀어낸 물의 무게가 크기 때문에 받는 부력도 더 크다.
(2) 물에 잠긴 깊이가 클수록, 즉 배가 밀어낸 부피가 클수록 부력을 크게 받는다.
(3) 모범 답안 부력의 크기는 (나) > (가), 물에 잠긴 부피가 클수록 부력이 크게 작용하기 때문이다.

채점 기준	배점(%)
부력의 크기를 옳게 비교하고 서술한 내용이 옳은 경우	100
비교한 내용과 서술한 내용 중 한 가지만 옳은 경우	50

04 (1) 물살이 센 곳에 사는 소라는 껍데기에 뿔이 발달하여 물에 쉽게 떠내려가지 않는다. 물살이 약한 곳에 사는 소라는 껍데기에 뿔이 없다.
(2) 사막여우는 귀가 크고 몸집이 작아 높은 기온의 사막에서 몸의 열을 쉽게 방출할 수 있다. 북극여우는 귀가 작고 몸집이 커서 추운 북극에서 열의 손실을 줄일 수 있다.

모범 답안 북극여우, 북극여우는 귀가 작고 몸집이 커서 추운 북극에서 열의 손실을 줄일 수 있기 때문이다.

채점 기준	배점(%)
북극여우를 쓰고, 북극여우가 추운 지역에서 살기에 적합한 까닭을 옳게 서술한 경우	100
북극여우만 쓴 경우	30

05 핵이 없는 (가)는 남세균, 단세포인 (나)는 짚신벌레, 몸이 균사로 이루어져 있는 (다)는 표고버섯이다.

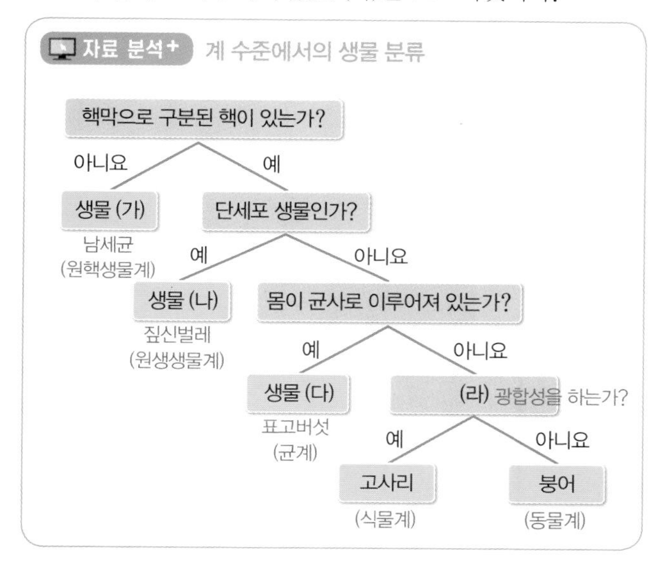

06 고사리는 식물계, 붕어는 동물계에 속한다. 식물계에 속하는 생물은 광합성을 하고, 동물계에 속하는 생물은 광합성을 하지 않는다. 고사리와 붕어는 모두 다세포 생물이고 기관이 발달했다.

07 생물종의 수가 많은 (나) 생태계가 생물종의 수가 적은 (가) 생태계보다 생물 다양성이 높고 먹이 사슬이 복잡하여 생태계가 안정적으로 유지된다. 생물 다양성이 낮은 (가) 생태계에서는 개구리가 사라지면 먹이를 잃은 뱀이 함께 사라질 확률이 높지만, 생물 다양성이 높은 (나) 생태계에서는 개구리가 사라져도 뱀이 다른 먹이를 먹고 살 수 있다.

7일

학교시험 기본 테스트 1회 56~59쪽

01 ⑤	02 ④	03 ④	04 ㄱ, ㄹ	05 ③	06 ⑤
07 ④	08 ②	09 ②	10 ④	11 ③	12 해설 참조
13 ③	14 ①	15 ⑤	16 ⑤	17 원생생물계	
18 ①, ②		19 ④		20 서식지 파괴	

01 구멍조끼는 부력을 이용하는 도구이다.

02 용수철을 압축하면 원래 모양으로 되돌아가려는 탄성력을 작용한다. 탄성력의 방향은 작용한 힘의 방향과 반대 방향이다.

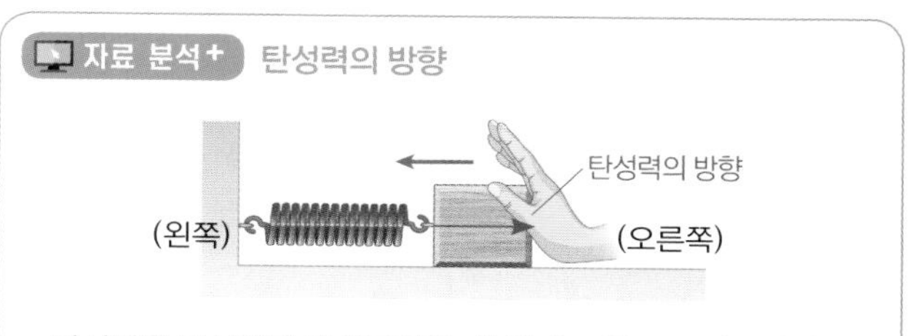

• 탄성력은 탄성체가 변형되었을 때 원래 모양으로 되돌아가려는 힘이다.
• 용수철에 작용한 힘이 왼쪽이므로 탄성력은 오른쪽으로 작용한다.

03 용수철이 늘어난 길이가 12 cm일 때 매단 추의 수는 4개이다. 추 한 개의 질량이 1 kg이므로 4개의 질량은 4 kg이고 이때 힘은 $9.8\times4=39.2$(N)이다.

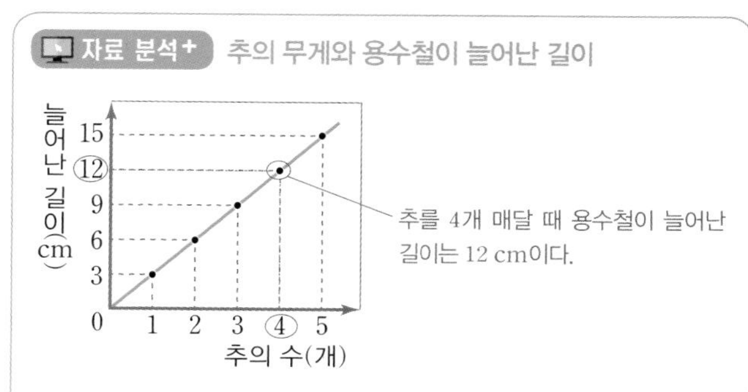

• 용수철에 매단 추의 무게에 의해 용수철이 늘어나고 이때 늘어난 길이는 추의 무게에 비례한다.

- 추 1개를 매달 때 용수철이 늘어난 길이는 3 cm이므로 늘어난 길이가 12 cm이면 비례식은 $1:3=x:12$, $x=4$(개)
- 추 1개의 질량이 1 kg이므로 4개의 질량은 4 kg이고 이때 무게는 $9.8\times4=39.2$(N)이다.

04 마찰력의 크기는 물체의 무게가 클수록, 접촉면이 거칠수록 커진다.

05 물체가 움직이지 않을 때 마찰력의 크기는 가한 힘의 크기와 같으므로 20 N이고, 방향은 가한 힘의 방향과 반대 방향이므로 왼쪽이다.

자료 분석+ 마찰력의 방향

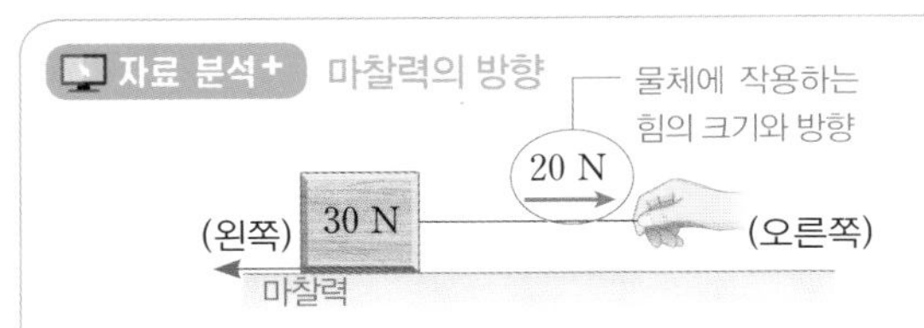

- 물체에 힘을 작용했음에도 움직이지 않는 것은 운동을 방해하는 마찰력이 작용하기 때문이다.
- 물체에 작용하는 힘은 오른쪽이므로 운동을 방해하는 마찰력은 왼쪽으로 작용한다.

06 눈길에서 미끄러짐을 방지하기 위해선 체인을 감아 마찰력을 크게 한다. 접촉면을 거칠게 하는 방법은 마찰력을 크게 하는 경우다.

07 부력의 크기는 물에 잠긴 물체의 부피가 클수록 크다.

오답 풀이

④ 물속에 잠긴 물체에 작용하는 부력의 크기는 물체의 부피가 클수록 크다. 무게가 클수록 큰 힘은 중력이다.

08 물 표면에 떠 있거나 잠겨서 떠 있는 경우 물체에 작용하는 중력=부력이다. 바닥에 가라앉은 경우는 중력이 부력보다 크다. A가 밀어낸 물의 무게가 B가 밀어낸 물의 무게보다 크기 때문에 부력을 크게 받는다. 즉 A는 B보다 받는 부력이 크기 때문에 A는 떠 있고 B는 가라앉았다.

오답 풀이

① A에는 작용하는 부력과 중력의 크기는 서로 같고 방향이 서로 반대이다.

③ A에 작용하는 부력이 B보다 크기 때문에 A가 밀어낸 물의 양이 B보다 크다.

④ 물에 잠긴 부피는 A가 B보다 크다.

⑤ B는 부력이 중력보다 작게 작용하기 때문에 가라 앉았다.

09 유리병이 물속에서 받는 부력의 크기는 유리병을 넣었을 때 흘러넘친 물의 무게와 같다.

10 같은 물체라도 물에 잠긴 정도에 따라 부력의 크기가 달라진다. 이때 (가)는 일부만 잠겼고 (나)는 완전히 잠겼으므로 부력의 크기는 (나)>(가)이다. 물속에서 부력이 커진 만큼 무게는 줄어든다.

자료 분석+ 부력의 크기

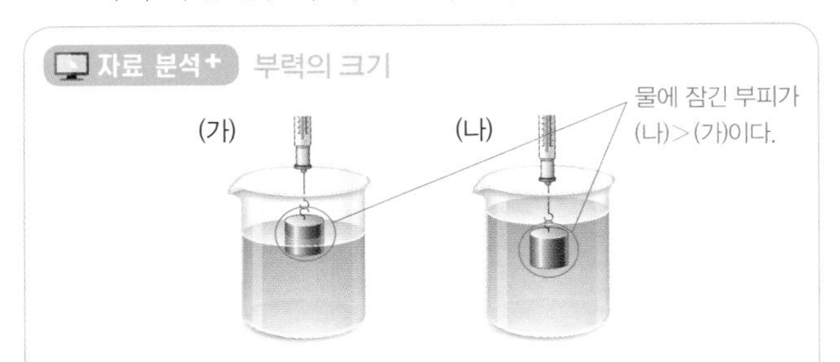

- (가)는 추가 물에 반쯤 잠겼으므로 잠긴 추의 부피에 해당하는 물의 무게만큼 부력이 작용한다.
- (나)는 물에 완전히 잠겼으므로 (가)보다 더 큰 부력을 받으며 부력은 중력과 반대 방향으로 작용하므로 추의 무게는 줄어든다.
- 공기 중에서의 추의 무게 : (가)=(나)=0.5 N

11 (가)는 생태계 다양성, (나)는 종 다양성, (다)는 유전자 다양성을 나타낸 것이다.

12 같은 종에 속하는 생물 사이에서 나타나는 서로 다른 특징을 변이라고 한다.

모범 답안 얼룩말의 털 무늬가 조금씩 다르다. 달팽이 껍데기의 무늬와 색깔이 조금씩 다르다. 등

채점 기준	배점(%)
변이의 예를 정확하게 서술한 경우	100
변이의 예를 미흡하게 서술한 경우	30

13 오답 풀이

③ 생물의 생김새와 속 구조, 생식 방법과 같이 생물 고유의 특징에 따라 생물을 분류하면 사람에 따라 분류 결과가 다르지 않기 때문에 객관적인 분류를 할 수 있어 생물 사이의 멀고 가까운 관계를 알 수 있다.

14 (가)의 고래와 곰은 새끼를 낳고, (나)의 닭, 게, 나비는 알을 낳는 동물이다.

15 오답 풀이

⑤ 개와 여우는 갯과, 고양이는 고양잇과에 속하므로 생물 사이의 분류 관계에서 여우는 고양이보다 개와 더 가까운 관계이다.

자료 분석+ 생물의 분류 단계

분류 단위	개	여우	고양이
계	동물계	동물계	동물계
문	척삭동물문	척삭동물문	척삭동물문
강	포유강	A 포유강	B 포유강
목	식육목	식육목	식육목
과	갯과	갯과	고양잇과
속	개속	여우속	고양이속
C 종	개	여우	고양이

같은 목(식육목)에 속하는 생물은 같은 강(포유강)에 속한다.

16 종은 생물을 분류하는 기본 단위로, 자연 상태에서 짝짓기하여 생식 능력이 있는 자손을 낳을 수 있는 생물 무리이다.

오답 풀이

ㄱ. 개와 여우는 다른 종에 속한다.

17 짚신벌레, 아메바, 미역, 다시마는 원생생물계에 속한다. 원생생물계는 세포 내에 핵이 있는 생물 중 식물계, 균계, 동물계 어디에도 속하지 않는 생물 무리로, 대부분 단세포 생물(짚신벌레, 아메바 등)이지만 다세포 생물(김, 미역, 다시마 등)도 있다.

18 생물 다양성이 높을수록 먹이 사슬이 복잡해져 생물이 멸종할 가능성이 낮아지고 생태계가 안정적으로 유지된다. 일부 외래종은 생물 다양성을 감소시킬 수 있으므로 외래종이 무분별하게 유입되지 않도록 해야 한다.

19 사람은 생물의 생김새나 생활 모습을 보고 아이디어를 얻어 유용한 도구를 발명하기도 한다. 이처럼 생물 다양성은 도구 발명의 원천으로서 가치를 가진다.

20 서식지 파괴는 생물 다양성을 감소시키는 가장 큰 원인이다.

학교시험 기본 테스트 2회 60~63쪽

01 ⑤ 02 ④ 03 ㄱ, ㄹ 04 ⑤ 05 ②
06 ① 07 ③ 08 중력, 탄성력, 부력 09 ①, ⑤
10 ② 11 ③ 12 ④ 13 ② 14 ④ 15 ①
16 ④ 17 ② 18 해설 참조 19 사이테스
20 ⑤

01 자전거 안장의 용수철, 장대높이뛰기의 장대, 공은 탄성력을 이용한다.

02 용수철이 늘어난 길이는 용수철에 작용한 힘에 비례한다. 이 용수철은 1 N의 힘이 작용할 때 2 cm가 늘어나므로 필통을 매달았을 때 늘어난 길이가 5 cm이면 필통의 무게는 2.5 N이 된다.

자료 분석+ 용수철이 늘어난 길이와 탄성력

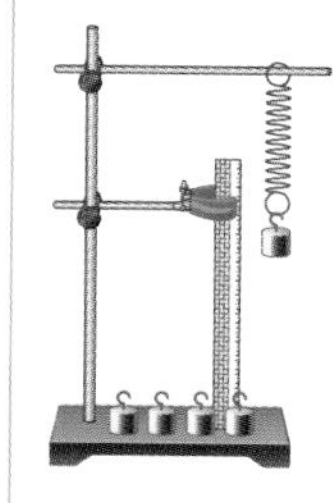

추의 개수 (개)	추의 무게 (N)	늘어난 길이(cm)
1	1	2
2	2	4 (2배)
3	3	6 (3배)
4	4	8 (4배)

- 용수철에 매단 추의 무게가 1 N씩 커질 때마다 용수철이 늘어난 길이는 2 cm씩 커졌다.
- 이 용수철에 필통을 매달았을 때 늘어난 길이를 알면 필통의 무게는 용수철이 늘어난 길이와 추의 무게와의 비례식을 통해 알 수 있다.
- $1\ \mathrm{N} : 2\ \mathrm{cm} = x : 5\ \mathrm{cm}$, $x = 2.5\ \mathrm{N}$

03 마찰력은 물체와의 접촉면이 거칠수록 커진다.

오답 풀이

ㄴ, ㄷ. 자전거 체인에 윤활유를 뿌리고 수영장 미끄럼틀에 물을 흘려보내는 것은 마찰력을 작게 하는 예이다.

04 달의 중력은 지구 중력의 $\frac{1}{6}$배이므로 달에 추를 매단 용수철을 가져가면 용수철을 당기는 힘이 줄어들기 때문에 용수철이 늘어난 길이도 지구에서보다 작다.

오답 풀이

① 질량 1 kg에 작용하는 중력의 크기가 9.8 N이므로 2 kg인 추에 작용하는 중력의 크기는 $9.8\times2=19.6$(N)이며 탄성력의 크기는 작용한 힘과 같으므로 19.6 N이다.

② 용수철이 아래쪽으로 늘어났으므로 탄성력은 위쪽으로 작용한다.

③ 중력은 아래쪽으로 작용하고, 탄성력은 위쪽으로 작용한다.

④ 달에 가져가면 중력이 지구의 $\frac{1}{6}$배가 되므로 0은 아니다.

05 빗면에서 물체가 미끄러져 내려오는 순간의 기울기가 가장 큰 신발은 (가)이므로 이때 마찰력이 가장 크게 작용한다. 그 까닭은 마찰력은 운동을 방해하는 힘으로 운동 방향과 반대 방향으로 작용하기 때문이다. 마찰력의 크기는 물체의 무게가 클수록, 접촉면의 거칠기가 클수록 크다.

오답 풀이

ㄷ. 신발이 경사면에서 미끄러지지 않은 상태에서도 신발에 작용하는 힘과 반대 방향으로 마찰력이 작용한다.

06 마찰력의 방향은 작용한 힘과 반대 방향이다. 힘을 작용했지만 움직이지 않는 것은 작용한 힘과 같은 크기의 마찰력이 반대 방향으로 작용하기 때문이다.

07 물에 떠 있는 물체에는 중력과 같은 크기의 부력이 중력과 반대 방향으로 작용한다.

오답 풀이

③ 지구상의 모든 물체에는 지구의 중력이 작용한다. 물에 떠 있거나 물에 잠긴 채 떠 있는 물체에는 중력과 같은 크기의 부력이 위쪽으로 작용한다.

08 중력은 지구상의 모든 물체에 작용하기 때문에 스타이로폼 구에도 작용한다. 또한 스타이로폼 구에는 물이 밀어 올리는 부력과 용수철이 당기는 탄성력이 작용한다.

자료 분석+ 부력의 방향

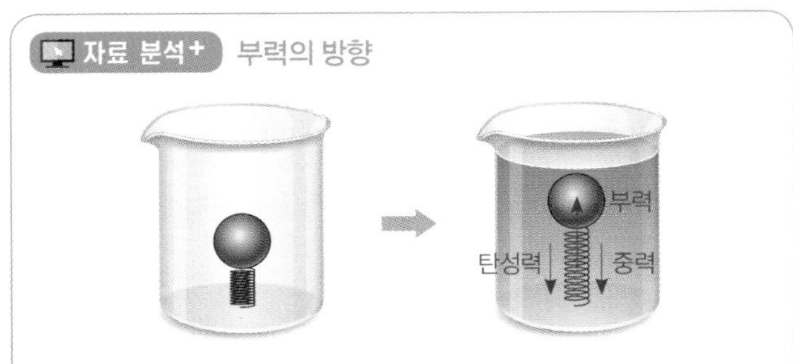

- 스타이로폼 구에는 지구가 당기는 중력이 아래쪽으로 작용한다.
- 또 스타이로폼 구에는 물이 위로 밀어 올리는 부력이 작용하므로 용수철의 길이가 늘어난다.
- 스타이로폼 구에 작용하는 용수철의 탄성력은 부력과 반대 방향이다.

09 물속에 있는 모든 물체는 물이 위쪽으로 밀어 올리는 부력을 받는다. 부력은 물체가 잠기면서 밀어낸 물의 무게와 같으므로 물속에 잠긴 부피가 클수록 크게 작용한다. 따라서 완전히 잠기게 했을 때 더 큰 부력이 작용한다.

자료 분석+ 부력의 크기

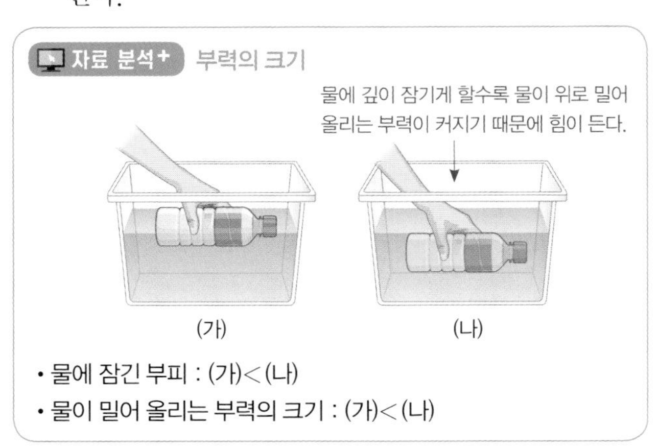

- 물에 잠긴 부피 : (가)<(나)
- 물이 밀어 올리는 부력의 크기 : (가)<(나)

10 부력의 크기=물 밖에서 물체의 무게−물속에서 물체의 무게, 추에 작용하는 부력은 추가 밀어낸 물의 무게, 즉 넘친 물의 무게와 같다.

자료 분석+ 부력의 크기

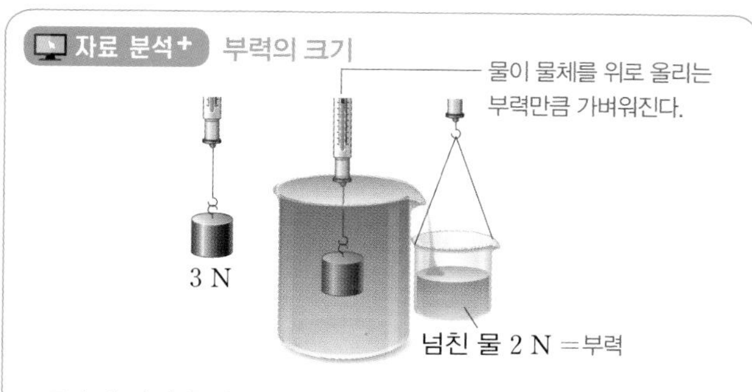

- 물속에 잠긴 추에 작용하는 부력 = 추가 밀어낸 물의 무게 = 2 N
- 물속에 잠긴 추의 무게 = 공기 중에서의 추의 무게 − 부력
  = 3 N − 2 N = 1 N

11 오답 풀이

③ 일정한 지역에 다양한 종의 생물이 고르게 분포할수록 생물 다양성은 높다.

12 유전자 다양성, 종 다양성, 생태계 다양성은 서로 밀접하게 관련되어 서로에게 영향을 준다. 유전자 다양성이 풍부하면 급격한 환경 변화에도 살아남는 개체가 있어 종이 잘 보전되고, 다양한 종이 서식할 때 생태계는 안정적으로 유지된다.

자료 분석+ 생물 다양성

- (가) : 소 종 내에서 특징이 조금씩 다른 개체들이 나타나는 것이므로 유전자 다양성을 나타낸다.
- (나) : 한 생태계(습지) 내에 수련, 백로, 소와 같은 다양한 종이 서식하는 종 다양성을 나타낸다.
- (다) : 산림, 강, 습지, 초원, 바다와 같은 생태계의 종류가 다양한 생태계 다양성을 나타낸다.

13 몸이 크고 말단 부위가 작을수록 열 손실이 적고, 몸이 작고 말단 부위가 클수록 열이 잘 방출된다. 따라서 추운 북극 지방에는 몸이 크고 귀가 작은 북극여우가, 더운 적도 지방에는 몸이 작고 귀가 큰 사막여우가 분포한다.

자료 분석+ 위도에 따른 여우의 분포

▲ 북극여우(한대)

▲ 붉은여우(온대)

▲ 사막여우(난대)

- 위도에 따라 종류가 다른 여우가 분포한다. 추운 북극 지방에는 몸이 크고 귀가 작은 북극여우가, 더운 적도 지방에는 몸이 작고 귀가 큰 사막여우가 분포한다. → 몸이 크고 말단 부위가 작을수록 열 손실이 적고, 몸이 작고 말단 부위가 클수록 열이 잘 방출된다.
- 변이가 있는 여우 무리가 다양한 지역으로 퍼지면서 각각의 온도에 적응한 결과이다.

14 변이는 같은 종류의 생물 사이에서 나타나는 서로 다른 특징으로, ㄱ과 ㄷ은 변이의 예이다.

오답 풀이

ㄴ. 늑대와 고양이는 서로 다른 종류의 생물로, 이들의 생김새가 다른 것은 변이의 예가 아니다.

15 자연 상태에서 짝짓기하여 생식 능력이 있는 자손을 낳을 수 있는 무리를 종이라고 한다. 수사자와 암호랑이 사이에서 태어난 자손인 라이거는 생식 능력이 없으므로 사자와 호랑이는 다른 종이다.

16 표고버섯, 누룩곰팡이는 균계에 속한다. 균계는 세포 내에 핵이 있는 생물 중 죽은 생물이나 배설물을 분해하여 양분을 얻는 생물 무리로, 버섯과 곰팡이의 몸은 균사라고 하는 실 모양의 구조로 이루어진다. 또한 엽록체가 없어서 광합성을 하지 못한다.

오답 풀이

④ 균계에 속하는 생물은 스스로 양분을 만들 수 없으며 죽은 생물이나 배설물을 분해하여 양분을 얻는다.

17 오답 풀이

ㄴ. (가)가 (나)보다 생물 다양성이 높고 먹이 사슬이 복잡하여 생태계가 안정적으로 유지된다.

ㄷ. (가)에서 개구리가 멸종해도 뱀은 쥐와 메추라기를 먹고 살 수 있으므로 멸종하지 않는다.

자료 분석+ 생물 다양성과 생태계 유지

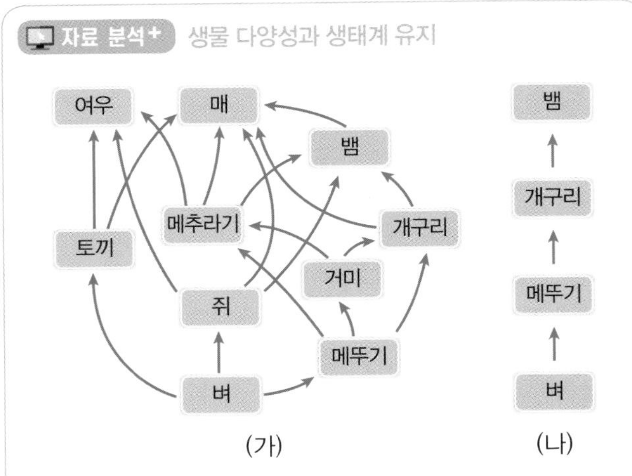

구분	(가)	(나)
생물 다양성	높다	낮다
먹이 사슬	복잡하다	단순하다
생태계 유지	개구리가 멸종해도 뱀은 쥐와 메추라기를 먹고 살 수 있다. (다른 생물이 멸종된 생물을 대체) → 생태계가 안정적으로 유지된다.	개구리가 멸종하면 뱀이 먹고 살 생물이 없어진다. (나머지 종들의 연쇄적 멸종) → 생태계가 파괴될 가능성이 높다.

18 모범 답안 주은, 생물 다양성이 높아지면 생태계가 안정적으로 유지돼.

채점 기준	배점 (%)
옳지 않게 말한 학생을 쓰고, 내용을 옳게 고친 경우	100
옳지 않게 말한 학생만 쓴 경우	40

19 사이테스(CITES : 멸종 위기에 처한 야생 동식물종의 국제 거래에 관한 협약)는 멸종 위기에 처해 있거나 그 가능성이 있는 야생 동식물의 국제 거래를 규제하는 국가 간 약속으로, 야생 동식물 수출국과 수입국이 상호 협력하여 불법 거래나 과도한 국제 거래를 막아 멸종 위기로부터 야생 동식물을 보호한다.

20 종자 은행은 우리나라 고유의 우수한 종자를 보관하고 배양하여 보급하는 역할을 한다. 멸종 위기에 있는 생물종은 멸종 위기종으로 지정하고 관리를 하여 멸종되지 않도록 한다.

오답 풀이

⑤ 생물 다양성을 보전하기 위해서 멸종 위기에 있는 생물을 보호하고 애완용으로 기르지 말아야 한다.

초등에 나오는 과학 용어 풀이

❶ 용수철저울

용수철에 물체를 매달면 용수철이 늘어난 ❶ ☐ 는 용수철을 당기는 힘에 비례하여 증가하는 성질을 이용하여 ❷ ☐ 를 측정하는 저울이다.

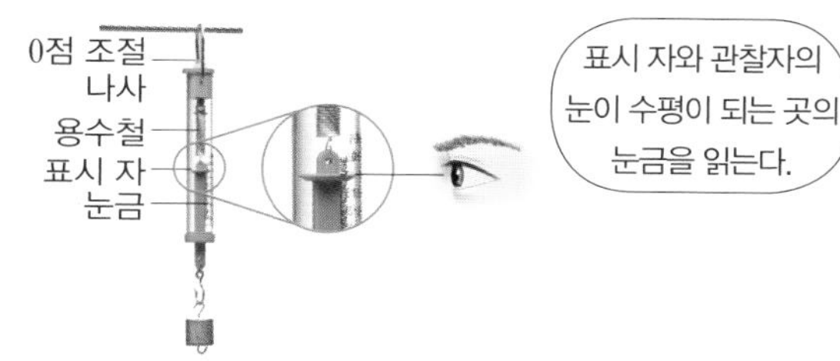

▲ 용수철저울의 구조와 눈금 읽는 방법

답 ❶ 길이 ❷ 무게

예1 용수철저울 속에는 작용하는 힘에 비례하여 늘어나는 용수철이 들어 있다.

예2 용수철저울에 물체를 매달면 무거운 물체일수록 용수철이 더 많이 늘어난다.

❷ 탄성 (탄알 彈, 성질 性)

물체에 힘이 작용하면 ❶ ☐ 이나 부피가 변했다가 그 힘이 사라지면 ❷ ☐ 의 모양으로 되돌아가는 성질을 탄성이라고 한다.

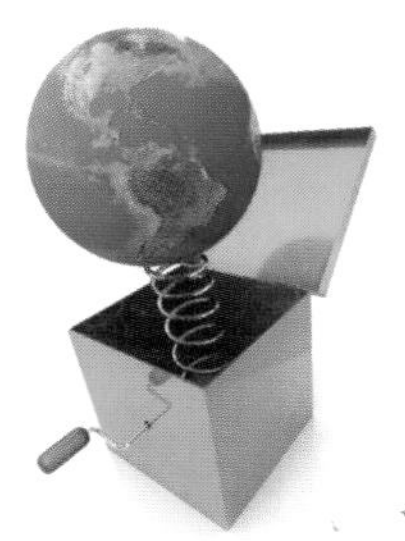
◀ 용수철의 탄성을 이용한 장난감

답 ❶ 모양 ❷ 원래

예1 용수철은 탄성이 좋은 물체로, 잡아당기거나 압축하면 원래 모양으로 쉽게 되돌아간다.

예2 컴퓨터 자판도 탄성이 좋은 물체가 받는 힘을 이용하여 원래 모양으로 쉽게 되돌아온다.

❸ 균류 (버섯 菌, 무리 類)

곰팡이와 버섯 같은 생물로, 보통 거미줄처럼 가늘고 긴 모양의 ❶ ☐ 로 이루어져 있고 ❷ ☐ 로 번식한다.

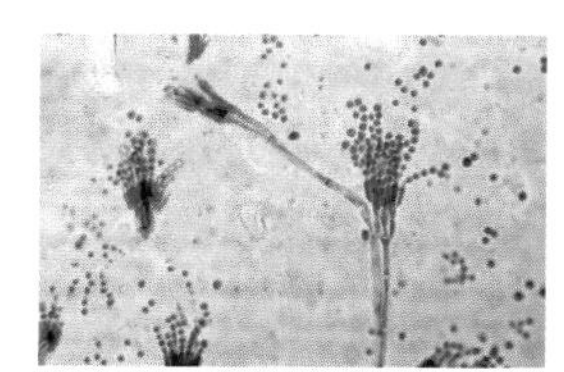
▲ 푸른곰팡이

▲ 표고버섯

답 ❶ 균사 ❷ 포자

예1 균류는 포자로 번식하고 균사로 이루어지며 줄기, 잎과 같은 모양이 없다.

예2 균류는 따뜻하고 축축한 환경에서 잘 자라고, 주로 죽은 생물이나 다른 생물에서 양분을 얻는다.

❹ 원생생물 (근원 原, 날 生, 날 生, 물건 物)

대부분 하나의 세포로 이루어진 ❶ ☐ 생물로 동물이나 식물, ❷ ☐, 세균에 속하지 않는 생물이다. 그 예로 해캄, 아메바, 짚신벌레, 미역, 다시마 등이 있다.

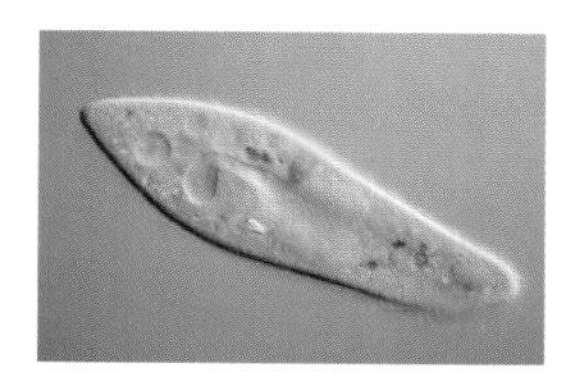
▲ 짚신벌레

▲ 미역

답 ❶ 단세포 ❷ 균류

예1 원생생물에는 움직이고 먹이를 먹어 양분을 얻는 동물의 특징을 나타내는 종류가 있다.

예2 원생생물에는 엽록체가 있어 스스로 양분을 만들 수 있는 식물의 특징을 나타내는 종류가 있다.

❺ 세균 (가늘 細, 버섯 菌)

하나의 ❶[　　　]로 이루어져 있고 스스로 ❷[　　　]을 만들지 못하며, 균류나 원생생물보다 크기가 더 작고, 생김새가 단순한 생물이다.

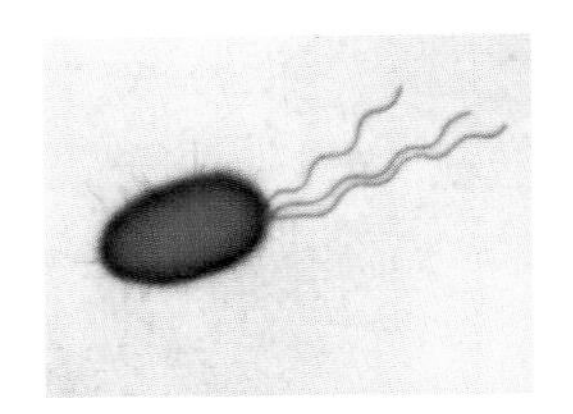

▲ 대장균

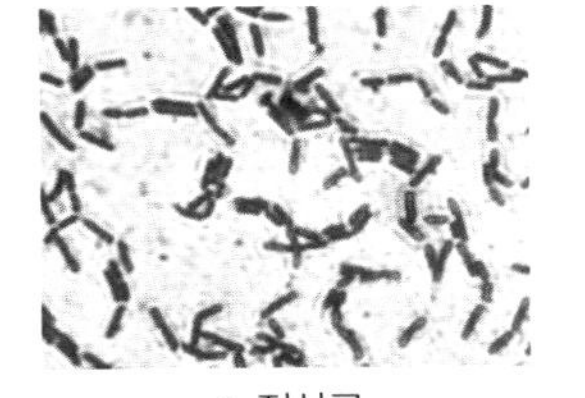

▲ 젖산균

답 ❶ 세포 ❷ 양분

예1 세균은 살기에 알맞은 조건이 되면 짧은 시간 안에 많은 수로 늘어날 수 있다.

예2 세균은 다른 생물의 몸뿐만 아니라 공기, 물, 흙 등 다양한 곳에서 산다.

❻ 생태계 (날 生, 모양 態, 이을 系)

동물과 식물 등의 ❶[　　　] 요소와 햇빛, 물, 공기 등의 ❷[　　　] 요소가 어떤 장소에서 상호 작용하면서 균형과 조화를 이루고 있는 것을 말한다.

답 ❶ 생물 ❷ 비생물

예1 생태계를 구성하는 생물 요소는 양분을 얻는 방법에 따라 생산자, 소비자, 분해자로 나눌 수 있다.

예2 생태계에는 사막, 호수, 강, 초원, 습지, 갯벌, 극지 등이 있다.

❼ 먹이 사슬 (food chain)

먹이 사슬은 한 ❶[　　　] 내 생물들 간의 먹고 먹히는 관계를 나타내는 개념으로, 생물의 먹이 관계가 ❷[　　　]처럼 연결되어 있는 것이다.

 →  →  → 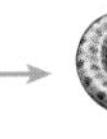

풀 → 메뚜기 → 개구리 → 뱀

답 ❶ 생태계 ❷ 사슬

예1 먹이 사슬은 먹이 관계가 한 방향으로만 연결되어 있다.

예2 여러 먹이 사슬이 얽혀 생물 간의 먹이 관계가 그물처럼 연결되어 있는 것이 먹이 그물이다.

❽ 생태계 평형 (평평할 平, 저울대 衡)

어떤 지역에 살고 있는 생물의 종류와 수 또는 양이 ❶[　　　]을 이루며 안정된 상태를 유지하는 것을 생태계 ❷[　　　]이라고 한다.

▲ 산불로 파괴되는 생태계

답 ❶ 균형 ❷ 평형

예1 자연재해가 발생하거나 사람들의 활동 등으로 환경이 오염되면 생태계 평형이 깨지게 된다.

예2 생태계를 구성하는 생물의 수 또는 양은 주로 생물 간의 먹고 먹히는 관계에 의하여 조절된다.

핵심 정리 01 탄성력

● **탄성력**

모양이 변한 물체가 ❶ ______ 모양으로 되돌아가려는 힘

예 용수철, 고무줄, 태엽 등이 변형되면 탄성력이 작용하여 원래 모양으로 되돌아간다.

● **탄성력의 방향**

탄성체에 가한 힘의 방향과 ❷ ______ 방향

용수철을 압축할 때	용수철을 늘일 때
누르는 힘 / 탄성력	잡아당기는 힘 / 탄성력

예 용수철을 압축하면 압축한 방향과 반대 방향으로 탄성력이 작용하고 잡아당기면 당기는 힘과 반대 방향으로 탄성력이 작용한다.

● **탄성력의 크기**

탄성체의 변형이 클수록 탄성력의 크기가 크다.

예 용수철이 늘어난 길이가 클수록 탄성력이 크다.

답 ❶ 원래 ❷ 반대

핵심 정리 02 탄성력의 이용

● **탄성력의 이용**

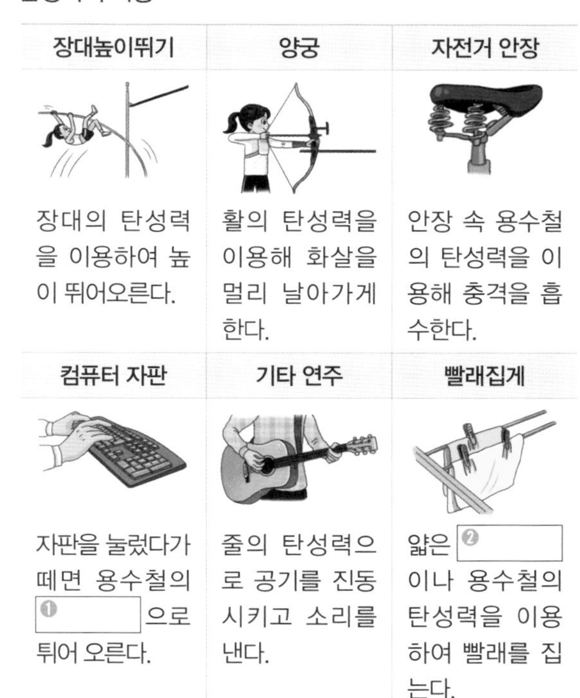

장대높이뛰기	양궁	자전거 안장
장대의 탄성력을 이용하여 높이 뛰어오른다.	활의 탄성력을 이용해 화살을 멀리 날아가게 한다.	안장 속 용수철의 탄성력을 이용해 충격을 흡수한다.
컴퓨터 자판	**기타 연주**	**빨래집게**
자판을 눌렀다가 떼면 용수철의 ❶ ______ 으로 튀어 오른다.	줄의 탄성력으로 공기를 진동시키고 소리를 낸다.	얇은 ❷ ______ 이나 용수철의 탄성력을 이용하여 빨래를 집는다.

답 ❶ 탄성력 ❷ 강철

핵심 정리 03 용수철을 이용하여 무게 측정하기

● **용수철을 이용한 무게 측정 원리**

물체를 매달았을 때 용수철이 늘어난 ❶ ______ 는 용수철을 당기는 힘에 ❷ ______ 한다.

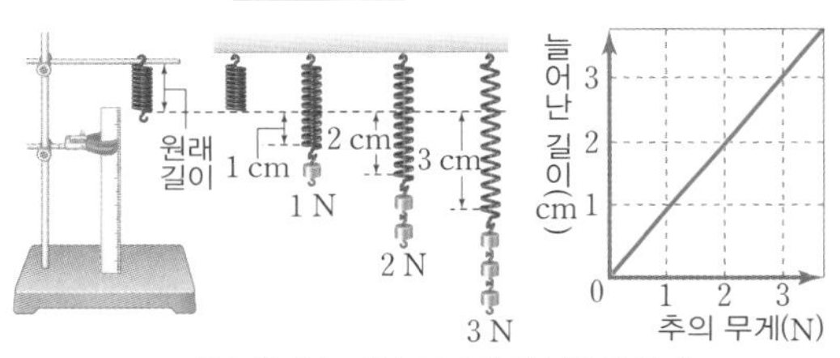

▲ 용수철이 늘어난 길이와 탄성력의 관계

- 용수철을 당기는 추의 무게가 1 N, 2 N, 3 N, …으로 증가하면 용수철이 늘어난 길이도 1 cm, 2 cm, 3 cm, …으로 커진다.
- 용수철의 늘어난 길이는 추의 무게에 비례한다.

예 어떤 물체를 위 용수철에 매달았더니 6 cm 늘어났다면 1 N인 추를 3개 매달았을 때 용수철이 3 cm 늘어나므로, 물체의 무게를 x라 하면 3 N : 3 cm $=x$: 6 cm, 따라서 물체의 무게 $x=6$ N이다.

답 ❶ 길이 ❷ 비례

핵심 정리 04 마찰력

● **마찰력**

물체의 접촉면에서 미끄러짐을 방해하는 힘

● **마찰력의 방향**

작용한 힘과 반대 방향 또는 운동 방향과 반대 방향

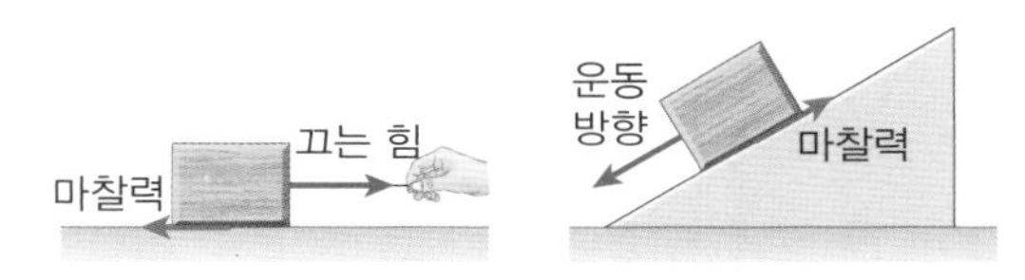

▲ 마찰력의 방향

● **마찰력의 이용**

마찰력을 크게 하는 경우	마찰력이 작게 하는 경우
• 바닥이 거친 등산화를 신는다. • 체조 선수가 손에 송진 가루를 묻힌다. • 가파른 길에 ❶ ______ 방지 포장을 한다.	• 자전거 체인에 ❷ ______ 을 칠한다. • 수영장 미끄럼틀에 물을 뿌린다. • 컬링 경기에서 빙판을 솔로 문지른다.

답 ❶ 미끄럼 ❷ 기름

02 이것만은 꼭! 탄성력의 이용

[예제] **탄성력을 이용하는 예가 아닌 것은?**

① 장대높이뛰기를 한다.
② 몸 풀기용 고무 띠로 운동을 한다.
③ 컴퓨터 자판으로 글자를 입력한다.
✓④ 눈 오는 날 자동차 타이어에 체인을 감는다.
⑤ 기타 줄을 튕겨서 기타 연주를 한다.

기억해요!

장대높이뛰기는 장대의 ____을 이용하여 높이 뛰어올라 목표 지점을 넘고, 컴퓨터 자판을 눌렀다 손을 떼면 ____에 의해 자판이 다시 올라온다.

답 탄성력, 탄성력

04 이것만은 꼭! 마찰력

[예제] **마찰력에 대한 설명으로 옳지 않은 것은?**

① 마찰력은 물체의 무게가 무거울수록 크다.
② 마찰력은 두 물체 사이의 접촉면이 거칠수록 크다.
③ 물체를 빗면 위쪽으로 당길 때 마찰력은 빗면 아래쪽으로 작용한다.
✓④ 마찰력은 물체가 정지해 있을 때 외부에서 가하는 힘과 같은 방향으로 작용한다.
⑤ 컬링 선수들이 솔로 얼음판을 문지르면 돌과 얼음판 사이의 마찰력이 작아진다.

기억해요!

마찰력은 두 물체의 접촉면에서 미끄러짐을 방해하는 힘이며, 물체의 운동 방향과 ____ 방향으로 작용한다. 이때 마찰력의 크기는 물체의 ____가 클수록, 접촉면이 거칠수록 크다.

답 반대, 무게

01 이것만은 꼭! 탄성력

[예제] **그림 (가)는 10 N의 힘으로 밀고, (나)는 용수철에 매단 모습이다. 이에 대한 설명으로 옳지 않은 것은?**

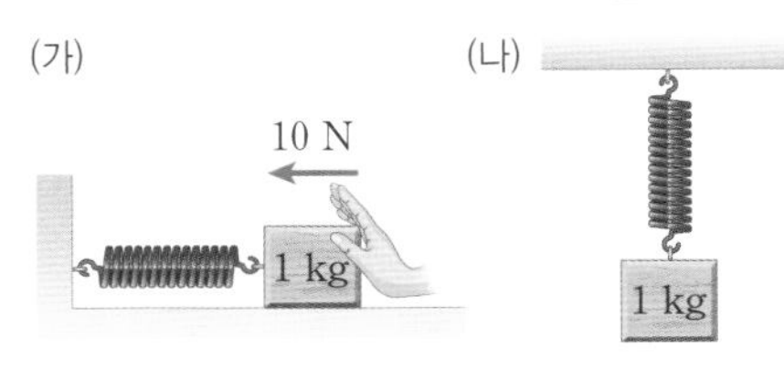

① (가)에서 탄성력의 방향은 오른쪽이다.
② (가)에서 탄성력의 크기는 10 N이다.
③ (나)에서 탄성력의 방향은 위쪽이다.
④ (나)에서 탄성력의 크기는 9.8 N이다.
✓⑤ (나)에서 용수철을 당기는 힘은 용수철의 탄성력이다.

기억해요!

탄성력은 작용한 힘과 크기가 같고 방향은 ____이다. (나)에서 용수철을 아래로 당기는 힘은 물체에 작용하는 ____이므로 탄성력은 이와 반대인 위쪽으로 작용한다.

답 반대, 중력

03 이것만은 꼭! 용수철을 이용한 무게 측정하기

[예제] **그림과 같이 원래 길이가 10 cm인 용수철에 무게가 2 N인 추를 매달았더니 용수철의 길이가 12 cm가 되었다. 이 용수철에 다른 추를 바꿔 매달았더니 15 cm가 되었다면, 바꿔 매달은 추의 무게는 얼마인가?**

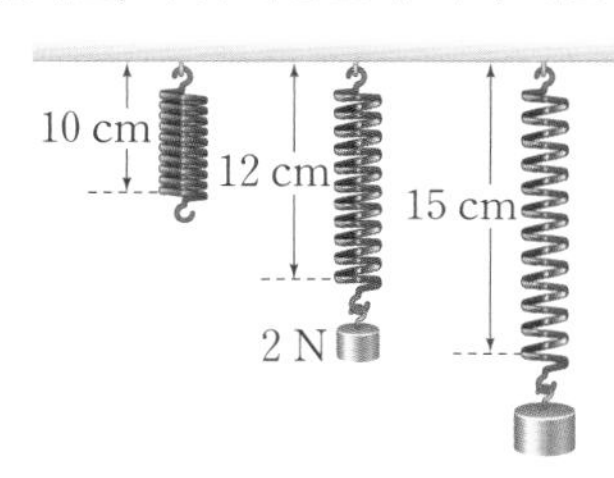

① 3 N ✓② 5 N ③ 7.5 N
④ 10 N ⑤ 15 N

기억해요!

용수철에 매단 추의 무게가 2배, 3배 …가 되면 용수철의 늘어난 ____도 2배, 3배 …가 된다. 물체를 매달았을 때 용수철이 늘어난 길이를 측정하면, 물체의 ____를 알 수 있다.

답 길이, 무게

핵심 정리 05 마찰력의 크기에 영향을 주는 요인

● **마찰력의 크기에 영향을 주는 요인**

① 마찰력의 크기는 물체의 ❶ ______ 가 무거울수록 크다.
→ 움직이기 직전 저울의 눈금은 물체가 무거울수록 크다.

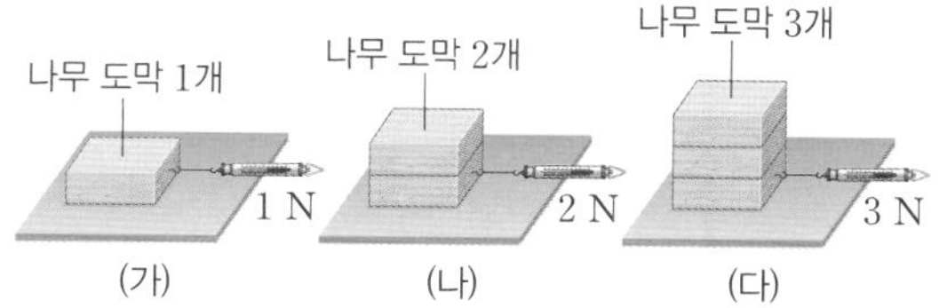

• 마찰력의 크기 : (가)<(나)<(다)

② 마찰력의 크기는 접촉면이 ❷ ______ 크다. → 접촉면이 거칠수록 미끄러져 내려가는 순간의 기울기가 크다.

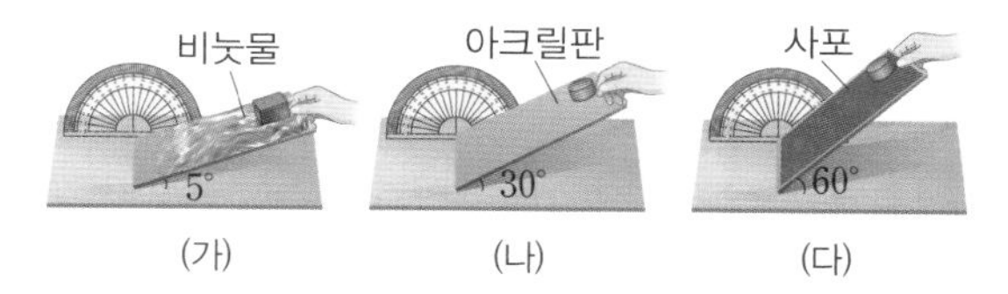

• 마찰력의 크기 : (가)<(나)<(다)

답 ❶ 무게 ❷ 거칠수록

핵심 정리 06 부력

● **부력**

액체나 기체가 그 속에 있는 물체를 위로 밀어 올리는 힘

● **부력의 방향**

❶ ______ 과 반대 방향으로 작용

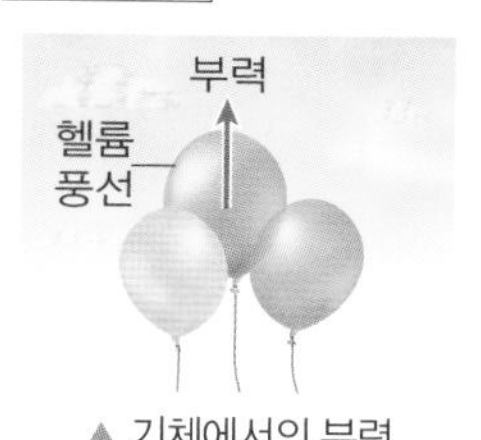

▲ 기체에서의 부력

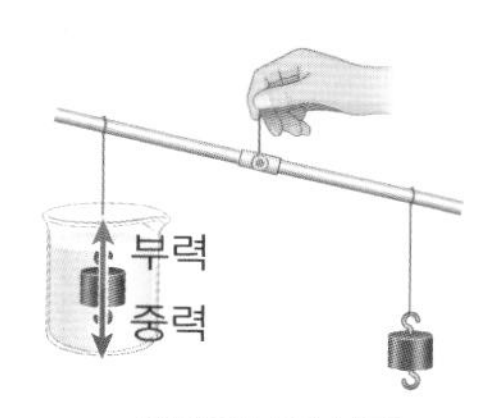

▲ 액체에서의 부력

예 물속에 잠긴 추에 중력과 ❷ ______ 방향의 부력이 작용하여 무게가 가벼워졌기 때문에 무거운 쪽으로 기운다.

● **부력의 이용**

① 액체에서의 부력 : 선박, 물놀이용 튜브, 구명조끼, 구명환, 부표 등

② 기체에서의 부력 : 열기구, 헬륨 풍선, 풍등 등

답 ❶ 중력 ❷ 반대

핵심 정리 07 부력의 크기

● **물속에서 물체가 받는 부력의 크기**

부력의 크기 = 공기 중에서의 물체의 무게 − 물속에서의 물체의 무게

● **물체가 밀어낸 물의 무게로 부력의 크기 구하기**

공기 중에서 물체의 무게(10 N)=물속에서 물체의 무게(6 N)+물체가 밀어낸 물의 무게(4 N)

→ 부력의 크기는 물체가 밀어낸 ❶ ______ 에 해당하는 물의 무게, 즉 넘친 물의 ❷ ______ 와 같다.

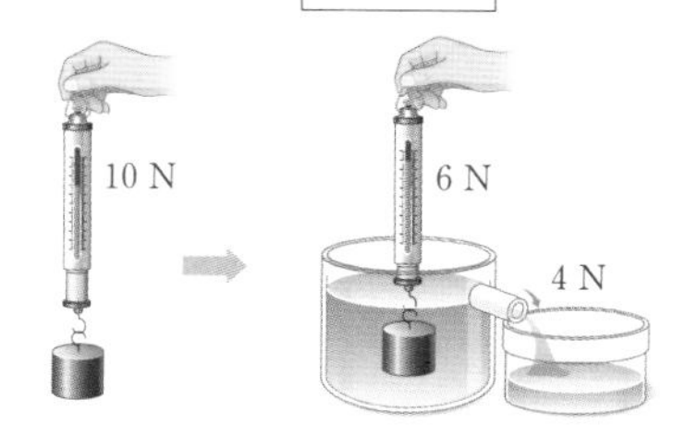

답 ❶ 부피 ❷ 무게

핵심 정리 08 부력의 크기에 영향을 미치는 요인

● **부력의 크기에 영향을 미치는 요인**

물속에서 차지하는 물체의 부피

① 물에 잠긴 물체의 ❶ ______ 가 클수록 부력이 크다. 용수철저울 눈금 : (가)>(나)>(다) → 부력의 크기만큼 ❷ ______ 가 작아진다. → 부력의 크기 : (가)<(나)<(다)

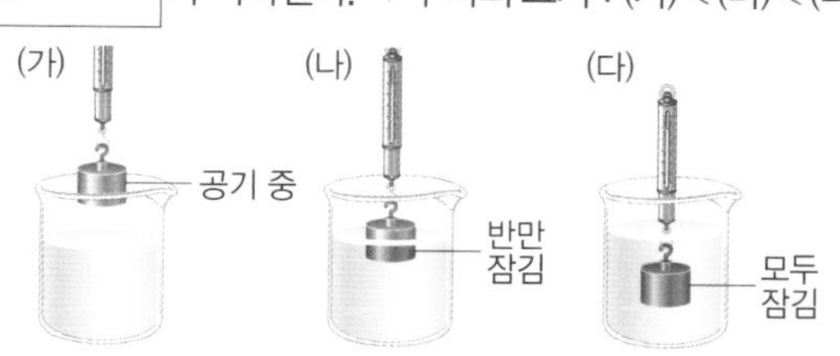

② 부력과 중력의 크기 비교

부력>중력	부력=중력	부력<중력
떠 오른다	떠 있다	가라앉는다
부력 / 중력	부력 / 중력	부력 / 중력

답 ❶ 부피 ❷ 무게

02 이것만은 꼭! 부력

[예제] 다음은 부력이 작용하는 예이다.

무게가 같은 왕관과 금을 매단 양팔저울이 물속에서 금 쪽으로 기울어지는 까닭은 왕관의 ㉠(　　)이/가 금보다 크기 때문에 더 큰 ㉡(　　)을 받기 때문이다.

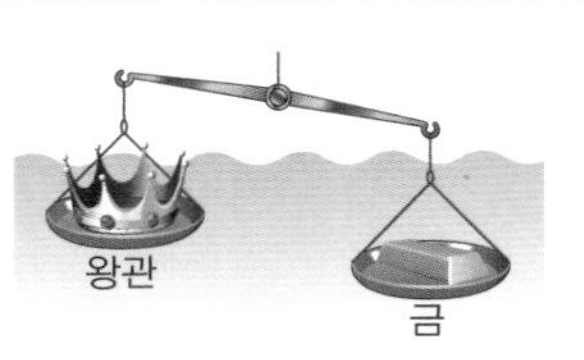

㉠, ㉡에 들어갈 말을 순서대로 옳게 짝 지은 것은?

① 부피, 질량　✓② 부피, 부력
③ 부피, 무게　④ 질량, 중력
⑤ 질량, 부력

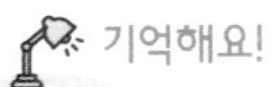
기억해요!

물에 잠긴 물체의 [　　]가 클수록 부력의 크기는 크다. 왕관이 물에 뜨는 것은 물에 잠긴 왕관의 부피가 금보다 크기 때문에 왕관에 작용하는 [　　]이 더 크기 때문이다.

답 부피, 부력

01 이것만은 꼭! 마찰력의 크기에 영향을 주는 요인

[예제] 크기와 재질이 같은 나무 도막을 유리판, 나무판, 사포면 위에 올려놓고, 서서히 기울이면서 미끄러지기 시작하는 기울기를 비교하였더니 그림과 같았다.

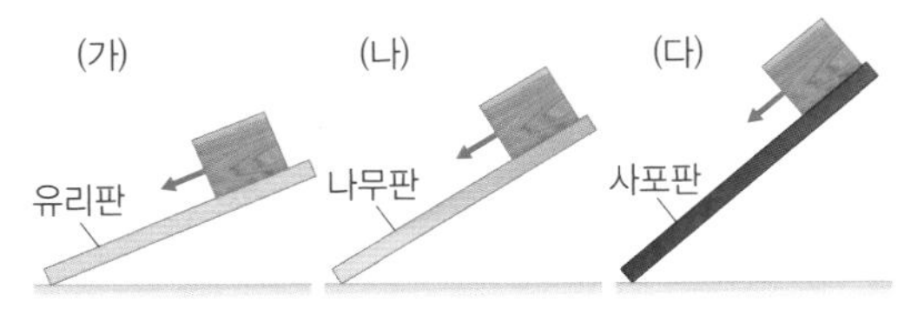

나무 도막에 작용하는 마찰력의 크기를 옳게 비교한 것은?

① (가)>(나)>(다)　② (가)>(다)>(나)
③ (가)=(나)=(다)　④ (다)>(가)>(나)
✓⑤ (다)>(나)>(가)

기억해요!

빗면에서 접촉면이 거칠수록 물체가 미끄러지기 시작하는 순간의 [　　]가 크다. 기울기가 클수록 마찰력이 크게 작용하기 때문에 [　　]의 크기는 접촉면이 거칠수록 크다.

답 기울기, 마찰력

04 이것만은 꼭! 부력의 크기에 영향을 미치는 요인

[예제] 그림은 용수철저울에 추를 매달고 (가)는 추가 물에 잠기기 전, (나)는 추가 절반 정도 잠겼을 때, (다)는 추가 완전히 잠겼을 때를 나타낸 것이다.

(가) 추가 물에 잠기기 전

(나) 추가 절반 정도 잠겼을 때

(다) 추가 완전히 잠겼을 때

추에 작용하는 부력의 크기를 옳게 비교한 것은?

① (가)>(나)>(다)　② (가)>(다)>(나)
✓③ (가)<(나)<(다)　④ (가)>(나)=(다)
⑤ (가)=(나)>(다)

기억해요!

부력의 크기=물체의 무게－물속에서 측정한 [　　]의 눈금이다. 따라서 부력의 크기는 추가 물에 절반 정도 잠겼을 때보다 완전히 잠겼을 때가 더 [　　].

답 용수철저울, 크다

03 이것만은 꼭! 부력의 크기

[예제] 그림은 부피가 같은 물체 A, B, C, D를 물에 넣었을 때의 모습을 나타낸 것이다.

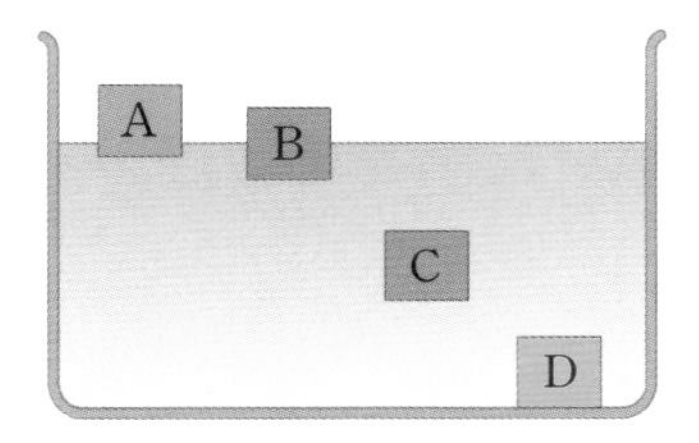

각 물체가 받는 부력의 크기를 옳게 비교한 것은?

① A>B>C>D　② A>B>C=D
③ B>C>D>A　✓④ D=C>B>A
⑤ D>C>B>A

기억해요!

부력의 크기는 물에 잠긴 물체가 밀어낸 물의 [　　]와 같다. 따라서 물에 잠긴 물체의 [　　]가 클수록 부력의 크기가 크다.

답 무게, 부피

핵심 정리 09 생물 다양성

● **생물 다양성** 일정한 지역 내에 서식하고 있는 생물의 다양한 정도 → 생물의 ❶ [   ]가 많고 여러 종이 ❷ [   ] 분포할수록 생물 다양성이 높다.

(가)

(나)

지역	(가)	(나)
개체 수	10그루	10그루
종류	5	4
분포	여러 종류가 고르게 분포	한 종류가 대부분 차지
(가)의 생물 다양성이 더 높다.		

답 ❶ 종류 ❷ 고르게

핵심 정리 10 생물 다양성의 세 범주

● **생물 다양성의 세 범주**

생태계 다양성	일정한 지역에 습지, 갯벌, 산림, 초원과 같은 ❶ [ ]가 다양하게 존재하는 정도
종 다양성	일정한 지역에 살아가는 생물종의 다양한 정도
유전자 다양성	같은 종에 속하는 생물이 서로 다른 ❷ [ ]를 가지고 있어 크기와 생김새 등의 특징이 다르게 나타나는 정도

▲ 생태계 다양성

▲ 종 다양성

▲ 유전자 다양성

답 ❶ 생태계 ❷ 유전자

핵심 정리 11 환경과 생물 다양성

● **변이** 같은 종에 속하는 생물 사이에서 나타나는 서로 ❶ [   ] 특징

예 한 종의 무당벌레의 겉 날개 색깔과 무늬가 조금씩 다르다.

● **적응** 생물은 빛, 온도, 물, 바람 등의 환경에 ❷ [   ]하여 살아간다.

예 북극여우와 사막여우의 생김새가 다른 것은 서로 다른 온도에 적응했기 때문이다.

 ▲ 사막여우	 ▲ 북극여우
사막여우는 귀가 크고 몸집이 작아 몸의 열을 방출하기 쉽다.	북극여우는 귀가 작고 몸집이 커서 열의 손실을 줄일 수 있다.

답 ❶ 다른 ❷ 적응

핵심 정리 12 생물 분류

● **생물 분류** 생물을 일정한 기준에 따라 비슷한 특징을 가진 ❶ [   ]로 나누는 것으로, 생물 고유의 특징을 기준으로 생물을 분류하면 생물 사이의 멀고 가까운 관계를 알 수 있다.

● **생물 분류의 방법**

① 사람의 ❷ [   ]에 따른 분류 : 생물을 이용 목적, 서식지, 식성 등에 따라 분류하는 방법 → 사람에 따라 분류 결과가 달라져 객관적이지 않기 때문에 과학적인 분류라고 할 수 없다.

② 생물 고유의 특징에 따른 분류 : 생물을 생김새, 내부 구조, 번식 방법 등 생물의 고유한 특징을 기준으로 분류하는 방법 → 사람에 따라 분류 결과가 달라지지 않기 때문에 과학적인 분류라고 할 수 있다.

답 ❶ 무리 ❷ 편의

10 이것만은 꼭! 생물 다양성의 세 범주

[예제] 그림은 생물 다양성의 세 범주를 나타낸 것이다. ①~③ 중에서 같은 종에 속하는 생물의 크기와 생김새 등의 특징이 조금씩 다르게 나타나는 정도를 의미하는 것은?

기억해요!

같은 종에 속하는 생물이라도 생물의 특징을 결정하는 ______가 다르기 때문에 크기나 생김새와 같은 특징이 다르게 나타나는 것을 ______ 다양성이라고 한다.

답 유전자, 유전자

09 이것만은 꼭! 생물 다양성

[예제] (가)와 (나) 지역 중 생물 다양성이 더 높은 것을 고르시오.

✓(가)

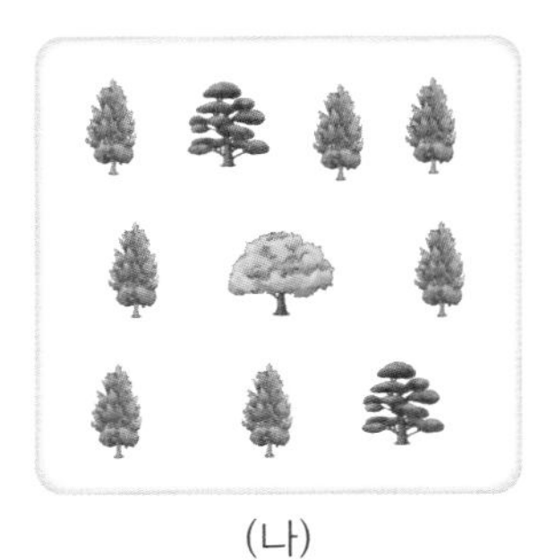

(나)

기억해요!

다양한 종류의 생물이 ______ 분포할수록 생물 다양성이 높다.

답 고르게

12 이것만은 꼭! 생물 분류

[예제] 그림은 여러 식물을 나타낸 것이다.

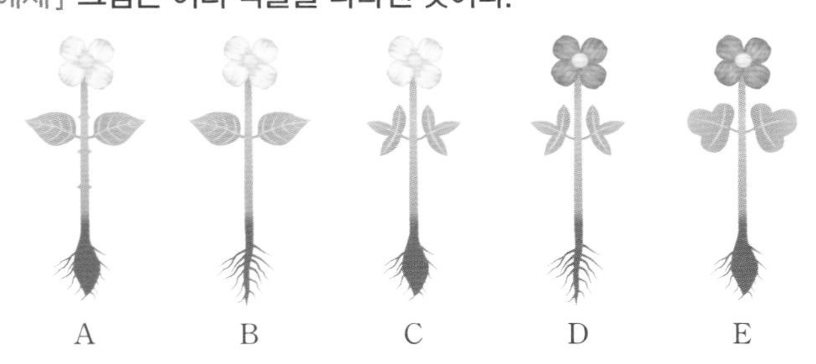

식물을 (A, B, C)와 (D, E)로 구분할 수 있는 분류 기준으로 옳은 것은?

① 잎의 형태 ✓② 꽃잎의 색깔
③ 뿌리의 형태 ④ 잎의 배열 상태
⑤ 줄기의 가시 유무

기억해요!

생물 분류는 생물을 일정한 기준에 따라 ______ 특징을 가진 ______로 나눈 것이다.

답 비슷한, 무리

11 이것만은 꼭! 환경과 생물 다양성

[예제] 변이의 예에 해당하지 않는 것을 모두 고르면? (정답 2개)

✓① 사자와 호랑이의 생김새가 다르다.
② 달팽이의 껍데기 무늬와 색깔이 조금씩 다르다.
③ 바지락의 껍데기 무늬와 색깔이 조금씩 다르다.
✓④ 숲에 사는 생물과 바다에 사는 생물의 종류가 다르다.
⑤ 사람마다 눈동자의 색깔, 머리카락의 형태 등이 조금씩 다르다.

기억해요!

변이는 ______ 종에 속하는 생물 사이에서 나타나는 서로 ______ 특징이다.

답 같은, 다른

핵심 정리 13 생물의 분류 단계

● 종 자연 상태에서 짝짓기하여 ❶ ______ 능력이 있는 자손을 낳을 수 있는 무리로, 생물을 분류할 때 가장 ❷ ______이 되는 단위

● 생물의 분류 단계

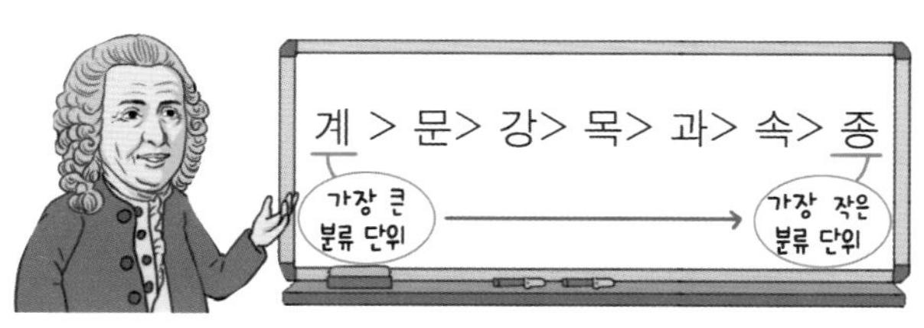

답 ❶ 생식 ❷ 기본

핵심 정리 14 생물 5계

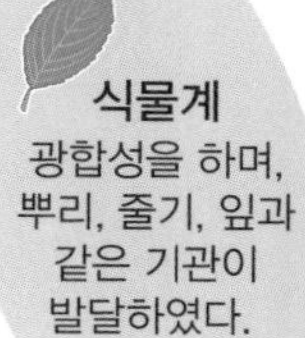

식물계
광합성을 하며, 뿌리, 줄기, 잎과 같은 기관이 발달하였다.

❶ ______
버섯, 곰팡이의 몸은 균사로 이루어졌으며, 죽은 생물이나 배설물을 분해하여 양분을 얻는다.

동물계
운동성이 있으며, 몸에 기관이 발달하였다. 다른 생물을 먹이로 삼아 양분을 얻는다.

❷ ______
세포에 핵이 있는 생물 중 균계, 식물계, 동물계에 속하지 않는 생물 무리이다.

핵(핵막) 유 / 무

원핵생물계
세포에 핵이 없고, 세포벽이 있다.

답 ❶ 균계 ❷ 원생생물계

핵심 정리 15 생물 다양성과 생태계 유지

생물 다양성이 낮은 생태계	생물 다양성이 높은 생태계
특정 종의 멸종 → 나머지 종들의 연쇄적 멸종 ⇨ 생태계가 파괴될 가능성이 높다.	특정 종의 멸종 → 다른 생물이 멸종된 생물을 대체 ⇨ 생태계가 ❶ ______으로 유지된다.
예 쥐가 멸종되면 매의 수가 크게 ❷ ______할 것이다.	예 쥐가 멸종되어도 매는 토끼, 개구리, 뱀을 잡아먹고 살 수 있다.

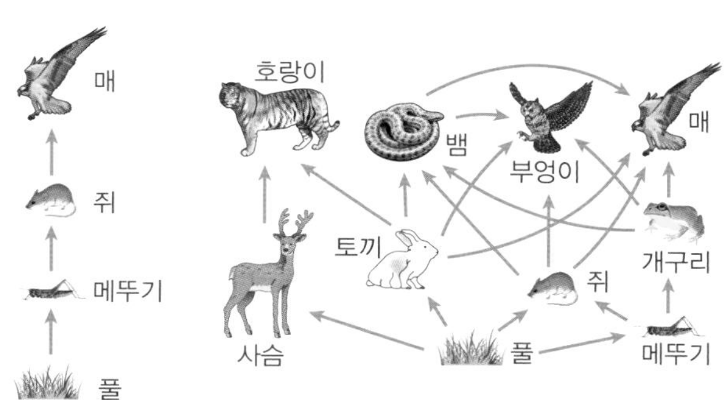

▲ 생물 다양성이 낮은 생태계

▲ 생물 다양성이 높은 생태계

답 ❶ 안정적 ❷ 감소

핵심 정리 16 생물 다양성의 감소 원인과 대책

감소 원인		대책
서식지 파괴	무분별한 개발은 생물의 ❶ ______를 파괴하여 종 다양성을 급격히 감소시킨다. 예 열대 우림 파괴	• 지나친 개발 자제 • 서식지 보전 • 보호 구역 지정 • 생태 통로 설치
외래종 유입	일부 외래종은 천적이 거의 없으므로 토종 생물종의 생존을 위협한다. 예 뉴트리아, 배스	• ❷ ______의 무분별한 유입 방지 • 외래종의 꾸준한 감시와 퇴치
남획	특정 생물종을 남획하여 생물의 개체 수가 감소한다.	• 법률 강화 • 멸종 위기 생물 지정
환경 오염	환경이 오염되어 생물의 개체 수가 감소한다.	• 쓰레기 배출량 줄이기 • 환경 정화 시설 설치

답 ❶ 서식지 ❷ 외래종

14 이것만은 꼭! 생물 5계

[예제] 그림은 생물을 5가지 계로 분류하는 기준을 나타낸 것이다. A와 B에 해당하는 계의 이름을 쓰시오.

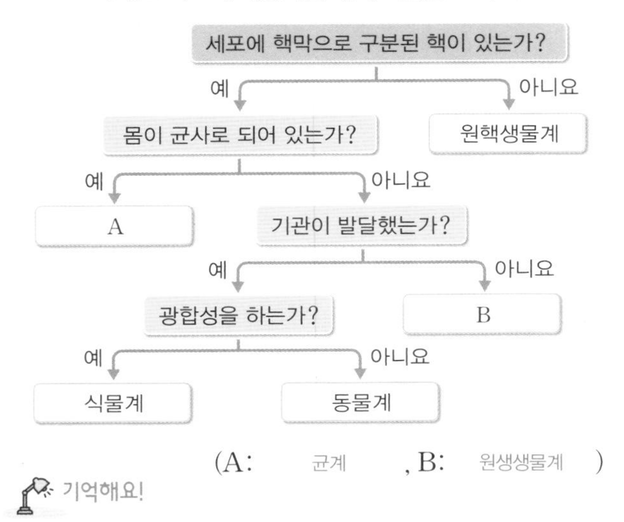

(A: 균계 , B: 원생생물계)

기억해요!

세포에 핵막으로 구분된 핵이 있는 생물 중 몸이 [ ]로 되어 있는 생물 무리는 균계, 몸이 균사로 되어 있지 않고 [ ]이 발달하지 않은 생물 무리는 원생생물계에 해당한다.

답 균사, 기관

13 이것만은 꼭! 생물의 분류 단계

[예제] 그림은 생물의 분류 단계를 나타낸 것이다.

계 > 문 > (㉠) > 목 > (㉡) > 속 > (㉢)

㉠~㉢의 분류 단위를 옳게 짝지은 것은?

	㉠	㉡	㉢
①	종	과	강
②	종	강	과
③	과	종	강
✓④	강	과	종
⑤	강	종	과

기억해요!

생물의 분류 단계에서 가장 기본이 되는 분류 단위는 [ ]이고, 가장 큰 분류 단위는 [ ]이다.

답 종, 계

16 이것만은 꼭! 생물 다양성의 감소 원인과 대책

[예제] 그림은 생물 다양성이 감소함에 따른 대책 중 하나인 생태 통로를 나타낸 것이다.

생태 통로를 건설하는 것과 가장 관계 깊은 생물 다양성 감소 원인은?

① 남획
② 환경 오염
③ 과도한 포획
✓④ 서식지 파괴
⑤ 외래종의 유입

기억해요!

도로를 건설할 때 [ ]를 설치하면 야생 동물의 [ ]가 단절되는 것을 막을 수 있다.

답 생태 통로, 서식지

15 이것만은 꼭! 생물 다양성과 생태계 유지

[예제] 그림은 어떤 생태계를 나타낸 것이다. 이에 대해 옳지 않게 말한 학생을 쓰시오.

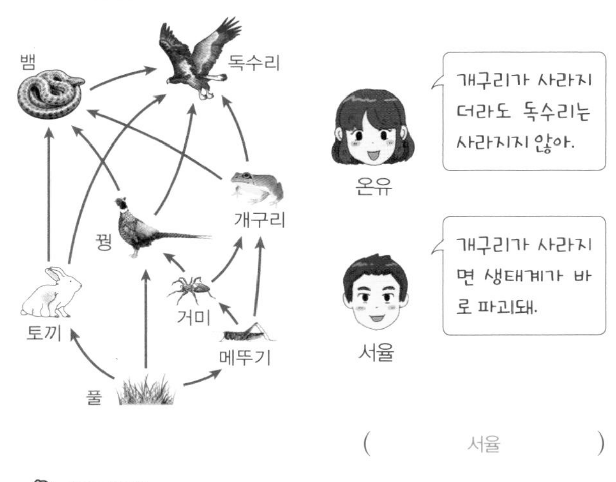

(서율)

기억해요!

생물 [ ]이 높은 생태계는 일부 생물이 사라져도 이를 [ ]할 생물이 있어 생태계가 안정적으로 유지된다.

답 다양성, 대체